Romeinse legioenen

Van Adrian Goldsworthy verschenen eerder de volgende titels:

Augustus (2016)

Pax Romana (2017)

De muur van Hadrianus (2018)

Hannibals meesterzet (2019)

De glorie van Rome (2019)

Philippus en Alexander (2020)

De ondergang van Rome (2022)

Adrian Goldsworthy

ROMEINSE LEGIOENEN

Een standaardwerk over 's werelds beste oorlogsmachine:

het Romeinse leger

Uitgeverij Omniboek

Afbeelding omslag: De Praetoriaanse garde, afgebeeld op een reliëf dat in de vroege tweede eeuw voor Christus in Rome is gevonden.

Afbeelding pagina 1: Een klein bronzen standbeeldje van een Romeins soldaat die een adelaar (*aquila*) draagt. Vanaf de eerste eeuw voor Christus was de adelaar de belangrijkste standaard van een legioen.

Derde druk, 2019
Vierde druk, 2022

Postbus 13288, 3507 LG Utrecht
www.omniboek.nl
www.boekenwereld.com

Deze titel is oorspronkelijk gepubliceerd onder de titel *The complete Roman army*.
Published by arrangement with Thames and Hudson Ltd, London.

Vertaling Jetty Huisman
Vertaling bijschriften door Marja Taal-van der Linden en Andries de Haan
Omslagontwerp www.garage-bno.nl
Opmaak binnenwerk www.garage-bno.nl

ISBN 9789401900997
NUR 683

INHOUD

Inleiding

Een kort overzicht van de geschiedenis van Rome

Volgens de overlevering werd de stad Rome in 753 v.C. gesticht door Romulus. Aanvankelijk was er een koninkrijk, totdat de koningen werden verjaagd en er aan het eind van de zesde eeuw v.C. een republiek werd gevormd. Rome breidde zich geleidelijk uit; het slokte de andere Latijnssprekende gemeenschappen op, en later ook de andere Italische volken, waardoor aan het begin van de derde eeuw v.C. het hele schiereiland ten zuiden van de rivier de Po tot Romes invloedssfeer behoorde. Een lange, moeizame strijd tegen Carthago leverde de eerste overzeese gebieden op, en tegen het midden van de tweede eeuw v.C. had Rome de onbetwiste heerschappij over de gehele mediterrane wereld. De expansie duurde voort, maar de enorme opbrengsten van deze veroveringen zetten de republikeinse regeringsvorm ernstig onder druk, wat resulteerde in steeds meer spanning en geweld. In de eerste eeuw v.C. ontstond een neerwaartse spiraal van burgeroorlogen en opstanden, waaraan pas een einde kwam in het jaar 31 v.C., toen Octavianus, de aangenomen zoon van Caesar, zijn laatste tegenstander uitschakelde.

Octavianus, die zich later Augustus zou noemen, verving de republikeinse staatsvorm door een monarchie naar specifiek Romeinse snit, die we nu principaat noemen. Naar buiten toe presenteerde hij zichzelf als hoogste magistraat en dienaar van de staat, maar in werkelijkheid had hij de macht over alle andere politieke instellingen naar zich toe getrokken, waaronder ook die over de senaat en de volksvergaderingen, en had hij al vroeg tijdens zijn bewind een opvolger aangewezen. Tijdens het bewind van Augustus breidde het rijk zich verder uit, en toen hij in 14 n.C. stierf, had het op veel plaatsen de grenzen bereikt die eeuwenlang in stand zouden blijven, op een aantal uitzonderingen na: Claudius viel in 43 n.C. Britannia binnen en Trajanus annexeerde in 101-106 n.C. Dacië, maar de eerdere grote veroveringen werden niet meer geëvenaard. Tijdens het principaat genoot Rome meer dan tweehonderd jaar stabiliteit; slechts tweemaal gedurende die periode laaide er even een burgeroorlog op toen een keizer stierf zonder erfgenaam.

Dit veranderde in de derde eeuw n.C., toen burgeroorlogen even vaak voorkwamen als tijdens de laatste decennia voor de republiek. Door de bank genomen hield geen enkele keizer het langer dan een paar jaar uit, en de meeste kwamen gewelddadig aan hun eind terwijl het leger zijn krachten verspilde aan interne strijd. Het rijk begon af te brokkelen, waarbij sommige machthebbers slechts aan het hoofd stonden van kleine onderdelen. Die zwakte bood kansen voor omringende landen om het rijk binnen te vallen, en leidde tot veel verliezen. Na verloop van tijd viel het rijk uiteen in een westelijk en een oostelijk deel, beide met een eigen keizer of keizers. De stabiliteit keerde niet voorgoed weer, ook al wisten sommige sterke leiders voor langere perioden van relatieve vrede te zorgen. Toch bleef Rome een sterkere macht dan welke tegenstander ook. Het West-Romeinse rijk ging uiteindelijk in de vijfde eeuw n.C. ten onder, maar het Oost-Romeinse rijk, met Constantinopel als hoofdstad, hield stand tot diep in de middeleeuwen en wist veel van Romes militaire instellingen te behouden.

Het veranderende gezicht van het Romeinse leger

Het Romeinse leger speelde een centrale rol in de geschiedenis van de stad Rome. Het schiep en handhaafde een rijk dat uiteindelijk Europa, Noord-Afrika en het Nabije Oosten omvatte en lang standhield. Het populaire beeld van het leger is dat van een strikt georganiseerde, zeer professionele en gedisciplineerde krijgsmacht, die opmerkelijk modern geleid werd. Dat klopt slechts ten dele en alleen voor bepaalde perioden, maar doet geen recht aan de enorme veranderingen die Romes militaire instituties in de loop van hun eeuwenlange geschiedenis ondergingen. In dit boek komen de belangrijkste drie stadia van het Romeinse leger aan de orde.

Rome groeide geleidelijk aan in omvang en luister – de meeste monumentale gebouwen die vandaag de dag in het Forum te zien zijn, zijn gebouwd tijdens het bewind van de keizers. Oorlogvoering speelde een belangrijke rol in de Romeinse geschiedenis, en veranderingen in de stad veranderden tevens het leger dat de stad moest beschermen.

Romeinse soldaten komen vaak voor in epische films, alhoewel de nauwkeurigheid van zulke reconstructies erg varieert. In deze scène uit de film Gladiator rijdt een hoofdofficier tussen linies van legionairs en boogschutters door. Van een afstand lijkt de uitrusting van deze mannen redelijk accuraat weergegeven. De afbeelding laat zien hoe smerig de soldaten eruitzagen tijdens de veldtocht.

De eerste periode is die van de militie uit de midden-republiek (derde tot tweede eeuw v.C.); uit de bronnen van deze periode valt een goed beeld van het Romeinse leger af te leiden. Deze militie bestond uit burgers die zich onder militair gezag schikten voor de duur van een oorlog, waarna ze terugkeerden naar hun burgerleven. De soldaten waren grondbezitters, meestal boeren die genoeg land hadden om zelf wapens en een uitrusting te bekostigen. Het leger was voor hen geen beroep, maar een plicht die ze de staat verschuldigd waren. Het militieleger veroverde Italië, versloeg Carthago en vestigde het gezag van Rome in het gehele Middellandse Zeegebied.

De tweede periode loopt van de eerste eeuw v.C. tot de vroege derde eeuw n.C. en begon met de totstandkoming van het Romeinse beroepsleger. De uitbreiding van het rijk betekende oorlogvoering op steeds grotere afstand van Italië en vereiste dat grote garnizoenen gelegerd werden in de veroverde gebieden. Het militieleger kon niet aan die nieuwe eisen voldoen. De legionair was voortaan geen welvarende boer die korte tijd dienstdeed vanuit een verplichting jegens de republiek, maar doorgaans een arme man die het leger als professie zag. Dit leidde tot een fundamentele verandering in de verhouding tussen leger en staat en maakte de burgeroorlogen mogelijk die de ondergang van de republiek betekenden. Ten slotte zorgde Augustus ervoor dat het leger slechts aan hemzelf en zijn familie trouw verschuldigd was, een gewoonte die zijn opvolgers overnamen. Tijdens het principaat bereikte het leger het toppunt van efficiëntie, en het rijk zijn grootste omvang, waarna het Romeinse gezag werd bestendigd. In deze periode lijkt het Romeinse leger het meest op het algemeen verbreide beeld ervan.

De laatste periode (derde tot vijfde eeuw n.C.) beslaat de late oudheid. In deze fase kreeg het beroepsleger steeds meer met bedreigingen van buitenaf te maken, terwijl voortdurende burgeroorlogen het verzwakten. Er werden nieuwe soorten legereenheden en uitrustingen ingevoerd, en het leger wist zich daaraan maar met moeite aan te passen. Ondanks deze veranderingen bleef er veel ongewijzigd; de verschillen tussen het leger van de midden-republiek en dat van het principaat waren groter dan die tussen dat van het principaat en de strijdkrachten van het late keizerrijk.

Bronnen

Het Romeinse leger mag dan enorm lang hebben bestaan, het is ook al lang verleden tijd. De sporen die het heeft achtergelaten bestaan slechts uit resten van legerbases en forten, overgebleven fragmenten van de uitrusting en verslagen van veldtochten in Romeinse en Griekse geschriften. Samen vormt dit alles behoorlijk wat bronnenmateriaal op basis waarvan we de instituten en de dagelijkse gang van zaken in het Romeinse leger kunnen reconstrueren, maar ieder soort bron brengt wel zijn eigen interpretatieproblemen met zich mee. Het is goed de aard van de bronnen eerst kort te bekijken.

1 Geschreven bronnen

De Romeinse geschiedschrijvers hielden zich vooral bezig met politiek en oorlogvoering. Geschiedschrijving was in de eerste plaats een vorm van literatuur. Men stelde er dan ook hoge stilistische en retorische eisen aan, zelfs als dat ten koste ging van de nauwkeurigheid. Vandaar dat verslagen van een leger op veldtocht vooral gaan over dramatische gebeurtenissen, zoals veldslagen en belegeringen. Bovendien verwachtten ontwikkelde lezers van historische teksten er bepaalde literaire thema's of standaardsituaties in aan te treffen (zogenoemde *topoi*). In het gunstigste geval betekende dit dat een schrijver de keuze maakte alleen bepaalde gebeurtenissen op te nemen, in het ongunstigste geval verzon hij gewoon iets. We hebben dan ook veel verslagen van veldslagen, maar over de dagelijkse gang van zaken en minder spectaculaire activiteiten als grenspatrouilles, handhaving van de orde en het leger in vredestijd is minder geschreven.

Een ander gevolg van het belang dat de geschiedschrijvers in de oudheid aan stijl en leesbaarheid hechtten, is dat er niet veel technische informatie wordt gegeven. Ook topografische beschrijvingen zijn, zelfs als het om belangrijke aspecten van een bepaalde veldtocht gaat, meestal summier en vaag. Gedetailleerde informatie over uitrusting, organisatie, tactiek en logistiek van het leger is bijzonder zeldzaam, en wat er is, is vaak fragmentarisch of bestaat uit niet meer dan een zijdelingse opmerking van een auteur. Sommige schrijvers zullen dit soort informatie hebben weggelaten omdat ze die bij hun lezers bekend veronderstelden. Zo vertelt Julius Caesar, die ons een waardevol verslag heeft nagelaten van de veldtochten van zijn eigen leger, ons bitter weinig over de opbouw van zijn legioenen of over hun wapens. Hij vermeldt zelfs nergens dat zijn mannen lichaamspantsers droegen, terwijl we uit andere bronnen weten dat dat wel zo was.

Hieronder volgt een bespreking van de belangrijkste literaire bronnen voor de drie perioden. Deze hebben alle hun bruikbaarheid en beperkingen.

De belangrijkste bron voor het leger van de midden-republiek is die van de Griekse historicus Polybius, die zijn werk omstreeks 140 v.C. schreef. Polybius was zelf soldaat geweest, maar werd als krijgsgevangene naar Rome gestuurd. Daar raakte hij bevriend met de Romeinse generaal Scipio Aemilianus, met wie hij het beleg van Carthago in 147-146 v.C. meemaakte. Polybius beschrijft de Romeinse legioenen in deze periode tot in detail, inclusief organisatie, uitrusting en de indeling van hun tijdelijke legerkampen. Een andere belangrijke bron voor deze periode is die van de Romeinse geschiedschrijver Livius, aan het eind van de eerste eeuw. Voor details over het leger is hij een veel minder betrouwbare bron. Overige goede bronnen voor deze periode zijn de werken van de Griekse historicus Appianus en Plutarchus, een biograaf, beiden uit het begin van de tweede eeuw n.C. Hun teksten maken soms gebruik van vroegere bronnen die niet bewaard gebleven zijn.

Een poort die deel uitmaakt van de Romeinse vesting in Saalburg (Duitsland) die in de negentiende eeuw volledig gereconstrueerd is. Dergelijke projecten zijn onvermijdelijk een combinatie van feiten die door opgravingen ontdekt zijn en een flinke dosis giswerk. De torens aan weerskanten van de poort waren in werkelijkheid waarschijnlijk hoger.

De Gallische oorlog, het werk dat Julius Caesar schreef over zijn veldtochten in Gallië en de burgeroorlog, is van onschatbare waarde als bron voor het oorlogvoerende leger. Tacitus schreef aan het begin van de tweede eeuw n.C. en levert gedetailleerde informatie over het leger ten tijde van het vroege principaat. De Joodse historicus Flavius Josephus, die tegen Rome had gevochten tijdens de Joodse opstand van 66 n.C. voordat hij overliep naar de andere kant, biedt een nauwkeurig verslag van één enkel conflict, maar ook een algemener beschrijving van het leger, een tegenhanger van Polybius' tekst over het republikeinse leger.

Er zijn niet veel literaire bronnen waarin het leger uit de tweede en de derde eeuw n.C. wordt beschreven, en ze zijn doorgaans niet erg betrouwbaar. Ammianus Marcellus biedt een uitzonderlijk gedetailleerd verslag van omvangrijke invasies en belegeringen, maar ook van enkele kleinere invallen uit de vierde eeuw. Ammianus was zelf stafofficier en ooggetuige van enkele door hem beschreven gebeurtenissen.

CHRONOLOGISCH OVERZICHT VAN DE ROMEINSE OORLOGEN

v.C.

753	Rome gesticht door Romulus, volgens de traditie
509	Tarquinius Superbus, de laatste koning van Rome, wordt verdreven, volgens de traditie
396	Romeinse soldaten krijgen voortaan soldij
390	Galliërs plunderen Rome
280-275	Oorlog met koning Pyrrhus van Epirus
264-241	Eerste Punische Oorlog
225	Gallische leger valt binnen en wordt verslagen bij Telamon
218-201	Tweede Punische Oorlog
214-205	Eerste Macedonische Oorlog
200-196	Tweede Macedonische Oorlog
192-189	Romeins-Syrische Oorlog met Seleuciden onder koning Antiochus III
172-167	Derde Macedonische Oorlog
149-146	Derde Punische Oorlog
112-106	Oorlog met koning Jugurtha van Numidia
105	Cimbren en Teutonen vernietigen een groot Romeins leger bij Arausio
102	Marius verslaat Teutonen bij Aquae Sextiae
101	Marius en Catulus verslaan Cimbren bij Vercellae
91-88	De Bondgenotenoorlog, de laatste grote opstand van Romes Italische bondgenoten

88	Sulla trekt met zijn legioenen op naar Rome
88-85	Eerste Mithridatische Oorlog
83-82	Sulla wint burgeroorlog
83-82	Tweede Mithridatische Oorlog
74-66	Derde Mithridatische Oorlog
73-70	Opstand van Spartacus
58-50	Caesars Gallische veldtochten
55	Caesars eerste inval in Britannia
54	Caesars tweede inval in Britannia
53	Crassus verslagen en gedood door de Parthen onder aanvoering van Surenas bij Carrhae
52	Gallische opstand onder leiding van Vercingetorix
49-45	Burgeroorlog tussen Caesar en Pompeius
44	Caesar(s) vermoord door samenzwering onder leiding van Brutus en Cassius
44-31	Periode van burgeroorlogen, eerst tussen aanhangers van Caesar en de samenzweerders, vervolgens tussen Marcus Antonius en Octavianus
31	Marcus Antonius verslagen door Octavianus in de zeeslag bij Actium. Octavianus (niet lang daarna Augustus genoemd) wordt feitelijk alleenheerser van het Romeinse principaat van Augustus (27 v.C.-14 n.C.)
16-15	Verovering Keltische stammen in de Alpen
12-7	Verovering van Pannonia en Germania

n.C.

6-9	Grote opstand in Pannonia
9	Grote opstand in Germania. Varus en Legiones XVII, XVIII en XIX in hinderlaag gelokt en afgeslacht in het Teutoburgerwoud

De Julisch-Claudische dynastie: Tiberius, Caligula, Claudius en Nero

14-37	Principaat van Tiberius
14-16	Oorlog met Arminius
37-41	Principaat van Gaius (Galigula)
41-54	Principaat van Claudius
43	Invasie van Britannia
54-68	Principaat van Nero
60-61	Opstand van Boudicca in Britannia
66-74	De Joodse opstand
68-69	Burgeroorlog (het 'Vierkeizerjaar'). Galba, Otho en Vitellius grijpen kort na elkaar de macht, maar Vespasianus wint ten slotte de oorlog

De Flavische dynastie: Vespasianus, Titus en Domitianus

70-79	Principaat van Vespasianus
70	Jeruzalem ingenomen na een lange belegering
73-74	Massada belegerd
79-81	Principaat van Titus
81-96	Principaat van Domitianus
85-89	Oorlog met koning Decebalus van Dacië
96-98	Principaat van Nerva
98-117	Principaat van Trajanus
101-102	Trajanus' Eerste Dacische Oorlog
105-106	Trajanus' Tweede Dacische Oorlog
113-117	Trajanus' Parthische Oorlog
117-138	Principaat van Hadrianus
122	Bouw Muur van Hadrianus wordt begonnen
131-135	Bar Kochba-Opstand in Judea
138-162	Principaat van Antoninus Pius
140-143	Bouw Muur van Antoninus wordt begonnen
161-180	Regering van Marcus Aurelius
162-166	Oorlog met Parthia en overwinning door Lucius Verus, mederegent van Marcus
167-180	Vrijwel onafgebroken oorlog met Germaanse stammen langs de Donau
180-192	Regering van Commodus
193-197	Burgeroorlog, uiteindelijke zege voor Severus
197-208	Regering van Septimius Severus
211-217	Caracalla's bewind eindigt als hij wordt vermoord, waarop een periode van burgeroorlog volgt.
222-235	Regering van Severus Alexander
235-238	Regering van Maximus tot hij wordt vermoord
238-244	Regering van Gordianus III tot hij wordt vermoord
244-249	Regering van Philippus I Arabs, tot hij op het slagveld wordt gedood door Decius
249-251	Regering van Decius tot hij wordt verslagen en gedood door de Goten bij Forum Trebonii. Opnieuw burgeroorlogen
253-260	Regering van Valerianus tot de Perzen hem gevangennemen
260-268	Regering van Gallienus tot hij vermoord wordt
268-270	Regering van Claudius II 'Gothicus' tot hij ziek wordt en sterft
270-275	Regering van Aurelianus. Drukt de opstand van koning Zenobia van Palmyra de kop in. Wordt door zijn officieren vermoord
275-276	Regering van Tacitus
276-282	Regering van Probus tot hij wordt vermoord
284-305	Regering van Diocletianus en de instelling van de tetrarchie. Het Rijk wordt officieel verdeeld in een westelijk en een oostelijk rijk, elk met een 'senior-augustus' en een 'junior-caesar'. Diocletianus trad af, maar het stelsel heeft niet lang gefunctioneerd.

306	Constantius, augustus van het westen, sterft in York. Het leger wijst zijn zoon Constantijn als keizer aan
312	Constantijn verslaat zijn rivaal Maxentius in de slag bij de Milvische brug buiten Rome en wordt keizer van het westen
324-337	Regering van Constantijn (de Grote) als onbetwist leider van het hele Rijk. Hij zorgt voor officiële erkenning van het christendom
337-360	Oorlog met Perzië
357	Julianus Apostata (caesar van het westen) verslaat de Alemannen in de slag bij Straatsburg
363	Julianus valt Perzië binnen
394	Overwinning door Theodosius in de Slag aan de Frigidus
410	Visigoten onder leiding van Alaric nemen Rome in
429	Vandalen vallen Afrika binnen
451	Aetius weet het offensief van Attila de Hun bij Châlons (Campus Mauriacus) af te slaan
469-478	Visigoten vallen Spanje binnen
476	De laatste keizer van het West-Romeinse Rijk, Romulus Augustus, wordt afgezet door Odoaker die het Ostrogotische Rijk in Italië sticht
502-506	Oorlog met Perzië
526-532	Oorlog met Perzië
533-554	Keizer Justinianus probeert Noord-Afrika en Italië te heroveren

Na zijn overwinning op Dacia (het huidige Roemenië) in 106 na Christus liet keizer Trajanus een nieuw Forum bouwen in Rome. Centraal daarin kwam de Zuil van Trajanus, waarop oorlogsscènes te zien zijn. Hoewel gestileerd, geeft de zuil een gedetailleerd beeld van het Romeinse leger op campagne in de vroege tweede eeuw na Christus. In dit tafereel zijn Romeinse legionairs te zien, gekleed in het bekende borstharnas, terwijl zij een pontonbrug oversteken. Links worden zij gadegeslagen door de geest of de god van de rivier. Rechts zijn de vele standaards te zien.

Een gezichtsmasker van een Romeinse helm uit het Duitse Kalkriese, waarschijnlijk de locatie van de veldslag in het Teutoburgerwoud, waar in 9 na Christus een leger van drie legioenen werd verslagen. De analyse van vondsten van wapenrustingen geeft een beeld van hoe de Romeinse soldaat eruitzag, maar het interpreteren van archeologische vondsten is niet gemakkelijk. Zo werd altijd aangenomen dat dergelijke maskers alleen bij parades en ceremonies werden gebruikt, maar toch werd dit exemplaar op het slagveld aangetroffen.

Een afzonderlijk genre naast geschiedschrijving, dat echter ook voornamelijk tot de literatuur werd gerekend, waren theoretische handboeken. Daarvan is er een aantal overgeleverd. Voor het leger ten tijde van het principaat zijn dat de *Stratagemata* van Frontinus, een verzameling krijgslisten van generaals uit het verleden, *De geschiedenis van de Alanen* en *Leerboek van de tactiek* van Arrianus en *De munitionibus castrorum* (*Over de versterking van legerkampen*) van Pseudo-Hyginus. Aan het einde van de vierde eeuw schreef Vegetius zijn *Uittreksel van militaire zaken*, dat teruggaat op een groot aantal oudere bronnen, met een verwarrend samenraapsel uit verschillende perioden en wellicht ook ronduit verzinsels als gevolg. Al deze bronnen zijn bruikbaar zolang we niet vergeten dat ze een ideaalbeeld van het leger bevatten, dat kan afwijken van de werkelijkheid.

2 *Archeologische vondsten*

De literaire bronnen die we bezitten zijn bekend en worden al eeuwenlang bestudeerd. Het is daarom zeer onwaarschijnlijk dat er ooit nog een nieuwe tekst wordt ontdekt. Dit in tegenstelling tot archeologische opgravingen, die een nog altijd groeiende bron vormen waaraan we ontzettend veel informatie over het Romeinse leger ontlenen. We weten de locatie van legerkampen, die ook al deels zijn opgegraven, al werden er slechts enkele forten voor hulptroepen en geen enkele legerburcht volledig opgegraven. Ook op vindplaatsen die je niet zo snel met het leger verbindt, zijn uitrustingen en sporen van de aanwezigheid van soldaten aangetroffen.

Maar zelden vind je sporen van een leger op veldtocht, nog minder van de vele veldslagen, en slechts sporadisch kan de locatie van een treffen met zekerheid worden aangewezen, met uitzondering van de recente opgravingen die de rampzalige nederlaag in 9 n.C. bij het Teutoburgerwoud aan het licht brachten. Bij belegeringen die langer duurden dan veldslagen, kwam flink wat graaf- en bouwwerk kijken voor het leger, zoals omsingelingen met greppels en wallen, tijdelijke forten of stormwallen, die soms bewaard zijn gebleven. Dergelijke sporen van een belegering zijn onder meer aangetroffen bij opgravingen in Numantia (Spanje), Alesia (Gallië) en Massada (Judea). Op enkele plaatsen zijn aanwijzingen gevonden voor het brute geweld waarmee het leger een vijandig bolwerk innam, met de onthoofde skeletten uit het Spaanse Valencia en het Britse Maiden Castle als gruwelijkste voorbeelden. Alles bij elkaar vertellen archeologische opgravingen weinig over het Romeinse leger tijdens het gevecht.

Luchtfoto van het Romeinse kamp in Burnswark, Schotland, met ernaast een fort op een heuvel uit de ijzertijd. Er zijn artilleriekogels en slingerkogels gevonden bij de poorten van het fort. Een tijdlang beweerde een aantal onderzoekers dat dit kamp pas opgericht was toen het fort allang verlaten was, en dat het gebruikt werd als trainingskamp voor het Romeinse leger. Nu zijn de meesten echter van mening dat hier een echte slag heeft plaatsgevonden in plaats van een reguliere oefening. Dergelijke twistpunten tonen aan hoe moeilijk het is om archeologische gegevens te interpreteren.

Archeologie is een veel betere bron als het gaat om inkijkjes in het leven op een bepaalde tijd en plaats, en door het materiaal van de vele opgravingen te combineren kunnen we ontwikkelingen op de langere termijn aanwijzen. Een permanente legerbasis die tientallen jaren of zelfs eeuwen heeft bestaan, levert ons uiteraard veel meer kennis dan een kampement voor één nacht. Door opgravingen kunnen we de omvang en de indeling van een legerbasis aan het licht brengen, en hopelijk ook een datering geven van de vestiging en van eventuele renovaties of wijzigingen. We kunnen er echter niet uit leren waarom de keuze op die locatie viel, of de gebouwen een volle bezetting kenden en wat het garnizoen er deed.

3 Subliteraire bronnen: papyrusteksten en schrijftabletten

Sommige teksten zijn rechtstreeks uit de oudheid in handen van archeologen overgeleverd, in tegenstelling tot de geschriften van auteurs die we alleen nog bezitten doordat ze door de eeuwen heen telkens weer werden overgeschreven. In de oostelijke provincies, vooral die met een warm, droog klimaat, zoals Egypte, zijn veel documenten en persoonlijke brieven op papyrus van en aan soldaten bewaard gebleven. In Europa worden steeds vaker houten schrijftabletten met vergelijkbare teksten gevonden. De bekendste zijn afkomstig uit fort Vindolanda in het Engelse Northumbria. Deze teksten gaan vooral over het dagelijkse leven en de bezigheden van een dienstdoende soldaat. Sommige documenten bevatten administratieve gegevens of aanwezigheidsverslagen van een eenheid. Er zijn inspectieverslagen van de militaire uitrusting en verlofaanvragen. Andere documenten zijn van persoonlijke aard. Noch deze teksten, noch de documenten van zakelijke overeenkomsten en juridische disputen handelen over de belangrijke gebeurtenissen die we vinden in historische geschriften of kunnen afleiden uit archeologisch onderzoek. Meestal waren deze teksten alleen van belang voor de direct betrokkenen. Toch vertellen ze ons meer dan andere bronnen over de dagelijkse gang van zaken in een garnizoen.

Fragmenten van een brief geschreven op een houten schrijftablet, daterend uit het eind van de eerste eeuw na Christus. De brief is gevonden op de plek waar fort Vindolanda stond. Dergelijk materiaal kan alleen onder bepaalde omstandigheden bewaard blijven, maar er zijn al eerder vergelijkbare documenten gevonden op andere locaties in Noord-Europa. De Vindolanda tabletten bevatten zowel officiële en niet-officiële correspondentie van de bevelvoerende officiers van het fort, als documenten die gaan over de administratie van het leger.

4 Inscripties

Een andere belangrijke bron vormen de Griekse en Latijnse inscripties die legereenheden of individuele soldaten hebben nagelaten. Vaak werden er officiële gedenktekens opgericht wanneer een bouwproject was afgerond, en als deze inscripties bewaard gebleven zijn, stellen ze ons in staat een bouwwerk nauwkeurig te dateren. We kunnen veel afleiden uit inscripties van godsdienstige aard, die vaak op altaren worden aangetroffen, meer dan alleen wat zo'n soldaat geloofde. Geregeld worden ook de rang en de eenheid van een persoon genoemd, en er zijn zelfs altaren gewijd aan een hele eenheid onder een bevelhebber in het kader van de officiële godsdienst van het leger. Grafschriften of gedenkstenen zijn eveneens belangrijke dragers van inscripties. Deze vermelden vaak de eenheid en de staat van dienst van een soldaat, af en toe ook gegevens over zijn loopbaan. Veel van wat we weten over militaire rangen en het stelsel van bevordering, is afkomstig uit dit bronnenmateriaal.

Net als andere bronnen moeten inscripties zorgvuldig geïnterpreteerd worden. Deze teksten vertellen ons niet meer en niet minder dan wat er staat; bijvoorbeeld dat een bepaalde eenheid een nieuwe poort heeft gebouwd, dat een officier een altaar heeft gewijd aan een plaatselijke godheid of dat een man is gestorven op een bepaalde leeftijd nadat hij zoveel jaar dienst had gedaan in die-en-die rang. We proberen van alles af te leiden uit dergelijke gegevens, zoals de eenheid die in een bepaald fort was gelegerd, tot welke etnische groep de soldaten daar behoorden, en dat alles gebaseerd op de namen die genoemd worden en de god of godin die er vereerd werd. Toch blijft dit in hoge mate speculatief, want het enige wat we met zekerheid kunnen zeggen is dat een eenheid op die plaats een taak heeft uitgevoerd (als die tenminste genoemd wordt) of dat een bepaalde persoon ergens een altaar heeft opgericht of is gestorven.

5 Schilderingen en beeldhouwwerk

We bezitten veel archeologische vondsten van bepaalde delen van de Romeinse militaire uitrusting. Stukken van metaal, zoals helmen, lichaamspantsers, wapens, gespen, versieringen van pantsers, zijn relatief overvloedig aanwezig, maar leren voorwerpen, bijvoorbeeld schoeisel of riemen, zijn zeldzamer of verkeren in slechte staat. Voorwerpen van stof, bijvoorbeeld kledingstukken, zoals tunica's of kousen, zijn vrijwel niet bewaard gebleven, hooguit een paar flarden. Willen we weten hoe de Romeinse soldaat er echt uitzag, dan moeten we te rade gaan bij afbeeldingen van soldaten die je onder meer aantreft in mozaïeken, op muurschilderingen, beelden, munten en monumenten.

De zuil van Trajanus in Rome is opgericht om de overwinning van de keizer op de Daciërs in 106 n.C. te herdenken. De afbeeldingen vormen een beeldverhaal van de veldslagen. Niet alleen de keizer, maar ook het leger zelf wordt gehuldigd.

De zuil toont een ideaalbeeld van het Romeinse leger, en de diverse troepen dragen allemaal het uniform van hun regiment. Het monument Tropaeum Traiani in het Roemeense Adamklissi stamt uit dezelfde tijd. Het werd opgericht door een van de provinciale legers die in dezelfde oorlogen hebben gestreden, en beeldt hun aandeel daarin af. De stijl wijkt af van de meer verfijnde zuil in Rome, met plaatselijke versies van wapens en wapenrustingen die waarschijnlijk meer leken op wat de soldaten werkelijk droegen. Er zijn nog meer zuilen en triomfbogen met afbeeldingen van het leger bewaard gebleven, maar geen daarvan kan de hoge mate van detaillering en nauwkeurigheid van deze twee evenaren, en bovendien verkeren ze in minder goede staat.

Eveneens belangrijk, maar op een kleinere schaal, zijn de afbeeldingen van soldaten op graftomben. Deze laten het beeld zien dat de soldaat zelf, of degene die hem herdenkt, wil tonen, wat niet altijd samenvalt met de officiële visie die de grotere monumenten kenmerkt. In sommige gevallen wordt de uitrusting zeer gedetailleerd weergegeven, maar er zijn er ook waarop de soldaat in dagelijks tenue en zonder uitrusting of wapens afgebeeld staat.

Bronnenmateriaal combineren

Samen leveren de diverse bronnen een enorme massa gegevens waaruit we een beeld van het Romeinse leger kunnen gaan opbouwen. Daarbij moeten we natuurlijk nooit uit het oog verliezen dat het materiaal waarover we beschikken maar een fractie is van wat er ooit geweest is. De meeste historische werken, biografieën en militaire handboeken uit de Romeinse periode zijn verloren gegaan zonder dat er ook maar een fragment van is overgebleven. Uit subliteraire teksten maken we op dat er enorme hoeveelheden militaire verslagen en een omvangrijke correspondentie moeten zijn geweest, maar wat ervan overgebleven is heeft statistisch weinig waarde. We hebben aardig wat grafteksten van militairen, maar we weten van ontelbare mannen die dienstdeden in het Romeinse leger die niet zo'n monument nalieten. De meeste opgravingen van legerbases hebben zich tot een heel klein terrein beperkt, terwijl enkele groter opgezette projecten verrassende resultaten aan het licht hebben gebracht. Ieder die een aspect van het leven in de oudheid bestudeert, dus ook het Romeinse leger, moet zich nu eenmaal altijd behelpen met weinig informatie.

Bovendien is die informatie niet evenwichtig verdeeld. Uit het grootste deel van de tweede en de derde eeuw n.C. hebben we geen geschreven bronnen. Archeologische vondsten en inscripties zijn vooral afkomstig van het professionele leger van het principaat, en in veel mindere mate uit de late oudheid. De militiesoldaten uit de midden-republiek waren nog steeds dienstdoende Romeinse burgers. Na een veldtocht keerden ze terug naar hun gewone leven, niet naar een speciaal garnizoen, en gingen ze weer op in de rest van de bevolking. Zo'n leger laat weinig archeologische sporen na.

Op dit reliëf op de Tropaeum Traiani in het Roemeense Adamklissi, uit het begin van de tweede eeuw na Christus, staan drie standaarddragers. De mannen zijn gekleed in een maliënkolder. Twee van hen dragen een rechthoekig vaandel, een *vexillum*,en de man in het midden een *signum*. Het *signum* was de standaard van een centurie en werd gedragen door een officier, de *signifer*. Dit monument werd opgericht door het leger zelf en de afgebeelde uitrustingen bevatten allerlei details die ontbreken op de meer geïdealiseerde officiële gedenktekens, zoals de Zuil van Trajanus.

Elk soort bron geeft ons weer een net iets andere kijk op het Romeinse leger en draagt bij aan de vorming van een completer beeld. We moeten alleen niet verwachten dat de gegevens uit verschillende bronnen naadloos op elkaar aansluiten. Het is zeker verkeerd het ene soort informatie te willen verklaren vanuit het perspectief van het andere. De diverse fasen in het ontstaan van een fort, die uit de indeling en afmetingen afgeleid kunnen worden, moeten vanuit de eigen gegevens worden gedateerd en verklaard, en niet met geweld ingepast worden in een bredere theorie over het bestuur van die provincie. En mocht zo'n overeenkomst zich toch voordoen, dan is het het beste de elkaar aanvullende interpretaties onafhankelijk uit te werken. Het is goed niet te vergeten dat de Muur van Hadrianus, misschien wel het grootste grensmonument van het Romeinse leger, en zeker het bouwwerk waarnaar de meeste studie is gedaan, slechts enkele malen wordt genoemd in de overgeleverde Griekse en Latijnse teksten, zonder dat er ooit duidelijk bij wordt vermeld waarvoor die diende. Het Romeinse leger was een omvangrijk instituut, dat eeuwen heeft bestaan. We moeten daarom niet vreemd opkijken als verschillende bronnen op uiteenlopende gebruiken lijken te wijzen. Het valt te betwijfelen of we ooit een goede inschatting kunnen maken van de complexiteit en de grote verschillen die zich binnen het rijk en door de eeuwen heen hebben voorgedaan.

I
HET LEGER TEN TIJDE VAN DE REPUBLIEK

Er is toch niemand zo slecht of lui dat hij niet wil weten hoe het komt dat de Romeinen vrijwel de gehele bewoonde wereld aan hun gezag wisten te onderwerpen?

Polybius, 1.1.5

Polybius schreef aan het eind van de tweede eeuw v.C. en was tijdens zijn leven getuige van de opkomst van Rome als onbetwist heerser over de mediterrane wereld. In iets meer dan honderd jaar tijd hadden de Romeinen het machtige handelsrijk van Carthago verslagen en volledig met de grond gelijkgemaakt. Hierna werden de hellenistische koninkrijken Macedonië en Seleucia met bijna aanmatigend gemak ingenomen. Polybius was van mening dat de belangrijkste factor in het succes van Rome school in de bijzondere instituties van het Romeinse leger, een onderwerp dat hij uitvoerig beschrijft. De legionairs uit zijn tijd verschilden nogal van het wijdverbreide stereotiepe beeld dat het Romeinse leger laat zien als een professionele, strak geregelde krijgsmacht. Het waren helemaal geen professionele soldaten, maar gewone burgers, voor wie de krijgsdienst een onderbreking betekende van hun dagelijks leven.

Het Romeinse leger dat Polybius beschrijft, was door de eeuwen heen geleidelijk gevormd en meeveranderd met maatschappelijke en politieke ontwikkelingen. Rome was een van de vele kleine Latijnssprekende gemeenschappen die ergens in de achtste of de zevende eeuw v.C. waren ontstaan in het midden van het Italisch schiereiland. In die dagen voerde het geregeld oorlog tegen naburige volken, onder leiding van krijgsheren met hun volgelingen. In de loop van de tijd nam Rome toe in omvang en inwonertal, en kreeg iedere volwassen man die in staat was zelf de benodigde uitrusting aan te schaffen de plicht in het leger te dienen. Deze mannen vochten wanneer de republiek ze nodig had, en keerden na afloop van de veldtocht terug naar huis, naar hun dagelijks leven. Militaire dienst was een plicht die men aan de gemeenschap verschuldigd was, geen beroep. Veel staatjes in die tijd hadden op deze manier hun legers bijeengeroepen, maar zodra ze groter werden stapten ze van dit systeem af en rekenden ze voortaan op hun beroepsleger. Het was uniek voor de Romeinse republiek dat zij de militie in stand hield. Eveneens uniek was dat de burgers zich vrijwillig bleven onderwerpen aan de bijzonder strenge discipline in het leger. Mits goed getraind en bekwaam geleid opereerden de legioenen met een tactische souplesse waaraan geen andere legervorm uit die tijd kon tippen.

Vorige pagina. In de Boog van Constantijn in Rome (4e eeuw na Christus) is uitgebreid gebruikgemaakt van beeldhouwwerk van oudere monumenten uit Rome. Het bijzondere eraan is dat het openlijk Constantijns overwinning vierde over een ander Romeins leger bij de Slag bij de Milvische brug in 312 na Christus.

DE OORSPRONG VAN HET ROMEINSE LEGER

De vroegste legers

Rome nam langzaam in omvang toe. Eeuwenlang bestond het slechts uit een heel kleine gemeenschap en voerde het oorlogen op even kleine schaal. Uit terugblikken van later tijd op deze periode kunnen we afleiden dat er vaak schermutselingen met hun naaste buren waren, doordat rivaliserende krijgsheren met hun benden op plundertocht gingen. Er zijn weinig betrouwbare schriftelijke bronnen uit de vroegste perioden van het bestaan van Rome, doordat de Romeinen pas in de laatste jaren van de derde eeuw v.C. hun geschiedenis begonnen vast te leggen. Bovendien beschikten zij zelf ook over relatief weinig materiaal uit die tijd. Misschien schuilt er waarheid in de verhalen over de koningen en het ontstaan van de republiek, maar het is inmiddels niet meer mogelijk feit en fictie te scheiden. We kunnen onmogelijk achterhalen of Romulus werkelijk bestaan heeft, en zo ja, of hij echt een lijfwacht bezat van driehonderd krijgers, de zogenoemde *celeres*. Zelfs op het oog aannemelijke gebeurtenissen in de vroege geschriften van Livius en Dionysius van Halicarnassus, beiden uit de late eerste eeuw v.C., kunnen we niet zonder meer voor waargebeurd aannemen of zo rationaliseren dat ze een plausibeler versie van de gebeurtenissen weergeven. We weten het gewoonweg niet.

Deze Etruskische helm naar Villanovamodel is gevonden in Tarquinia. Dergelijke helmen zijn meermalen aangetroffen in Noord- en Midden-Italiaanse begraafplaatsen uit de negende tot zevende eeuw voor Christus. Het praktische nut van de grote plaat in het midden is niet duidelijk.

Een strijder op een ivoren plaquette uit de vierde eeuw voor Christus, gevonden in Palestrina, gekleed in een typische hoplitische uitrusting. Hij draagt een metalen – waarschijnlijk bronzen – kuras, een bronzen kuifhelm en scheenplaten. Zijn belangrijkste bewapening is een zware stootspeer.

De archeologie kan ons in ieder geval helpen een beeld te vormen van de wapens en de uitrusting uit deze periode. In het begin was ijzer nog relatief zeldzaam. Geleidelijk aan verving dit materiaal de bronzen speerpunten, dolken en zwaarden. Er zijn verschillende soorten helmen, maar doorgaans beschermden ze alleen de bovenkant van het hoofd en bezaten ze nog geen nek- of gezichtsplaten. Het Villanova-patroon sprong het meest in het oog, met zijn twee halve bollen waarvan de las versierd was met een hoge kam die uitliep in een pijl. Deze kam had weinig praktisch nut, maar de soldaat leek er een stuk langer door, wat indruk moet hebben gemaakt op de tegenstander. Andere typen helm, zoals de klokvorm, hadden niet zo'n kam, maar hadden verder dezelfde vorm. Het lichaamspantser was doorgaans vrij eenvoudig en bestond meestal uit metalen borstplaten. Veel materiaal dat we bezitten bestaat uit objecten die deel uitmaakten van de grafrituelen – er werd zowel gecremeerd als begraven –, aangevuld met enkele afbeeldingen van krijgers. Hierbij moeten we wel bedenken dat iets wat in een graf wordt achtergelaten, niet geschikt hoeft te zijn voor normaal gebruik. Op z'n minst vertegenwoordigen ze de uitrustingen van de rijken, maar het is ook mogelijk dat bepaalde stukken speciaal werden geselecteerd of zelfs vervaardigd voor deze rituelen. De bronzen schilden die in Italië en elders zijn gevonden bijvoorbeeld, zullen nooit werkelijk in de strijd zijn gebruikt. Dit dunne metaal gaat veel te makkelijk stuk. Deze stukken dienden dus vast alleen voor ceremonieel gebruik of als spectaculaire grafgiften. Een logische gevolgtrekking is wel dat dergelijke schilden lijken op de meer praktische houten schilden, maar omdat er daarvan geen bewaard zijn gebleven, kunnen we niet met zekerheid zeggen hoe die eruit gezien hebben. Het is even lastig een schatting te maken van de hoeveelheid krijgers die een groep bevatte, en hoeveel van hen een zwaard bezaten of een wapenrusting droegen.

Boer en soldaat: de 'hoplitische revolutie'

Op een bepaald moment pasten de Romeinen de hoplietenfalanx toe, die waarschijnlijk was geïntroduceerd door Griekse kolonisten in Italië. Hoplieten waren zwaarbewapende piekeniers. Hun naam is afkomstig van hun ronde schild van ongeveer negentig centimeter doorsnee, het hoplon. Het was gemaakt van hout, en overtrokken met een plaat van brons. Deze schilden boden goede bescherming, maar waren heel zwaar, zo zwaar dat een handgreep niet volstond, maar ze ook nog met een band om de linkerelleboog bevestigd moesten worden. Extra veiligheid boden een helm, waarvan sommige versies niet alleen het hoofd maar ook het gezicht bedekten, scheenplaten voor de onderbenen en een kuras van brons of gesteven linnen. Enkele mannen konden zich ook arm- en beenbeschermers veroorloven. Het meest voorkomende aanvalswapen was een speer van ongeveer 2,45 meter lang, die werd gebruikt om mee te stoten, niet te werpen. Deze was voorzien van een metalen punt aan de onderkant die dienstdeed als contragewicht en als wapen, mocht de speerpunt afgebroken raken. Men droeg een zwaard als extra wapen, meestal een kortere variant waarmee je kon houwen of steken.

De hoplieten vochten in een hechte formatie, waarbij de mannen dicht opeen stonden, zodat hun onbeschermde rechterkant een beetje dekking kreeg van het

Een bronzen spierkuras, gevonden in Italië. Het bevindt zich nu in het British Museum. Dit zou gedragen kunnen zijn door eenzelfde hopliet als van de vorige afbeelding. Een pantser van dit type bood goede bescherming, maar het was zwaar, ongemakkelijk en duur. Toen het leger steeds groter werd en er veel minder welgestelde soldaten bij kwamen, werden dergelijke stevige pantsers zeldzaam.

Deze afbeelding is gebaseerd op de Chigi-vaas uit de zevende eeuw voor Christus, een van de weinige afbeeldingen waarop hoplitische strijders in actie te zien zijn. Net als op het Tapijt van Bayeux, zijn er kordons soldaten te zien. De speerpunten die uitsteken boven de hoplieten die daadwerkelijk aan het vechten zijn, zijn mogelijk een poging om de achterliggende gelederen weer te geven.

schild van de buurman. Het doel was de vijand van dichtbij aan te vallen en de strijd snel te beslissen door hun tegenstanders, slechts een pas bij hen vandaan, met hun speren te steken en zo door hun rijen te breken. De hopliet was goed beschermd door zijn schild, helm en lichaamspantser, maar natuurlijk was zo'n dicht opeengepakt uitgevoerd gevecht heel gevaarlijk, zeker tegen een agressieve tegenstander in een vergelijkbare uitrusting. De hoplietenfalanx kwam voor het eerst voor in Griekenland, waarschijnlijk in de achtste eeuw v.C., alhoewel daar nog steeds fel over gediscussieerd wordt. Het schijnt dat er zelfs bij een overwinning nog altijd vijf procent sneuvelde. De meeste slachtoffers vielen in de eerste rijen. Deze formatie was zo gevaarlijk dat de falanx rijen dik moest zijn; minder dan acht was zeldzaam, en er zijn gevallen bekend met wel veertig rijen. De soldaten in de tweede rij waren nog enigszins in staat een speer over de schouders van hun voorganger heen te steken en moesten bovendien de gaten die in de eerste rij vielen opvullen, maar de mannen in de rijen daarachter konden niet meevechten. Hun taak bestond vooral uit het leveren van morele steun aan de vechtenden. De samengepakte massa achter de rij aanvallers joeg de tegenstander schrik aan, zodat ze in het ideale geval al de vlucht namen nog voordat de gruwelijke strijd tussen de twee falanxen begonnen was. Belangrijker aspect was dat de aanwezigheid van de achterste rijen verhinderde dat de soldaten aan de frontlinie ervandoor gingen. Het is onvermijdelijk dat een dichte formatie als de falanx uit elkaar valt vanuit de achterhoede wanneer de mannen daar, op de grootste afstand van het gevaar, in paniek raken en vluchten. Hoe meer rijen, hoe langer een falanx tijdens een slag intact blijft.

Een falanx was bestemd voor massale gevechten tussen grote, dicht op elkaar gepakte legers. Dergelijke gevechten boden veel minder kansen voor individuele krijgsheren om hun heldenmoed te tonen. Net als andere steden nam Rome deze stijl van oorlog voeren niet zomaar in gebruik toen die opkwam, maar maakte dit deel uit van bredere maatschappelijke en politieke veranderingen. Hoplieten moesten een dure wapenrusting aanschaffen en waren dus mannen met een zeker bezit. De hoplieten uit bijna alle staten waren landeigenaren. Het waren

goede soldaten omdat ze als boeren belang hadden bij de staat. De opkomst van de falanx duidt op groei van de Romeinse bevolking en was ook een teken dat een belangrijk deel van die bevolking uit grondeigenaars bestond. Voorheen baseerden bendeleiders hun macht op hun krijgskunst. Een boer die als hopliet in krijgsdienst ging, kreeg daarmee een veel grotere politieke invloed.

De falanx was bestemd voor geregelde veldslagen op open terrein. De wapenrusting van de hopliet was grotendeels op deze gevechten afgestemd, al gaat de bewering te ver dat deze helmen, lichaamspantsers en zelfs de zware schilden in een meer open gevecht onbruikbaar zouden zijn. De bronnen blijven naast gevechten melding maken van overvallen en schermutselingen, ook nadat de

Een detail van een muurschildering uit de vierde eeuw voor Christus, gevonden in de buurt van Napels, van een man die een Italiaanse versie van een Attische helm draagt. In veel opzichten – het gezicht wordt alleen beschermd door wangplaten en het oor is onbedekt – heeft dit ontwerp veel gemeen met latere helmen. Het gebruik van veren als pluim was gebruikelijk in het Romeinse leger in de tijd van Polybius.

Romeinen duidelijk al over de hoplietenfalanx beschikten. Bij deze gevechten van kleinere omvang lijken vaak de edelen met hun benden van krijgslieden en verwanten betrokken te zijn. Blijkbaar betekende de falanx niet dat alle eerdere krijgsvormen overboord werden gegooid. Rome was nog steeds een betrekkelijk kleine gemeenschap, die ruzies uitvocht met andere even kleine gemeenschappen uit de buurt.

De *comitia centuriata* en de hervormingen van Servius Tullius

Volgens één traditie namen de Romeinen de falanx in gebruik nadat ze in aanraking waren gekomen met de Etruskische hoplieten, waardoor ze hen uiteindelijk

DE INFANTERIE VOLGENS HET SYSTEEM VAN SERVIUS TULLIUS

De tabel bevat een weergave van de structuur van het systeem van Servius. Alle mannelijke burgers van Rome werden onderverdeeld op basis van hun inkomen. De cijfers geven het aantal centuriën aan. Hoe groot een centurie was, kon aanzienlijk verschillen. Elke klasse was onderverdeeld in junior- en seniorcenturiën op basis van leeftijd.

Klasse	*Bezit (in as)*	*Uitrusting*	*Juniores*	*Seniores*	*Totaal*
I	100.000	helm, rond schild, scheenplaten, kuras, speer, zwaard	40	40	80
II	75.000	helm, ovaal schild, scheenplaten, speer, zwaard	10	10	20
III	50.000	helm, ovaal schild, speer, zwaard	10	10	20
IV	25.000	(ovaal schild bij Livius), speer, werpspeer	10	10	20
V	11.000	slinger, stenen, (werpspeer)	15	15	30
				Totaal infanterie:	170

Figuranten:

18 centuriën cavalerie
2 ingenieurs
2 muzikanten
1 *proletarii capite censi* of hoofdenteller. Deze burgers waren niet in staat om zelfs de meest elementaire uitrusting aan te schaffen. Ze waren niet verplicht om in dienst te treden en worden hier alleen geteld).

wisten te verslaan. Een aannemelijke gedachte, want er wordt doorgaans aangenomen dat de Etrusken deze tactiek op hun beurt hadden afgekeken van de Griekse koloniën op het Italisch schiereiland. Wanneer het hoplietenleger zijn intrede doet in Rome is veel lastiger te bepalen, zeker nu het erop lijkt dat er geen abrupte overgang is geweest van benden onder leiding van een edele krijgsheer naar de burgerfalanx. De Romeinen schreven een belangrijke hervorming van het Romeinse leger toe aan Servius Tullius, de zesde van hun zeven koningen (578-534 v.C.). Of deze Servius werkelijk heeft bestaan is onduidelijk, maar een instituut dat hoort bij een vroege militaire organisatie is bewaard gebleven tot het einde van de republiek, namelijk dat van de *comitia centuriata*. Dit is een van de belangrijkste vergaderingen waarin het Romeinse volk zijn stem kon uitbrengen.

Livius en Dionysius beschrijven het systeem van Servius gedetailleerd; slechts op kleine onderdelen verschillen ze van elkaar. Een census onder alle mannelijke burgers bepaalde de waarde van hun bezittingen, op basis waarvan ze in klassen werden ingedeeld. Deze klassen werden onderverdeeld in centuriën, waarvan het ooit misschien de bedoeling is geweest dat die uit honderd man bestonden. Iedere klasse was verplicht voor zichzelf ten minste een volledige wapenrusting aan te schaffen, zodat de rijksten (de *equites* of ruiterklasse) dienstdeden in de achttien centuriën van de cavalerie. De eerste klasse bestond waarschijnlijk uit volledig uitgeruste hoplieten, wat heeft geleid tot de veronderstelling dat de falanx uit deze klasse is voortgekomen, en dat de andere klassen hieraan door de jaren heen werden toegevoegd toen de bevolkingsgroei en de welvaart toenamen.

De weergave van dit systeem in onze bronnen stelt ons voor aardig wat vragen. Zo lijken de verschillen in uitrusting tussen de klassen I-III (en misschien ook IV) te gering om van betekenis te zijn, al wordt het gebruik van anders gevormde schilden binnen hetzelfde leger bevestigd door de afgebeelde figuren op de situla (emmer) van Certosa. Nog vreemder is het gegeven dat klasse I bijna even groot is als de hele infanterie bij elkaar. Tenslotte is het onlogisch, bij welke samenleving dan ook, dat het merendeel van de bevolking tot de groep van de rijkste burgers behoort. Het ligt dan ook voor de hand dat Livius en Dionysius, of hun bronnen, uitgingen van de reeds bekende structuur van de *comitia centuriata* en op basis daarvan hun indeling van het leger maakten. Volgens de Romeinen was het gepast dat de rijken een grotere stem in staatszaken hadden, en daarom bevatte iedere centurie in klasse I minder leden dan die van de lagere klassen, zodat hun stemmen zwaarder wogen.

De hervorming van Servius wijst beslist op het bestaan van een hoplietenleger, want een samenhang tussen burgerrecht, eigendom en een militaire taak vormt het fundament van een dergelijk systeem, maar het gaat te ver al te veel belang aan de details te hechten. Pas ten tijde van de midden-republiek kunnen we met enige zekerheid een beschrijving van het Romeinse leger geven.

HET LEGIOEN BIJ POLYBIUS

Polybius geeft halverwege de tweede eeuw v.C. een gedetailleerde beschrijving van de organisatie van het Romeinse leger, al maakt die wel deel uit van zijn werk over de Tweede Punische Oorlog. Deze Griekse geschiedschrijver is er, vrijwel zeker terecht, van uitgegaan dat er sinds de vroege derde eeuw v.C. eigenlijk amper iets belangrijks veranderd was aan de basisstructuur van het leger.

Het Romeinse leger was en bleef een tijdelijke militie, gevormd door burgers die volgens de census over voldoende bezittingen beschikten om in aanmerking te komen voor krijgsdienst. Niemand hoefde meer dan zestien veldtochten of langer dan zestien jaar dienst te doen, zodat de lasten die de dienstplicht met zich meebracht gelijkmatig werden verdeeld. Jaarlijks besloot de senaat – het hoogste college binnen de republiek – hoeveel soldaten er werden opgeroepen en waar ze naartoe gezonden werden. Als aanvoerders van de legers werden magistraten gekozen die een jaar lang het gezag (*imperium*) hadden. De senaat kon deze termijn ook verlengen. Jaarlijks werden er twee consuls gekozen als hoogste magistraten, aan wie de belangrijkste militaire taken werden toegewezen. Minder omvangrijke operaties werden aan de pretoren overgelaten, het college magistraten dat zich een rang onder de consuls bevond. Gedurende de Punische Oorlogen nam het aantal pretoren toe van één naar zes per jaar. Toen Rome nog klein was werden doorgaans alle mannen opgeroepen voor een enkele oorlog, maar sinds de staat was uitgebreid en er zich steeds meer militaire problemen voordeden, moesten de troepen verdeeld worden. De term 'legioen' (het Latijnse *legio*) betekende aanvankelijk 'belasting' en duidde alle dienstdoende Romeinen aan, maar zeker in de vierde eeuw v.C. was het al de voornaamste legereenheid gaan betekenen. Ten tijde van Polybius was het niet ongebruikelijk dat een consul een leger kreeg dat uit twee legioenen bestond, terwijl pretoren er meestal slechts één aanvoerden.

Een legioen bestond standaard uit tweeënveertighonderd infanteristen en driehonderd cavaleristen. Als voorheen werd de cavalerie gevormd door de meest bemiddelden (de *equites*), die werden onderverdeeld in tien troepen (*turmae*) onder aanvoering van drie decurio's (hoofdman over tien). De kern van de cavalerie bestond nog steeds uit de achttien centuriën te paard – de centuriën gevormd uit de meest welgestelde burgers. Mocht hun paard sneuvelen in de strijd, dan hadden ze recht op een vergoeding van de staat. Omstreeks deze tijd gingen ook veel andere rijken vrijwillig in dienst. Polybius vermeldt dat de *equites* lang geleden al een wapenrusting naar hellenistische stijl bezaten, maar blijkbaar gaat hij ervan uit dat zijn lezers wel wisten waaruit die bestond, want hij beschrijft die niet. We kunnen echter afleiden dat de Romeinse cavalerie nauw aaneengesloten vocht, bewapend was met speer en zwaard en uitgerust met helm, kuras en rond schild.

De infanteristen van het legioen kregen hun rollen toegewezen op grond van bezit, maar daarnaast ook op basis van leeftijd. De armste burgers die nog wél genoeg bezaten om in aanmerking te komen voor krijgsdienst, in tegenstelling tot de *capite censi*, waren ingedeeld bij de lichte infanterie (de *velites*), evenals de mannen die te jong waren om in de voorhoede te vechten. De *velites* waren uitgerust met enkele lichte werpsperen, een zwaard (in ieder geval vanaf de vroege tweede eeuw v.C. en waarschijnlijk al eerder) en een rond schild. Sommige droegen een helm, en het was de bedoeling dat iedereen stukken dierenhuid droeg, bij voorkeur een wolfsvel, dat aan helm of hoofddeksel vastgemaakt moest worden. Volgens Polybius was dit omdat de aanvoerders dan hun mannen in de strijd konden herkennen en hun vervolgens een passende beloning of straf konden geven, maar het kan ook een soort talisman zijn geweest. Een legioen telde doorgaans twaalfhonderd *velites*, maar we weten weinig details van de organisatievorm en leiding.

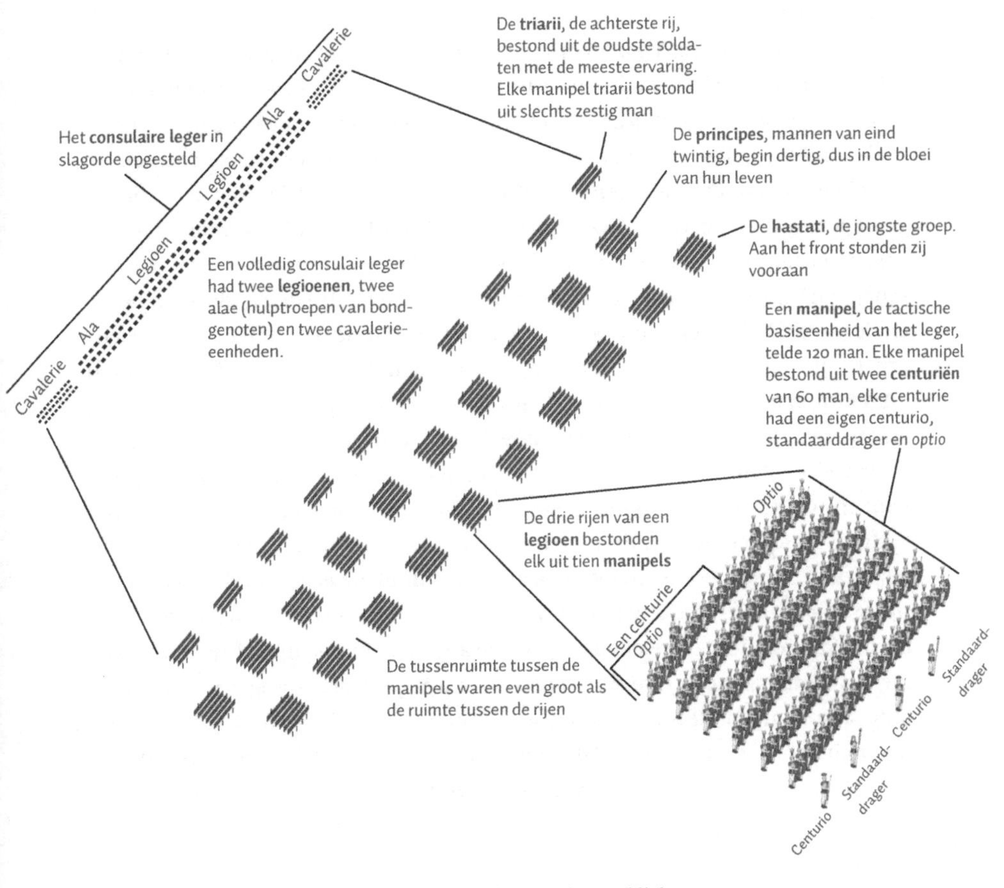

Het leger ten tijde van de republiek

De kracht van een legioen school vooral in de infanteristen, die dicht aaneengesloten opereerden. Ze werden in drie aparte rijen opgesteld. De voorste, met de *hastati*, bevond zich het dichtst bij de vijand en bestond uit de jongere mannen, waarschijnlijk van omstreeks twintig. Achter hen stonden de *principes*, mannen van eind twintig, begin dertig, wat toen werd beschouwd als de bloei van het leven. Daarachter bevonden zich de *triarii*, de wat oudere en meest ervaren rekruten. Meestal waren er zowel twaalfhonderd *hastati* als *principes*, maar slechts zeshonderd *triarii*. Iedere rij was onderverdeeld in tien *manipels*, de tactische basiseenheid. Voor het overzicht was de *manipel* echter in twee centuriën verdeeld, elk onder aanvoering van een centurio, die een onderbevelhebber (*optio*) had, een vaandeldrager (*signifer*) en een bewaker van het wachtwoord (*tesserarius*). De centurio van de rechtercenturie was als aanvoerder aangesteld en had de leiding als beide centurio's aanwezig waren. Hij koos zelf de centurio van de linkercenturie. Volgens Polybius moesten centurio's bijzonder standvastig zijn, vastberaden leiders, mannen die tot het einde bij hun troepen bleven en niet op eigen houtje aanvielen. Er was geen hoogste aanvoerder van het gehele legioen. In plaats daarvan waren er zes militaire tribunen, van wie er telkens twee bij toerbeurt de leiding hadden.

Het legioen kon ook best functioneren als er niet exact tweeënveertighonderd infanteristen en driehonderd cavaleristen waren. Tijdens een veldtocht boette een eenheid onvermijdelijk aan kracht in doordat mannen ziek werden of sneuvelden. Bij gelegenheid kon de senaat besluiten een extra sterk legioen samen te stellen. Er zijn vermeldingen van vijfduizend en zesduizend soldaten die opgeroepen werden ten tijde van een grote crisis. Doordat zowel de *equites* als de *triarii* werden gerekruteerd uit een kleine groep burgers, werden de extra manschappen bij grotere legioenen evenredig verdeeld over de *hastati*, de *principes* en de *velites*. In het veld werd een legioen bovendien ondersteund door een even groot contingent geallieerde soldaten, de zogenoemde *ala* of vleugel, die bestond uit rekruten uit de Latijnse volken. Een *ala* bestond doorgaans uit evenveel infanteristen als een legioen, maar bevatte driemaal zoveel cavaleristen. Hij was onderverdeeld in cohorten, al weten we niet in hoeverre deze als tactische eenheid optrokken, hoeveel cohorten er in een *ala* gingen en of ze een vaste omvang hadden. Het zou niet meer dan een losse aanduiding kunnen zijn en 'contingent' betekenen, waarmee alle troepen worden aangeduid die een afzonderlijke Latijnse kolonie leverden. Er zijn meldingen van geallieerde cohorten met vierhonderd tot zeshonderd manschappen; de omvang kan afhankelijk zijn geweest van die van de *ala*. Een *ala* werd aangevoerd door drie prefecten (*praefecti sociorum*), altijd afkomstig uit de Romeinse burgerij. Tijdens de strijd bevonden de legioenen zich in het centrum, terwijl de *alae* de flanken vormden. In een consulair leger dat uit twee legioenen en twee *alae* bestond, stonden de laatsten bekend als ‘links’ en ‘rechts’. Uit elke *ala* werden de besten afgezonderd om dienst te doen in de *extraordinarii*, een eenheid van infanteristen en cavaleristen die rechtstreeks aan de consul was toegewezen.

In deze periode was geen van de legerofficieren beroepssoldaat. De magistraten die de legers aanvoerden en de tribunen werden gekozen, en de overige officieren aangesteld. Bij hun benoeming lijken ervaring of kunde niet van doorslaggevend belang te zijn geweest.

Wapens

De *pilum* – Polybius vermeldt dat iedere *hastatus* en *princeps* twee zware werpsperen droeg, een zwaardere en een lichtere. Dit zijn de bekende *pila*, die het legioen meer dan vijf eeuwen zou gebruiken. Een pilum bestond uit een houten schacht van ongeveer 1,2 meter met een dunne ijzeren steel eraan bevestigd van ongeveer zestig centimeter, uitlopend in een kleine, piramidevormige punt. Een *pilum* was zwaar, en wanneer hij werd geworpen bevond het zwaartepunt zich achter de kop, zodat het wapen met kracht kon doorboren. Als de kop door het schild van

Een tafereel op een altaar van Gnaeus Domitius Ahenobarbus uit de eerste eeuw voor Christus. Hierop zijn twee legionairs te zien in het typische uniform van de laatste 200 jaar van de republiek. Elk draagt een Montefortinohelm met een golvende kam van paardenhaar. Ze dragen maliënkolders die bevestigd werden over de schouders en tot over de heupen kwamen. Het ovale schild (*scutum*) is gemaakt van triplex overtrokken met leer, om het zowel stevig als buigzaam te maken.

de vijand drong, gleed de lange, dunne steel er met gemak achteraan, en kon het lichaam van de soldaat geraakt worden. Zelfs als hem een ernstige verwonding bespaard bleef, was het lastig de *pilum* los te trekken doordat dit het schild verzwaarde. Uit recente proeven met nagemaakte *pila* blijkt dat deze een maximale reikwijdte van ongeveer dertig meter hadden; het effectieve bereik ervan zal ongeveer de helft van die afstand hebben bedragen. Uit deze proeven bleek ook hoe diep ze konden doordringen.

De *gladius* – Ergens in de derde, uiterlijk in het begin van de tweede eeuw v.C. namen de Romeinen het 'Spaanse zwaard' (*gladius hispaniensis*) in gebruik als hun voornaamste handwapen. Het kwam in de plaats van diverse korte steekwapens die voorheen gebruikt werden. De *gladius* is gebaseerd op een Spaans ontwerp dat de Romeinen voor het eerst gezien kunnen hebben bij de Iberische huurlingen die voor Carthago streden in de Eerste Punische Oorlog of tijdens de Tweede Punische Oorlog, toen het eerste Romeinse leger op veldtocht het Spaanse schiereiland introk. De Romeinen beroemden zich erop dat ze zich niet schaamden doeltreffende tactieken of onderdelen van een wapenrusting van hun vijanden over te nemen. Zo namen ze in de loop van de tijd maliën, cavaleriepantsers en zadels, maar ook bepaalde tactieken over van de Galliërs. Wanneer de Romeinen het Spaanse zwaard in gebruik namen en op welk type het precies gebaseerd is, is nog steeds onderwerp van felle discussie.

Er is slechts een gering aantal Romeinse zwaarden bewaard gebleven uit de tijd van de midden-republiek. De verzameling is te klein om te concluderen dat het gebruik van het Spaanse zwaard gebruikelijk was, maar alle vondsten zijn iets langer dan de soorten die ze later in het beroepsleger hadden. Ze hebben een uitgebalanceerde kling, in eerste instantie bedoeld om mee te steken, maar ook geschikt om mee te houwen. Livius schrijft over een Macedonisch leger in 200 v.C., dat vol ontzetting de verwondingen zag van slachtoffers die door het Spaanse zwaard waren gedood, zoals afgehakte hoofden en ledematen.

De *pugio*

– Sommige Romeinse soldaten droegen naast hun zwaard ook een dolk (*pugio*). Polybius maakt geen melding van dolken, maar er zijn exemplaren gevonden in Spanje in een omgeving die duidt op de tweede eeuw v.C. De *pugio* kon als extra wapen dienen, maar werd waarschijnlijk meer gebruikt bij de dagelijkse klussen in het legerkamp. In later tijd werd het gewoonte de *pugio* op de linkerheup te dragen en de *gladius* op de rechter.

De speer

– Volgens Polybius waren de voorste twee rijen van de infanterie wel bewapend met de *pilum*, maar de derde rij, die van de *triarii*, gebruikte nog steeds de oude hoplietenspeer. Dit was een zwaar wapen dat bestemd was om mee te steken, niet om te werpen. Bij één gelegenheid in 223 v.C. werden de speren van de *triarii* afgenomen en aan de *hastati* gegeven, die daarmee in gesloten gelederen de eerste charge van de Galliërs afweerden. Dionysius van Halicarnassus beweert dat ook de *principes* speren hanteerden in de oorlog met Pyrrhus, die ze met beide handen vasthielden. Merkwaardig, want het lijkt niet goed mogelijk dat iemand met zo'n wapen ook nog het gebruikelijke Romeinse schild kan dragen. Toch concluderen sommige wetenschappers hieruit dat de *pilum* geleidelijk werd ingevoerd en dat alle drie rijen oorspronkelijk bewapend waren met speren. We bezitten alleen te weinig materiaal om dit met zekerheid te kunnen zeggen.

Een beeldje van een jonge Gallische edelman uit Vachères in Zuid-Frankrijk. Het geeft een goed beeld van Galliërs die vochten tegen en als auxilia-soldaten mét het Romeinse leger. Het is goed mogelijk dat de Romeinen het ontwerp van de maliënkolders overnamen van de Galliërs, want de kenmerken die hier duidelijk aanwezig zijn – vooral de dubbele laag over de schouders – zijn karakteristiek voor de maliën die door het Romeinse leger werden gedragen. De torc die als decoratie rond de nek hangt, zou later overgenomen worden door het Romeinse leger als een onderscheiding voor moed.

Beschermende uitrusting

Lichaamspantsers – In deze periode waren verschillende typen lichaamspantsers in gebruik. Het duurste en beste was gemaakt van maliën, een kuras van gevlochten ijzeren ringetjes. Dit bood voldoende bescherming en was zo flexibel dat iemand zich er redelijk in kon bewegen. Het enige nadeel was dat het behoorlijk zwaar was. Het meeste gewicht rustte op de schouders, al gaf een riem een beetje verlichting. De maliën zijn waarschijnlijk afgekeken van de Gallische stammen uit het noorden van Italië en zouden een Keltische uitvinding kunnen zijn. De Romeinse en ook sommige Keltische malienpantsers hadden een dubbele laag over de schouders, ter bescherming tegen een neerwaartse slag.

Sommigen droegen wellicht een lichaamspantser van kleine, bronzen platen. Dat bood minder bewegingsvrijheid, maar kon mooi glanzend worden opgepoetst zodat het er iets indrukwekkender uitzag. Veel soldaten droegen een scheenkap ter bescherming van het linkerbeen, dat zich het dichtst bij de vijand bevond. Hogere officieren en sommige cavaleristen schijnen diverse soorten kurassen te hebben gedragen, waarschijnlijk meestal van brons. Onder alle vormen metalen uitrusting droeg men een wambuis, misschien ook gevoerd.

Niet iedereen kon zich deze bijzonderheden veroorloven, en volgens Polybius droegen de armere soldaten een borstplaat. Deze was meestal rond of rechthoekig, gemaakt van brons of ijzer, en werd met banden voor de borst bevestigd.

Helmen – Uit deze periode is een aantal helmen bewaard gebleven, al kunnen we in de meeste gevallen niet met honderd procent zekerheid zeggen dat ze van het Romeinse leger zijn. Doordat de soldaten voor hun eigen uitrusting moesten zorgen, ontbreekt het uiteraard aan een standaardvorm voor lichaamspantsers en helmen. Het meest voorkomende model is de Montefortinohelm, een hoge bol met een knop op de kam, uitstekende nekbeschermer en scharnierende wangplaten. Daarnaast had je de Etruskisch-Korinthische helm, waarschijnlijk ontwikkeld uit de Korinthische hoplietenhelm. Dit type bedekte het hele gezicht, zodat de drager weinig kon horen en slechts door twee ooggaten kon kijken, al kon de helm omhooggeschoven en comfortabeler op het achterhoofd gedragen worden wanneer er niet gevochten werd. De Italiaanse versie van deze helm werd altijd zo gedragen; de ooggaten bleven behouden en dienden voortaan als versiering. In het zuiden van Italië waren bepaalde Attische vormen zeker in gebruik, en waarschijnlijk ook door de Romeinen of hun bondgenoten. Deze helmen waren allemaal van in vorm geslagen brons.

De Montefortinohelm was van Gallische oorsprong, evenals de Coolus-helm uit de late republiek, die hierop leek maar een lagere bol had. De Romeinen namen ook Keltische ijzeren helmtypen over, zoals de Agen- en de Port-helm. Deze typen hadden een betere pasvorm voor het hoofd en de wangplaten waren groter, waardoor ze meer bescherming boden. Tot in de late oudheid zou het ontwerp van de Romeinse helm grotendeels teruggaan op de patronen die al tijdens de republiek in gebruik waren.

De cavalerie lijkt al deze typen, althans de meeste ervan, te hebben gedragen. Maar daarnaast schijnen ook Boeotische helmen, naar een Grieks ontwerp dat op ruiters was toegesneden, in gebruik te zijn geweest.

Het schild (*scutum*) – Polybius geeft een beschrijving van het schild van de zware infanterie: een halve cilindervorm, ongeveer 1,2 meter lang en 76 centimeter breed. Uit afbeeldingen blijkt dat het schild doorgaans ovaal was. Het was opgebouwd uit twee lagen hout die haaks over elkaar gelegd werden, overtrokken met kalfsleer. Deze combinatie maakte het schild stevig maar buigzaam. IJzeren

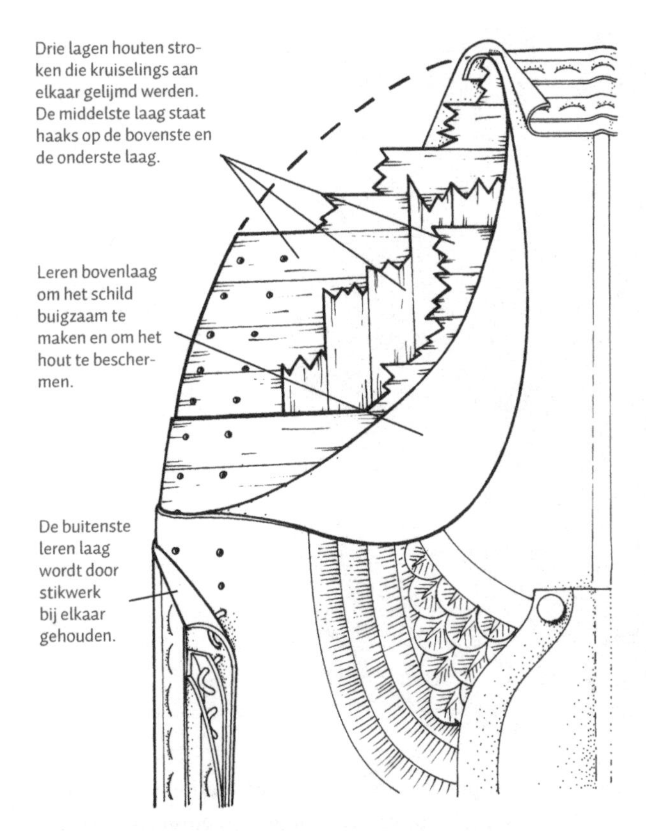

Een afbeelding van de constructie van een schild (*scutum*), gebaseerd op een exemplaar dat gevonden is in Egypte en de beschrijving door Polybius. Hoewel het zwaar was, bood het ovale *scutum* goede bescherming. Het kon ook aanvallend gebruikt worden door er de tegenstander mee uit balans te brengen of neer te slaan.

verstevigingen aan boven- en onderkant zorgden ervoor dat een slag het hout niet snel kon splijten, en in het midden zat een schildknop van ijzer.

Het enige exemplaar van een dergelijk schild is gevonden in het Egyptische Kasr el-Harit. De vondst is waarschijnlijk Romeins, maar zeker is dat niet. In plaats van een ijzeren schildknop in het midden heeft het een houten schildknop van korenaren op de plaats van de horizontale handgreep. Een reconstructie op basis van dit voorbeeld bleek tien kilo te wegen, nog zwaarder dan het weinig handzame hoplon. Bovendien rust het volle gewicht van dit schild op de linkerhand, want er was geen schouderband zoals bij het hoplietenschild.

De Romeinse cavalerie gebruikte veel kleinere, lichtere schilden, die waarschijnlijk rond waren. We hebben in dit geval niet veel aan Polybius, die een ruiterschild beschrijft dat niet langer in gebruik was en niet van het type dat de *equites* in zijn tijd bezaten.

Legerkamp en soldatenleven

De militie was in wezen geen permanent leger. Het lijkt erop dat de legioenen aan het begin van ieder consulair jaar opnieuw genummerd werden, ook al waren

Een fragment van het reliëf van het monument van Domitius Ahenobarbus, met daarop een figuur – mogelijk de oorlogsgod Mars – die het uniform van een hoofdofficier van het republikeinse leger draagt. De zes tribunen die het bevel hadden over de manipels zagen er waarschijnlijk ongeveer zo uit als deze man.

ze al enkele jaren actief. De manschappen schreven zich in en dienden meestal niet langer dan één veldtocht, waarna ze terugkeerden naar hun burgerbestaan. In 396 v.C. hadden de Romeinen ingesteld dat de soldaten betaald kregen, maar dat was net genoeg voor de eerste levensbehoeften en vormde geen substantiële bron van inkomsten. Er zullen soldaten zijn geweest die op de oorlogsbuit afkwamen, zeker als er sprake was van een rijke vijand, want de afspraak was dat eventuele buit eerlijk werd verdeeld over iedereen in het leger. De meeste burgers zullen echter dienst genomen hebben omdat ze zich nauw verbonden voelden met de staat. Zolang ze in het leger dienden moesten ze zich vrijwillig onderwerpen aan een bijzonder strenge discipline en konden ze geen aanspraak maken op de meeste rechten die ze onder de wet als burgers genoten. Een aanvoerder kon een soldaat laten geselen of executeren. Op lafheid en slapen tijdens de wacht stond de doodstraf, en ook op vergrijpen als diefstal en sodomie in het kamp. Wat status en gepast gedrag betrof was het juridische en morele verschil tussen de Romeinen thuis (*domi*) en in de oorlog (*militiae*) duidelijk aangegeven. Wie dienst nam in het legioen schreef zich in op de *Campus Martius*, het Marsveld, buiten de officiële stadsgrens om deze overgang aan te duiden. De legionairs mochten alleen in de stad Rome komen op de dag dat de generaal met zijn troepen door de straten paradeerde ter gelegenheid van een overwinning op de vijand.

De tijdelijke kampen die het Romeinse leger opsloeg laten zien hoe ordelijk het leven van de dienstdoende burgers was geregeld. Polybius geeft een redelijk gedetailleerde beschrijving van de structuur en de opbouw van een kamp tijdens een veldtocht. Aan het eind van iedere dagmars volgde een Romeinse strijdmacht een standaardprocedure en bakende zij wegen, rijen tenten en rijen paardenverblijven af en omringde die met een greppel en een verdedigingswal. Alle manipels wisten waar ze sliepen en wat hun taken waren, want de corveediensten verliepen volgens een vast systeem. Het schijnt dat Pyrrhus onmiddellijk doorhad dat hij niet met barbaren te maken had, toen hij zag hoe geordend het Romeinse kamp was.

Er zijn maar een paar archeologische vindplaatsen van kampen uit deze periode. Er is echter een reeks kampen rond de Keltiberische vesting Numantia (het huidige Burgos in Spanje), die uit de tweede eeuw v.C. lijken te stammen. Enkele daarvan zijn duidelijk langer dan een paar nachten gebruikt, want er zijn sporen van eenvoudige bouwwerken binnen het kamp die corresponderen met de tenten van een gewoon kamp op veldtocht. Een van de best bewaard gebleven kampen in Renieblas vertoont met een beetje goede wil trekken van het kamp bij Polybius, waarbij de legioenen in rijen en manipels verdeeld zijn.

Het kamp bood bescherming tegen verrassingsaanvallen. Dag en nacht werd er wachtgelopen op een vaste afstand van de verdedigingswallen, zodat het kamp gealarmeerd en de opmars van de vijand vertraagd kon worden. Wie deze taak kreeg moest plechtig zweren dat hij zijn post niet zou verlaten. Meestal volstonden de greppel en wal rondom een kamp om aanvallers te vertragen, maar hen tegenhouden lukte er niet mee, al konden de verdedigingswerken tot imposante vormen uitgroeien als een leger gedurende langere tijd in een bepaald kamp verbleef. De Romeinen hadden vrijwel nooit de bedoeling vanuit hun legerkamp te vechten, maar trokken liever op om de vijand in het open veld te treffen, waar ze op de veerkracht en de tactiek van hun legioenen konden vertrouwen. Bij de indeling van een kamp hield men een brede strook open tussen de verdedigingswal en de rijen tenten, het zogenoemde *intervallum*, zodat de tenten buiten het schootsveld bleven van projectielen die het kamp ingeworpen of ingeschoten werden. Belangrijker nog, dit *intervallum* vormde het terrein waarop het leger zich in slagorde kon opstellen. Men vormde dan drie colonnes en soms nog een vierde voor de cavalerie. Iedere colonne veranderde tijdens het gevecht in een van de drie rijen; de manipels stonden al in de volgorde van de gevechtsopstelling: de meest rechtse eenheid stond vooraan, de meest linkse achteraan. Vervolgens marcheerde iedere groep naar een van de vier poorten van het kamp, naar de plaats waar de slagorde werd geformeerd. Het tijdelijke kamp was van groot belang voor het Romeinse leger, het stelde het in staat georganiseerd ten strijde te trekken.

DE ROMEINSE MARINE

Oorsprongen

Lange tijd hadden de Romeinen weinig behoefte aan een marine, doordat de legioenen op het Italisch schiereiland hun vijanden op het land konden treffen en konden verslaan. In 311 v.C. stelde de republiek een raad van twee functionarissen (*duoviri*) aan die verantwoordelijk waren voor de samenstelling en het onderhoud van een oorlogsvloot. Elke *duumvir* voerde het commando over een eskader van tien schepen, waarschijnlijk *triremen* of 'drieroeiers' (een galei met drie rijen roeiers boven elkaar; hierover later meer). We horen weinig over de activiteiten van deze eskaders, behalve die ene keer in 282 v.C. toen de Tarantijnse marine de Romeinen een enorme nederlaag toebracht. In de zeldzame gevallen dat een grotere troepenmacht nodig was, deed de republiek een beroep op de steden onder hun bondgenoten die wel een geschiedenis als marine hadden. Deze marinebondgenoten (*socii navales*) waren verplicht in plaats van soldaten hun schepen en bemanning te leveren.

In 265 v.C. stuurden de Romeinen een expeditie naar Sicilië, waar ze al snel slaags raakten met de Carthagers. Carthago bezat de grootste vloot met de bekwaamste bemanningen van het hele westelijke Middellandse Zeegebied, waardoor de Romeinen er moeite mee hadden hun legermacht op het eiland in stand te houden en te bevoorraden. De Romeinen hadden al snel in de gaten dat de

Een reliëf dat een Romeins oorlogsschip voorstelt met een rij soldaten aan dek. Het was gebruikelijk om voorafgaand aan een grote slag extra troepen in te schepen om de gewone bemanning – die voornamelijk uit roeiers bestond – te versterken. Roeiers kwamen uit de armste lagen van de bevolking, of waren vreemdelingen. Slechts in uiterste nood werden hiervoor slaven ingezet.

kracht en krijgseer van hun vijand vooral school in hun marine, en dat een overwinning op zee hen een veel grotere slag zou toebrengen dan welke triomf te land ook. In 261 v.C. liet de republiek een vloot bouwen van honderd *quinqueremen* (galeien met vijf rijen roeiers) en twintig *triremen*. Die vormde het begin van de opbouw van een enorme vloot waarmee de Romeinen, vastberaden ondanks de vele slachtoffers van schipbreuken, de marine van de Puniërs het hoofd boden en uiteindelijk versloegen.

Zeeslagen

In de oudheid bestonden de oorlogsschepen uit galeien met roeiers, met in het kleine ruim een naar verhouding talrijke bemanning. Sommige grotere schepen waren uitgerust met artillerie, maar die bezat niet voldoende kracht om een vijandig schip echt schade toe te brengen of het te laten zinken. Op zee koos men meestal de volgende twee geschikte strijdmethoden: rammen en enteren.

Ieder oorlogsschip was uitgerust met een metalen ram die vooraan aan de kiel bevestigd was of zich net onder de zeespiegel bevond. Deze ram maakte geen deel uit van de kiel zelf, want dan zou het rammen te veel impact op het aanvallende schip hebben. Rammen ging het best tegen de zijkanten of het achterschip van de vijand, bij voorkeur in een flauwe hoek om te voorkomen dat de ram te diep in het ruim doordrong en de eigen boot vast kwam te zitten. Het doel was

Een bronzen ramsteven uit de derde eeuw voor Christus, gevonden in het voorgebergte van Atlit in Israël, bevindt zich nu in het Maritiem Museum in Haifa. Hoewel deze van een hellenistisch oorlogsschip afkomstig is, is het niet waarschijnlijk dat het ontwerp van Romeinse ramstevens daar veel van verschilde. De ramsteven is betrekkelijk stomp, omdat men wilde voorkomen dat het aanvallende schip vast kwam te zitten in het ruim van het vijandelijke schip.

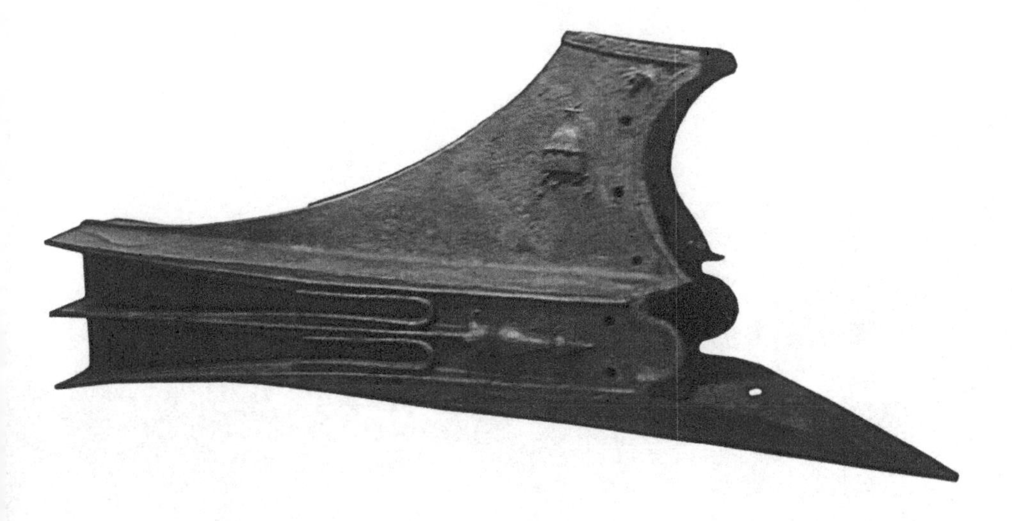

een bres in de houten planken van het vijandelijke schip te slaan. Een andere methode was zo snel mogelijk langs de zijkant van het schip te varen en met de ram de roeiriemen proberen af te breken. Dit vergde wel een heel vaardige kapitein en bemanning, wilde je niet de eigen riemen beschadigen.

Enteren betekent langszij varen en het schip van de tegenstander goed vastgrijpen. Daarna vocht de bemanning zich aan boord en probeerde ze het schip te overmeesteren. Deze strijdmethode had alleen succes als je voldoende manschappen had, die bovendien behendig en fel waren. Rammen ging het best met snelle, wendbare schepen en een zeer geoefende bemanning. Voor enteren waren grotere schepen met meer manschappen geschikter.

De *corvus*

De bemanningen van de nieuwe Romeinse vaartuigen bezaten in 261 v.C. nog niet de ervaring van de geoefende Carthagers, en de schepen waren dan ook veel langzamer en minder wendbaar. De Romeinen vertrouwden echter op de kracht van de legioensoldaten die waren ingescheept, en zonnen op een manier om de vijand te dwingen tot een gevecht zoals zij dat wilden. Dat werd de *corvus*, een

Een afbeelding van een enterbrug (*corvus*). Nadat de haak zich aan het eind heeft vastgezet in het dek van het Carthaagse schip, stormen de Romeinse soldaten over de brug en nemen de vijandelijke galei in. Ondanks hun grotere vaardigheden op zee, had de Carthaagse marine tijdens de Eerste Punische oorlog geen afdoende antwoord op de *corvus*.

Een gebeeldhouwd reliëf op een sarcofaag met daarop een sterk gestileerde versie van een zeegevecht. In veel opzichten was het voor een beeldhouwer moeilijker zeeslagen vast te leggen dan gevechten op het land.

belangrijke uitvinding. Aan alle Romeinse schepen werd een soort loopplank bevestigd, die omhoog werd gehesen en met het ene uiteinde aan een paal die als een soort mast op het dek stond werd bevestigd. Onder het bovenste deel zat een ijzeren punt. Kwam een vijandelijk schip dichtbij of probeerde het de Romeinen te rammen, dan liet men de *corvus* vallen zodat de punt het dek doorboorde. De loopplank zat vervolgens stevig vast, en wegvaren was niet meer mogelijk. De Romeinse manschappen konden het schip enteren en innemen. Meteen al bij het eerste gebruik tijdens de Slag bij Mylae in 260 v.C. bleek de *corvus* een doorslaand succes. De marine van de Carthagers kon geen manier bedenken om deze tactiek te pareren en leed de ene nederlaag na de andere; het lukte hen slechts eenmaal in de twintig jaar durende oorlog een belangrijke slag te winnen. Uiteindelijk raakte de *corvus* in onbruik. Een aannemelijke verklaring hiervoor is dat de loopplank zo zwaar was dat de Romeinse schepen hierdoor niet zeewaardig waren, wat leidde tot enorm veel doden als gevolg van slecht weer. Tegen die tijd had de *corvus* zijn sporen al verdiend, want de Romeinse marine had veel bruikbare ervaring opgedaan. Tijdens de Slag om de Egadische eilanden, het beslissende gevecht in de Eerste Punische Oorlog in 241 v.C., bleken de Romeinse manschappen over meer ervaring te beschikken en wisten ze hun schepen beter te manoeuvreren dan de uitgebluste Puniërs.

Oorlogsschepen met roeiers

Onze kennis van de roeischepen uit de klassieke wereld bevat nog veel hiaten. We bezitten maar weinig overblijfselen van dergelijke vaartuigen, in tegenstelling tot resten van handelsschepen, die meestal zeilschepen waren. Er zijn uit de periode die dit boek beslaat slechts twee exemplaren gevonden, voor de kust van Massala (het oude Lilybaeum) op Sicilië. Deze oorlogsschepen worden genoemd naar het

Een foto van de gereconstrueerde trireem of 'drieroeier' Olympias. Rond de tijd van de Eerste Punesische Oorlog (264 tot 241 voor Christus) hadden deze vaartuigen nog slechts een ondersteunende of verkennende rol. Het belangrijkste oorlogsschip werd toen de grotere en zwaardere quinquereem of 'vijfroeier'.

aantal rijen aan beide zijden van het schip, waaruit de basisploeg van roeiers bestond die ieder een paar riemen bediende. Zo bevatte een *trireem* of 'drieroeier' drie banken boven elkaar met ieder een rij roeiers erop. Op basis van een replica op ware grootte die uitgebreid op zee werd getest, kunnen we nu meer zeggen over dit oorlogsschip dan over welk ander type ook. Deze reconstructie bleek bijzonder wendbaar en heel snel. Ze kon wel acht knopen halen, met volle zeilen of bij een 'sprintje', goed voor bijvoorbeeld een aanval met de ram.

Triremen waren bij uitstek geschikt om mee te rammen, maar tegen het einde van de Punische Oorlogen bleken ze te klein om zich te kunnen weren in de frontlinie, waarna ze vervangen werden door de *quinqueremen* of 'vijfroeiers'. De indeling van deze vaartuigen is nog steeds onderwerp van discussie, maar ze waren duidelijk hoger, vermoedelijk iets breder en misschien wat langer dan de *triremen*. De roeiers waren hoogstwaarschijnlijk verdeeld over drie banken; op de bovenste en de middelste bank steeds twee, en op de onderste één roeier. *Quinqueremen* waren minder wendbaar dan *triremen*, maar wel sterker, doordat ze een groter ruim hadden; bovendien konden ze veel meer militairen herbergen. Polybius heeft het over *quinqueremen* met een bemanning van driehonderd tijdens de Slag bij Ecnomus in 256 v.C., waarschijnlijk verdeeld over twintig man aan dek en de rest roeiers, plus nog eens honderdtwintig soldaten.

De Griekse geschiedschrijver beweert ook dat de eerste Romeinse *quinqueremen* kopieën waren van een Carthaags oorlogsschip dat was gestrand en in bezit genomen, en dat de eerste vloot binnen twee maanden gereed was. In het verleden is deze bewering niet altijd serieus genomen, maar met de recente

Een in 49 voor Christus geslagen munt met afgebeeld een oorlogsschip met gehesen zeil en uitgestoken roeispanen. Normaal gesproken werden zeil en roeispanen niet tegelijk gebruikt om vooruit te komen. Tijdens proefvaarten van de Olympias was de trireem in staat om onder zeil acht knopen te lopen. Soortgelijke snelheden konden roeiers tijdens een korte sprint wel even verwezenlijken, maar een gestadige snelheid van vier knopen konden ze veel langer volhouden.

ontdekking van de overblijfselen van twee Punische oorlogsschepen op de zeebodem bij de kust van Sicilië zijn er sterke argumenten. Markeringen in het hout van de best bewaard gebleven boot geven informatie over de bouw van het schip. Cijfers en letters van het Punische alfabet wijzen aan waar de spanten aan de kiel verbonden moesten worden, en er zijn instructies voor andere verbindingen en sleuven. Het schip is duidelijk in serie gebouwd op basis van een standaardontwerp. Waarschijnlijk hebben de Romeinen dit systeem overgenomen, evenals de besturing van het schip.

Oorlogvoering op zee

Oorlogsschepen met roeiers, met een naar verhouding grote bemanning, hadden beperkte strategische mogelijkheden. Aan boord was heel weinig ruimte voor voorraden, terwijl vers water essentieel was voor zoveel roeiers in de hete mediterrane zomer. De roeiers en de soldaten die het schip vervoerde mochten niet al te veel bewegen op zee, omdat ze daardoor de stabiliteit in gevaar brachten: de ballast werd grotendeels gevormd door de bemanning zelf. Vandaar dat een vloot in de oudheid doorgaans niet langer dan drie dagen op zee verbleef. Ze zochten daarna meestal een haven op of meerden aan langs de kust, zodat de bemanning kon uitrusten en het schip bevoorraad kon worden. Het was daarom van levensbelang dat de havens, of ten minste de kustlijn, in veilige handen waren, wilde men de macht op zee behouden.

TRIOMFEN EN NEERGANG VAN HET MILITIELEGER

De militie was succesvol tot halverwege de tweede eeuw v.C. Ze bezat twee belangrijke voordelen ten opzichte van andere militaire systemen. In de eerste plaats was dat mankracht. Met de uitbreiding van het Romeinse grondgebied op het Italische schiereiland was ook de burgerbevolking gegroeid. Sommige gemeenschappen hadden na verloop van tijd het burgerrecht gekregen, weer andere groepen slechts de Latijnse of een nog lagere status, terwijl ze wel verplicht waren troepen te leveren. Volgens Polybius stonden er vlak voor de oorlog met Hannibal meer dan zevenhonderdduizend mannen van de Romeinse republiek en haar bondgenoten geregistreerd die volwassen waren en voldoende bezit hadden om in het leger te dienen. Deze mannen werden niet allemaal tegelijk gerekruteerd, maar dit enorme reservoir aan mankracht stelde de republiek wel in staat ondanks gigantische aantallen slachtoffers de Tweede Punische Oorlog te winnen. Geen enkele andere staat kon dat evenaren. De Romeinen wisten telkens weer hun vijanden tot overgave te dwingen, ook al sneuvelden er bij de tegenstander veel minder soldaten. Het tweede grote voordeel van het militiesysteem school in de bereidheid van de Romeinse burgers en bondgenoten zich te schikken naar de discipline van het leger onder een formele commandostructuur. De legioenen en *alae* werden na rekrutering eerst intensief getraind. Hoe langer een Romeins leger bestond, des te efficiënter opereerde het. De legers die dienstdeden tijdens de laatste jaren van de Tweede Punische Oorlog en tijdens de daaropvolgende decennia, bestonden uit zeer ervaren en goed geoefende manschappen, opgewassen tegen iedere beroepssoldaat.

Een militieleger had ook zwakke punten. Het belangrijkste nadeel was het tijdelijke karakter. Na ieder conflict werd het leger ontbonden, en wanneer er een nieuwe strijdmacht werd opgeroepen moesten de mannen eerst worden getraind. Het duurde jaren voordat een leger het efficiëntst functioneerde, want zelfs als dezelfde mannen weer aantraden, dienden ze samen met anderen in een eenheid, onder een andere aanvoerder. Rome leed veel nederlagen doordat een consul de strijd aanging met een nieuw en onvoldoende geoefend leger. Bovendien was dit systeem niet zo geschikt voor gespecialiseerde troepen of officieren, die bijvoorbeeld nodig waren voor de genie of belegeringen. Tijdens deze periode was het leger dan ook niet bijzonder geneigd steden te belegeren.

De uitbreidingen buiten Italië brachten hun eigen problemen met zich mee. Vanaf dat moment werd er veel verder van huis en gedurende vele jaren achter-

Hoewel gebeeldhouwde sarcofagen vaak taferelen laten zien van krijgshaftige scènes, waren die zelden accuraat. Deze cavalerist draagt een spierkuras en een versierde Attische helm, maar het is uiterst onwaarschijnlijk dat een dergelijke uitrusting gedragen werd door meer dan een handjevol hoofdofficieren.

een oorlog gevoerd, terwijl er in de overzeese gebiedsdelen permanent garnizoenen gelegerd moesten worden. Boeren, die het leeuwendeel van de rekruten leverden voor de legioenen, waren daardoor jarenlang niet in staat hun akkers te bebouwen, met magere tijden en soms zelfs bankroet als gevolg. Een diensttijd bestond niet langer uit een kortdurende, winstgevende veldtocht in Italië, maar kon inmiddels oplopen tot een jaar of tien garnizoensdienst en een gruwelijke strijd in Spanje, maar dan zonder de persoonlijke eer of kans op buit zoals voorheen. Terwijl het leger steeds minder aantrekkelijk werd, zagen de Romeinen het aantal geschikte militairen afnemen. Enkele malen werd de inkomensgrens verlaagd, maar dit kon het tij niet keren. De relatief vredige jaren tussen 180 en 155 v.C. zorgden er vervolgens voor dat de gezamenlijk opgebouwde ervaring van de soldaten en de aanvoerders van de legioenen nog verder weglekte. De Romeinen bleven echter vol zelfvertrouwen, ervan overtuigd dat zij zegevierend uit iedere strijd tevoorschijn zouden komen, waarbij ze vergaten hoezeer eerdere overwinningen stoelden op een goede voorbereiding en gerichte training. Vanaf het midden van de tweede eeuw v.C. begon vrijwel iedere strijd met rampzalige en vaak gênante verliezen voor de Romeinen. Uiteindelijk kwamen de Romeinen bij al deze conflicten als overwinnaars uit de bus, doordat ze maar troepen en voorraden bleven sturen totdat de vijand het onderspit moest delven, maar het militiesysteem wist duidelijk niet goed met de nieuwe situatie om te gaan. Uiteindelijk moest het dan ook plaatsmaken voor een nieuwe vorm, het beroepsleger.

Volgende pagina. Detail uit een reliëf, gevonden in Rome, waarschijnlijk uit de vroege tweede eeuw voor Christus. Op de afbeelding zien we de Praetoriaanse garde. De mannen dragen versierde, klassiek vormgegeven helmen, spierkurassen en rijk gedecoreerde schilden.

II

HET BEROEPSLEGER

En het legioen hield aanvankelijk op de plaats rust en hield de bergpas als dekking bezet, maar nadat de vijanden dichterbij gekomen waren tot in hun schootsveld, dunden ze hen met hun werpspiesen uit, en daarna deden zij een uitval ...

Tacitus' beschrijving van de overwinning op Boudicca in Britannia, 60 n.C. (Tacitus, *Annales* 14.37, vertaling Ben Bijnsdorp)

Het militieleger van Rome vocht in de grote oorlogen tegen Carthago en de hellenistische machthebbers en versloeg deze, maar in de tweede eeuw v.C. kwam het stelsel van militaire rekrutering in toenemende mate onder druk te staan. Door de aanwinst van overzeese provincies ontstond er behoefte aan grote, permanent gevestigde garnizoenen, wat inhield dat veel legionairs die oorspronkelijk steeds tijdelijk dienden, nu tien jaar of langer aaneengesloten dienstdeden. Deze inbreuk op het dagelijks leven kon de kleine landeigenaars waaruit het leeuwendeel van de burgers die voor militaire dienst in aanmerking kwamen bestond, zomaar de kop kosten. De Romeinen begonnen zich zorgen te maken over het kleiner worden van deze burgerklasse, en die zorg voor de toekomst werd almaar groter toen een reeks oorlogen aanbrak die met nederlagen begon en slechts na veel strijd tot overwinning leidde. Ten slotte zag de republiek zich genoodzaakt afscheid te nemen van de militie en in plaats daarvan een beroepsleger in het leven te roepen, dat hoofdzakelijk werd geworven uit de armste burgers. Deze verandering is wel eens toegeschreven aan de grote legeraanvoerder Gaius Marius, maar zal zich waarschijnlijk geleidelijk hebben voltrokken. In ieder geval ontstond er, of er nu sprake was van een aanpassing aan ontwikkelingen op langere termijn of van een plotselinge hervorming, een heel ander soort legioen. In het leger dienen werd een beroep dat een man gedurende zijn hele volwassen leven kon uitoefenen, waardoor er een scheiding tussen soldatenleven en burgerleven ontstond. Legionairs waren niet langer landeigenaren, wat inhield dat ze niet in hun levensonderhoud konden voorzien wanneer het leger hun diensten niet langer nodig had, en velen bleken bereid onder hun aanvoerders te vechten tegen andere Romeinse legers. De eerste eeuw v.C. werd geteisterd door burgeroorlogen, wat leidde tot de ondergang van de republiek, die plaatsmaakte voor een soort monarchie, het principaat.

Ten tijde van het principaat werd de totstandkoming van het beroepsleger voltooid. Alle troepen dienden voortaan in permanente eenheden, die vaak vele eeuwen bleven bestaan. De manschappen bestonden uit beroepssoldaten die vijfentwintig jaar in uniform bleven, maar onder de hogere rangen hield men bepaalde aspecten uit het militieleger nog levend. Officieren uit de klasse van senatoren en ruiters voerden zowel legioenen als hulptroepen aan. Vooral de senatoren dienden slechts een deel van hun publieke loopbaan in het leger en bekleedden daarnaast nog andere ambtelijke posten, zoals voorheen.

HET ROMEINSE LEGER NA DE MARIANISCHE HERVORMINGEN

Marius en de *capite censi*

De invoering van een staand beroepsleger is vaak toegeschreven aan Gaius Marius. Hij werd in 107 v.C. gekozen tot consul en werd uitgezonden om de bevelhebber in de Numidische Oorlog te vervangen, ondanks felle tegenstand van de senaat. In plaats van nieuwe legioenen op te roepen om het leger in Afrika te versterken, gaf men Marius alleen toestemming om vrijwilligers mee te nemen. Hij deed vervolgens een beroep op de allerarmste burgers, mannen die onvoldoende bezit hadden om voor militaire dienst in aanmerking te komen, iets wat nooit eerder vertoond was. Deze proletariërs (*capite censi*) meldden zich enthousiast aan en bleken goede soldaten te zijn. Hiermee werd de connectie tussen eigendom en militaire dienst voorgoed verbroken. Van nu af aan hoefden nieuwe rekruten slechts burgers te zijn, en kwamen ze steeds vaker uit de armere geledingen van de bevolking.

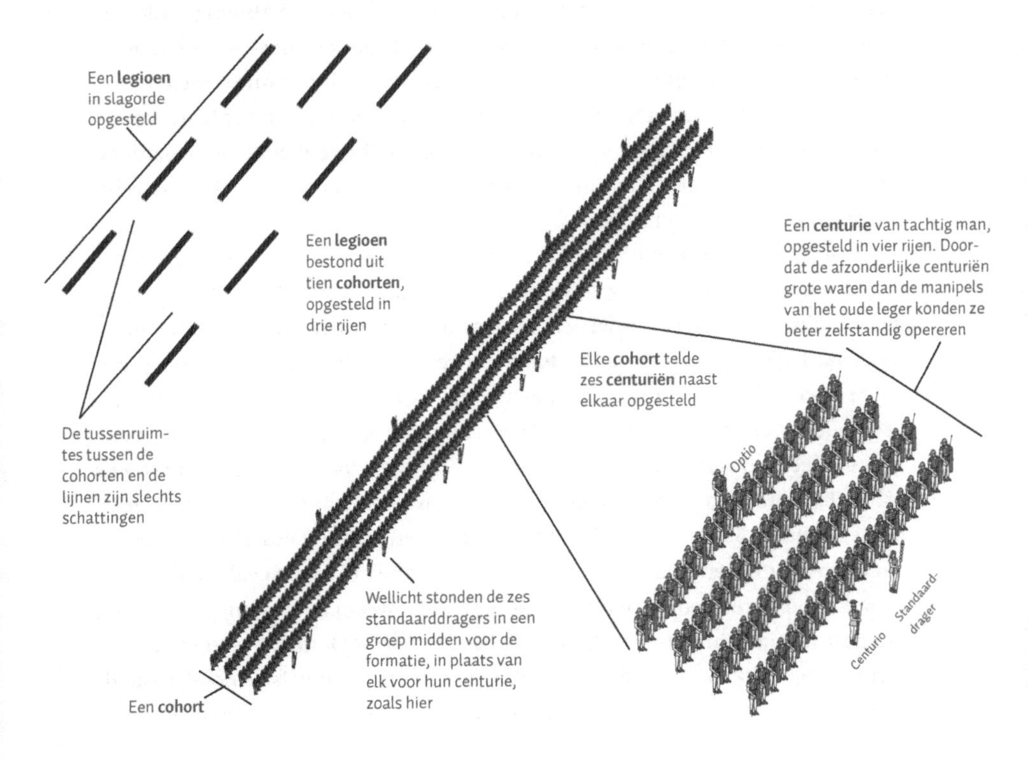

Wellicht heeft deze verandering zich niet zo abrupt voltrokken. Sommige wetenschappers veronderstellen dat Marius slechts openlijk uitkwam voor een praktijk die al langere tijd bestond. De minimumgrens om het leger in te mogen was tenslotte al verlaagd, en er zijn aanwijzingen dat armere vrijwilligers zich al eerder tijdens veldtochten bij de legioenen aansloten en in feite beroepssoldaten werden, al weten we niet hoeveel van dergelijke soldaten er geweest zijn. In ieder geval was de hervorming van Marius beslist een belangrijk stadium in de overgang van militie naar beroepsleger. Niet lang daarna, naar aanleiding van de laatste grote opstand door de Italische bondgenoten van Rome, de zeer bloedige Bondgenotenoorlog, kreeg vrijwel iedereen ten zuiden van de rivier de Po het Romeinse burgerrecht. De *alae* verdwenen, en er werden legioenen gevormd die allemaal op dezelfde manier georganiseerd waren.

De nieuwe legioenen

Hoewel veel gebruiken van de militie bewaard bleven, vertoonden de nieuwe (semi)professionele eenheden fundamentele verschillen met hun voorganger, zowel wat karakter als wat tactiek betrof. Voortaan werden de legioenen niet telkens ontbonden, maar behielden ze dezelfde naam en hetzelfde nummer gedurende hun hele bestaan. Voorheen had elk legioen vijf standaarden, met adelaar, paard, stier, wolf en everzwijn, maar Marius voerde de adelaar als enig veldteken in en gaf ieder legioen één zilveren standaard. De legionairs beschouwden de dienst in het leger voortaan als een beroep, niet langer als een onderbreking van hun dagelijks leven, en raakten nauw verbonden met hun eigen eenheid. Daardoor ontstond een sterke gemeenschapszin binnen die eenheden. Aanvoerders als Julius Caesar speelden handig in op die militaire trots en de rivaliteit tussen de verschillende legereenheden.

De militairen hoefden niet langer voor hun eigen uitrusting te zorgen, maar kregen wapens, wapenrusting en kleding van de staat. De verschillen tussen de klassen binnen het leger verdwenen, en daarmee ook de cavalerie en lichte infanterie. Alle legionairs behoorden nu tot de zware infanterie, en iedereen droeg een *pilum* en een *gladius*. De manschappen vormden nog steeds centuriën, maar die bestonden voortaan uit tachtig man. Twee centuriën vormden een manipel, maar de manipel werd als tactische basiseenheid vervangen door de grotere cohort. Een cohort bestond uit drie manipels die waren gebaseerd op de drie oude rijen. De namen daarvan bleven bewaard in de aanduidingen van de centuriën. Op papier telde een cohort vierhonderdtachtig man. Al geruime tijd waren geallieerde contingenten in cohorten georganiseerd; Polybius maakt tweemaal melding van de inzet van deze formatie in Spanje tijdens de Tweede Punische Oorlog. In een van deze vermeldingen lijkt hij te zeggen dat een cohort uit drie manipels bestond, maar die tekst kan ook anders opgevat worden. Het zou kunnen dat cohort een meer algemene aanduiding was voor een eenheid die qua grootte tussen manipel en legioen in zat. Het is ook mogelijk dat de situatie in Spanje specifiek vroeg om een dergelijke eenheid, maar er is geen reden om aan te nemen dat alle legioenen al voor de tijd van Marius altijd waren opgebouwd uit cohorten en manipels.

De cohort had een paar voordelen boven de indeling van hetzelfde aantal manschappen in manipels. In de eerste plaats ontstond zo een eenheid waarbinnen men gewend was nauw met elkaar samen te werken, ongetwijfeld onder een eigen aanvoerder, al is er geen enkele bron die dit expliciet vermeldt. Deze aanvoerder was hoogstwaarschijnlijk een van de zes centurio's die aan het hoofd van de centuriën stonden. Eén cohort (of enkele cohorten samen) vormde een solide en doeltreffend detachement dat kon worden ingeschakeld voor een operatie waarvoor geen heel legioen nodig was. Op het slagveld werd het legioen doorgaans opgesteld in de zogenoemde *triplex acies*-formatie: vier cohorten vooraan, drie in het midden en drie achteraan. Iedere cohort was echter even groot en droeg dezelfde wapenrusting. Een legioen kon zich dus net zo gemakkelijk in twee of vier linies opstellen als dat tactisch beter uitkwam. Het was ook veel makkelijker aan te voeren, want de commandant hoefde zijn bevelen nu slechts aan de tien aanvoerders van de cohorten door te geven in plaats van aan dertig in het geval van de manipels. Een cohort was niet verplicht met de rest van de linie mee te gaan, maar kon zich ook afsplitsen en afzonderlijk optreden. Het legioen met tien cohorten bezat dus veel meer tactische en strategische flexibiliteit dan de in manipels georganiseerde voorganger.

Het professionele en meer permanente karakter van de legioenen kende nog meer voordelen. Zo gingen ervaring en technische kennis niet langer verloren doordat het legioen ontbonden werd, maar bleven die bewaard en konden ze aan de volgende generatie worden doorgegeven. In de eerste eeuw v.C. ontwikkelde het Romeinse leger een hoogstaande militaire techniek waaraan geen enkele tegenstander kon tippen. De legioenen bevatten zowel gespecialiseerde en bedreven vaklieden als soldaten die bereid waren het handwerk te doen. Militairen in het leger van Julius Caesar bouwden van alles: een brug over de Rijn, een oorlogsvloot, de hellingbanen en rammen waarmee ze Avaricus bestormden en de vestingwerken voor de blokkade van Alesia tijdens de Gallische veldtochten. Deze bouwlieden werden tijdelijk bijeengebracht, speciaal voor deze bouwprojecten; de rest van de tijd dienden ze verspreid over de cohorten en hadden ze dezelfde taken als de andere militairen.

Het militieleger had veel erg goede legionairs voortgebracht: gehard door een lange diensttijd, getraind door ervaren officieren, even trefzeker en tactisch onderlegd als de latere beroepsmilitairen. Toch waren die laatste over het algemeen behendiger en gedisciplineerder dan hun voorgangers, gewoon doordat ze langer in dienst waren. De Romeinen meenden dat er vele jaren op het slagveld nodig

Een reconstructie van de belegeringslinies in Alesia die Julius Caesars leger bouwde in 52 voor Christus. Het geeft een goede indruk van het hoge niveau aan technische vaardigheden dat de beroepslegers hadden. In Alesia bouwden de Romeinen twee van dergelijke linies, de ene naar binnen gericht richting de verdedigde stad, en de andere naar buiten gericht, ter bescherming tegen aanvallen van het Gallische bevrijdingsleger. Elke linie was ten minste 17,5 kilometer lang, had 23 forten en om de 24 meter een toren langs het bolwerk.

waren voordat een soldaat het toppunt van zijn kunnen bereikte. Een officier van Caesar zei eens over een veelbelovend legioen tijdens de achtste veldtocht in Gallië dat dit toch nog niet zo goed was als de oudere legereenheden.

Voor het goed opgeleide beroepsleger, aangevoerd door begaafde en ambitieuze commandanten, brak nu de periode in de geschiedenis van Rome aan waarin de meeste veroveringen werden gedaan. De Romeinse legers bezaten geen eigen lichte infanterie en cavalerie meer, maar daarvoor deden ze een beroep op hun bondgenoten, die vaak lokale rekruten leverden. Het waren echter de legioenen die zich altijd in het heetst van de strijd bevonden. Telkens weer lieten mannen als Marius, Sulla, Pompeius, Lucullus en Caesar zien hoe flexibel de uit cohorten opgebouwde legioenen waren. De Romeinen bonden de strijd aan met verschillende vijanden in Europa, Noord-Afrika en het Nabije Oosten, die geregeld ver in de meerderheid waren, en versloegen ze, vaak met aanmatigend gemak. De rampzalige nederlaag bij Carrhae in 53 v.C., toen de Parthen het leger van Crassus vrijwel volledig vernietigden, was dan ook voornamelijk te wijten aan overmoed.

Beroepsofficieren

Het legioen met tien cohorten had nog steeds geen permanente aanvoerder. In de loop van de tijd werd het gebruikelijk dat een van de ondergouverneurs (*legati*) het commando voerde. Tijdens de oorlog tegen de Germaanse koning Ariovistus in 58 v.C. benoemde Caesar zijn *quaestor* en vijf *legati* aan het hoofd van zijn zes legioenen. De *quaestor* was een gekozen magistraat, een jonge senator aan het begin van zijn loopbaan, die de financiën van de provincie beheerde en als ondergouverneur optrad. *Legati* werden niet gekozen, maar door de gouverneur benoemd uit de kring van zijn familie, vrienden en politieke bondgenoten. Dit konden voormalige gouverneurs of legeraanvoerders zijn, die op dit niveau voor ervaren leiderschap zorgden, al was het op tijdelijke basis.

Ieder legioen telde nog steeds zes tribunen. Sommigen van hen waren jonge, onervaren edelen aan het begin van een politieke carrière, maar ze waren in toenemende mate afkomstig uit de klasse van de *equites* (genoemd naar de oorspronkelijke ruiterklasse). Onder hen waren velen beroeps, net als de manschappen, aangezien het steeds gebruikelijker werd gedurende langere tijd in het leger te dienen. Door de vele buitenlandse oorlogen en de burgeroorlogen die telkens uitbraken gedurende de eerste eeuw v.C., was het niet ongebruikelijk dat veel officieren bijna onafgebroken in het leger dienden.

Een tweede belangrijke factor die bijdroeg aan het bestendigen van gezamenlijke militaire ervaring en kunde was de opkomst van de beroepscenturio. Polybius schrijft al over de zorgvuldige selectie van centurio's uit de beste krijgers binnen de gelederen. Toch duurt het nog tot de late jaren van de republiek voordat deze mannen meer status krijgen. Caesar schrijft in zijn boek over de eigen veldtochten dat het vooral de centurio's zijn, meer dan welke andere bevelhebbers, die aandacht en eer verdienen, zowel collectief als persoonlijk. Zo worden Sextus Baculus in Gallië en Crastinus bij de slag van Pharsalus in Griekenland (48 v.C., waarin Caesar Pompeius versloeg) afgeschilderd als helden en een inspiratiebron voor hun mannen. Verscheidene malen vermeldt Caesar dat hij een moedige centurio met een lage rang binnen een legioen dat lang gediend heeft een hogere positie in een nieuwere eenheid geeft. Slechts eenmaal wordt in de werken van Caesar iemand met name genoemd die opklimt tot centurio vanuit een lage rang, en deze man diende niet onder Caesar, maar onder Pompeius. We weten dan ook niet precies hoe deze aanvoerders gekozen werden en of ze als commandant of als gewoon soldaat het leger waren binnengekomen. Wat wel duidelijk is, is dat iemand die het tot centurio wist te brengen een bepaalde status ten deel viel, en na verloop van tijd vaak ook vermogen.

Beroepssoldaten

Het leger van na de Marianische hervormingen was in veel opzichten flexibeler en effectiever dan zijn voorloper. De connectie tussen leger en republiek was ook aanzienlijk anders. De situatie in het oude militieleger hield in feite in dat de hele staat en alle burgers het leger vormden. De mannen werd een bepaalde mate van politieke invloed toebedeeld, naargelang hun rang in het leger. Soms bracht het leger de dienstdoende militair roem en welvaart; in ieder geval waren vele generaties burgers bereid het leger te dienen als een verplichting aan de republiek, waaraan ze zich nauw verbonden wisten. In wezen gold nog steeds het oude ideaal van de hoplieten: degenen met het meeste belang bij de staat vochten ervoor.

Beroepsmilitairen waren voor het overgrote deel afkomstig uit de armste groepen, en hun directe politieke invloed was vrijwel nihil. Ze werden door het leger gevoed en gekleed, ontvingen een inkomen en een taak in het leven. Zodra ze afzwaaiden, raakten ze dat allemaal kwijt. De senaat wilde lange tijd niet inzien dat het leger niet langer een militie uit de gegoede burgerij was, maar uit soldaten bestond die er voor hun levensonderhoud van afhankelijk waren. Wie uit dienst ging, rekende voortaan op steun van zijn aanvoerder. Meestal kregen ze dan een stukje landbouwgrond toegewezen. Hierdoor konden succesrijke generaals met een lange staat van dienst, en zeker zij die over leiderschapskwaliteiten beschikten, een leger opbouwen dat in eerste instantie aan henzelf toegewijd was, meer dan aan de staat, die toch geen oor had voor de problemen van de soldaten. Opvallend in de late republiek is dat perioden van grote veroveringen werden afgewisseld met burgeroorlogen. Legioenen keerden zich tegen elkaar met dezelfde meedogenloze doeltreffendheid als wanneer ze oorlog voerden met een vijand over de grens. De beroemde veroveraars waren tegelijkertijd de belangrijkste leiders bij deze interne conflicten, en telkens weer trokken er legioenen naar Rome in een poging de macht over te nemen. Het beroepsleger speelde een rol van betekenis doordat het de opstanden mogelijk maakte die uiteindelijk leidden tot de val van de republiek en de instelling van het principaat, de facto een monarchie.

Een gedenkteken ter ere van Marcus Caelius Rufus, een hoofdcenturio van Legioen XIIX, en twee van zijn vrijgelatenen. Caelius kwam in 9 na Christus op 53-jarige leeftijd om het leven toen zijn legioen en twee andere onder leiding van Publius Quinctilius Varus in Germania in een hinderlaag liepen en compleet vernietigd werden. De inscriptie besluit met de toestemming om hier zijn beenderen te begraven, mochten ze ooit gevonden worden.

HET LEGER TIJDENS HET PRINCIPAAT

De legioenen

Wanneer de eerste Romeinse keizer, Augustus, in 14 n.C. sterft, is het leger uitgegroeid tot een volledig professioneel en permanent instituut. De legioenen vormen nog steeds de kern. Vele ervan blijven eeuwenlang in stand en houden slechts op te bestaan doordat ze in de strijd vernietigd worden of, wat zelden gebeurt, oneervol worden ontbonden. Toen er een eind kwam aan de burgeroorlogen, kon Augustus beschikken over een troepenmacht van zestig legioenen, die hij terugbracht tot achtentwintig. Hierin veranderde in de loop van de volgende drie eeuwen niet veel; het aantal bleef schommelen rondom de dertig. De legioenen werden genummerd en kregen al snel namen en kwalificaties. Erg logisch was het systeem niet, wat doet vermoeden dat sommige legioenen er niet veel voor voelden hun bestaande identiteit op te geven. Het resultaat was dat er veel legioenen met hetzelfde nummer voorkwamen; er waren er zelfs drie met nummer drie. De situatie werd er niet overzichtelijker op toen latere keizers nieuwe legioenen oprichtten en weer bij nummer één begonnen. Het hoogste nummer ten tijde van Augustus was XXII Deiotariana. Dit legioen had een bijzondere ontstaansgeschiedenis. Het bestond namelijk uit het leger van koning Deiotarus van Galatië, die zijn soldaten had uitgerust, ingedeeld en getraind naar Romeins voorbeeld. De eerste rekruten schijnen het Romeinse burgerschap te hebben verkregen, maar al snel kwam de nieuwe aanwas van mannen die het burgerrecht al bezaten, en werd het een legioen als alle andere. Ook bij andere eenheden verwijst de naam naar het ontstaan ervan. Drie legioenen – X, XIII en XIV – kregen de naam Gemina, 'tweeling', wat erop wijst dat er twee legereenheden waren samengevoegd.

Sommige legioenen wisten in de tijd na de Marianische hervormingen een bepaalde eigenheid of reputatie te verwerven, een trend die zich tijdens de reorganisatie van Augustus voortzette. Soms verwezen deze bijnamen naar krijgseer, bijvoorbeeld Ferrata ('van ijzer') of Fulminata ('bliksemschicht'), of naar een streek waar het legioen zich bijzonder onderscheiden had. Gewoonten werden nu binnen een legioen overgedragen op de volgende lichting soldaten. Legionairs waren trots op hun eenheid en keken neer op de andere. Ieder legioen onderscheidde zich door de standaard en de symbolen op de schilden, en wellicht ook door andere eigenaardigheden, zoals uitrusting of procedures. Zelfs bij beknopte inscripties, en vooral op belangrijke zoals grafschriften, vermeldden

LEGIOENEN TIJDENS HET PRINCIPAAT

Legioen	*Opgericht tijdens/ door*	*Ontbonden/vernietigd*	*Bijzonderheden*
I Germania	Late Republiek	Ontbonden 70 n.C.	Ontbonden na de opstand van Civilus
I Adiatrix pia fidelis	Nero		Bestond oorspronkelijk uit rekruten van de marine
I Italica	Nero		Uit Italië. Eerste rekruten zouden allemaal 1,80 lang zijn geweest
I Macriana	Nero	Ontbonden 69-70 n.C.	Legioen uit de Burgeroorlog, heeft niet lang bestaan
I Flavia Minervia pia fidelis	Domitianus		Eretitel toegekend voor trouw aan Domitianus
I Parthica	Severus		Opgericht voor zijn Parthische invasie
II Augusta	Late Republiek/ Augustus		Waarschijnlijk eerder Gallica genoemd
II Adiatrix pia fidelis	Nero		Bestond oorspronkelijk uit rekruten van de marine
II Italica	Marcus Aurelius		Waarschijnlijk opgericht in 165 n.C.
II Parthica	Severus		Opgericht voor zijn Parthische invasie
II Traiana fortis	Trajanus		'Sterk', waarschijnlijk een eretitel voor optreden in Dacië
III Augusta pia fidelis	Late Republiek/ Augustus		
III Cyrenaica	Late Republiek		
III Gallica	Caesar		
III Italica concors	Marcus Aurelius		'Verenigd', waarschijnlijk opgericht in 165 n.C.
III Parthica	Severus		Opgericht voor zijn Parthische invasie
III Macedonica	Caesar	Ontbonden 70 n.C.	Ontbonden wegens overlopen naar Civilis
III Flavia felix	Vespasianus		'Gelukkige', opgericht uit legioenen die in 70 n.C. werden opgegeven
III Scythica	Marcus Antonius?		
V Alaudae	Caesar	vernietigd tijdens Domitianus?	De 'leeuweriken', oorspronkelijk uit trans-Alpijns Gallië
V Macedonica	Late Republiek		
VI Ferrata fidelis constans	Caesar		'Van ijzer', trouw en bestendig
VI Victrix	Late Republiek		'Triomferend'
VII Claudia pia fidelis	Caesar		Eretitels omdat ze Claudius trouw bleven in 42 n.C.
VII Gemina	Galba		'Tweeling', waarschijnlijk samenvoeging van twee legioenen omstreeks 70 n.C.
VIII Augusta	Late Republiek		
IX (of VIII) Hispana	Late Republiek	vernietigd tijdens Hadrianus?	Mogelijk gesneuveld tijdens de Bar Kochba-Opstand in Judea
X Fretensis	Late Republiek		Fretensis was de zeestraat tussen Italië en Sicilië
X Gemina	Caesar		'Tweeling', uit twee samengevoegde eenheden
XI Claudia pia fidelis	Late Republiek		Eretitels omdat ze Claudius trouw bleven in 42 n.C.
XII Fulminata	Caesar		'Bliksemschicht'
XIII Gemina pia fidelis	Late Republiek		'Tweeling', uit twee samengevoegde eenheden
XIV Gemina Martia Victrix	Late Republiek		Weer een 'tweeling', daarnaast eretitels voor het onderdrukken van de opstand van Boudicca in 60-61 n.C.
XV Apollinaris	Augustus		Augustus beweerde een bijzondere band met de god Apollo te hebben
XV Primigenia	Caligula	ontbonden 70 n.C.	Ontbonden wegens overlopen naar Civilis
XVI Gallica	Augustus	ontbonden 70 n.C.	Ontbonden wegens overlopen naar Civilis
XVI Flavia Firma	Vespasianus		Na reorganisatie verder als nieuwe eenheid XVI Gallica
XVII	Augustus	vernietigd 9 n.C.	Vernietigd in Germania
XVIII (of XIIX)	Augustus	vernietigd 9 n.C.	Vernietigd in Germania
XIX	Augustus	vernietigd 9 n.C.	Vernietigd in Germania
XX Valeria Victrix	Augustus		Waarschijnlijk eretitels voor het onderdrukken van de opstand van Boudicca in 60-61 n.C.
XXI Rapax	Augustus	vernietigd tijdens Domitianus?	'Grijpen', want belust op overwinning
XXII Deiotariana	Augustus	vernietigd tijdens Hadrianus?	Opgericht met mannen uit het leger van koning Deiotarus van Galatië
XXII Deiotariana	Caligula		
XXX Ulpia Victrix	Trajanus		Gerekruteerd voor de Dacische Oorlogen, waar ze de titel 'triomferend' verdienden

de soldaten bij welk legioen ze dienden. Keizers kozen met zorg namen voor bepaalde legioenen uit om zo de gunst van de soldaten te verwerven. Om die reden voegde Nero na de overwinning op Boudicca in 60 n.C. de namen Martia Victrix ('Van Mars, de overwinnaar') toe aan de titel van Legio XIV Gemina. Trajanus, wiens volledige naam Marcus Ulpius Traianus luidde, gaf het dertigste legioen de eretitel Legio XXX Ulpia Victrix. Niet alle roem werd op het slagveld verkregen. Claudius voegde de titel Claudia Pia Fidelis (van Claudius, vroom en trouw) toe aan Legio VII Macedonica en Legio XI toen ze weigerden hun aanvoerder te volgen bij een poging tot opstand.

Ook na de hervormingen van Marius bestond er nog geen vaste diensttermijn, al lijkt het maximum van zestien veldtochten of jaren gehandhaafd te zijn. Soms dienden legioenen zolang een conflict duurde, maar vele hielden garnizoen nadat de oorlog afgelopen was. Augustus bepaalde de diensttijd voor zijn nieuwe, permanente legioenen op zestien jaar, met nog eens vier jaar als veteranen. De veteranen bleven bij hun legioen, maar hoefden geen wacht te lopen of corveedienst te doen en hoefden in theorie alleen de wapens op te pakken voor de verdediging van de basis of het kamp van hun legioen. Door een tekort aan manschappen werd de diensttijd in de loop van Augustus' keizerschap verlengd tot twintig jaar, met nog eens vijf als veteraan. Aanvankelijk was er fel verzet tegen deze aanpassing, maar de regel bleef gelden gedurende het gehele principaat.

Onder Augustus kreeg de militaire hiërarchie duidelijker vorm en werd een permanente bevelhebber aangesteld. Deze *legatus legionis* was een senator, meestal van begin dertig. De onderbevelhebber was de enige andere militair in de eenheid die uit de senatorenklasse kwam. Deze *tribunus laticlavius* was meestal ongeveer twintig jaar en bezat geen of heel weinig ervaring in het leger. De derde in bevel, de *praefectus castrorum* of kampprefect, was een oud-centurio met veel ervaring, die doorgaans zijn hele volwassen leven in het leger had gediend. Deze prefect schijnt een ruime administratieve taak te hebben gehad, die ook technische kennis vereiste. Daarnaast waren er vijf tribunen uit de ruiterklasse, de *tribuni angusticlavii*, die allerlei taken verrichtten, maar geen bevel voerden over een bepaald legeronderdeel. Onder hen bevonden zich de centurio's, zes in iedere cohort. Zij hadden de oude titels van de voormalige manipels behouden; van laag naar hoog waren dat de *hastatus posterior, hastatus prior, princeps posterior, princeps prior, pilus posterior* en *pilus prior. Pilus* was een andere naam voor *triarius*.

In ieder legioen was een kleine cavalerie van een man of honderdtwintig, maar de sterkte van het leger berustte vooral op de tien cohorten. Op papier bestonden die uit vierhonderdtachtig man, verdeeld over zes centuriën, ieder onder het bevel van een centurio. Er gingen tachtig man in een centurie, onderverdeeld in tien secties van acht, de *contubernia*. De leden van een *contubernium* deelden een tent tijdens veldtochten, of enkele ruimten van een barak, en woonden en aten met elkaar. Vaak ontstond hierdoor een hechte band tussen de mannen, zoals je die ook wel in kleine eenheden binnen een modern leger aantreft. De term *contubernalis* ging 'kameraad' of 'wapenbroeder' betekenen, en werd zowel door officieren als door manschappen gebruikt. De centurio werd bijgestaan als leider over zijn centurie door dezelfde onderofficieren (*principales*) als tijdens het leger van de republiek: de *optio*, de *signifer* en de *tesserarius*.

Het lijkt iets anders te zijn geregeld bij de eerste cohort. Op z'n laatst aan het einde van de eerste eeuw n.C. bestonden veel – misschien zelfs alle – eerste cohorten uit vijf centuriën in plaats van zes. Zo'n centurie telde dan honderdzestig manschappen, dus tweemaal zoveel, waardoor het geheel op achthonderd uitkwam. Van laag naar hoog waren er centurio's met de rangen *hastatus posterior, hastatus, princeps posterior, princeps* en *primus pilus*. Allemaal zeer prestigieuze rangen, vooral de *primus pilus*; wie zo'n positie had, woonde in de permanente legerplaats niet in een barak, maar in een mooi groot huis. In zijn laat-Romeinse handboek schrijft Vegetius dat de mannen van de eerste cohort langer moesten zijn dan de rest van het legioen. Tegenwoordig wordt wel aangenomen dat deze cohort bestond uit veteranen. In ieder geval schijnt de eerste cohort een sterke keurtroep binnen het legioen te zijn geweest. Helaas is er niet voldoende materiaal om te concluderen of alle legioenen op deze manier ingedeeld waren of slechts een deel. Het zou kunnen dat dergelijke grote eenheden af en toe werden ingezet om meer overwicht uit te stralen of wanneer de militaire situatie daarom vroeg.

De *auxilia*

Het Romeinse leger leunde altijd al sterk op de soldaten die hun bondgenoten leverden. Deze manschappen werden *auxilia* genoemd: beroepssoldaten die de burgerlegioenen te hulp schoten. Tijdens de midden-republiek werd ieder legioen aangevuld met een *ala*; bovendien waren er in veel legers contingenten bondgenoten van buiten Italië te vinden, die vaak hun eigen stijl van oorlog voeren hadden. Deze manschappen werden doorgaans gerekruteerd tijdens de buitenlandse veldtochten van het legioen. Tijdens de Punische Oorlogen werden de legers in Sicilië aangevuld met troepen uit de nabijgelegen Griekse steden. De troepen in Noord-Italië kregen hulp van de plaatselijke Gallische stammen, en in de legioenen in Spanje vochten Iberische en Keltiberische stamleden meestal in groten getale mee. Het leger had bij de beslissende slag tegen Hannibal in Noord-Afrika veel te danken aan zijn Numidische bondgenoten. Niet alleen getalsmatig waren bondgenoten ter plaatse een welkome aanvulling, belangrijker nog was dat hun stijl van oorlog voeren vaak was toegespitst op de plaatselijke omstandigheden. Een nadeel was dat dergelijke bondgenoten niet altijd even betrouwbaar waren. In 212 v.C. pakte dit rampzalig uit, toen de Keltiberische hulptroepen het Romeinse leger in Spanje in de steek lieten, waardoor dit het onderspit dolf tegen een Carthaagse overmacht.

Na de Bondgenotenoorlog werden de Italische hulptroepen (de *socii*) in de legioenen opgenomen, waardoor het aandeel soldaten zonder burgerrecht in de meeste Romeinse veldlegers afnam. De gewoonte buitenlandse contingenten aan te trekken bleef echter bestaan en werd in bepaalde opzichten juist belangrijker. Na de Marianische hervormingen bezat het leger geen eigen cavalerie en lichte infanterie meer. De bevelhebbers moesten die van elders vandaan halen. Julius Caesar vulde zijn legioenen tijdens zijn Gallische veldtochten aan met Gallische, Germaanse en Spaanse ruitertroepen en met Numidische, Kretenzische en Germaanse infanteristen. Een van de oorzaken waardoor Crassus zo'n rampzalige nederlaag leed bij Carrhae in 53 v.C. was dat hij niet genoeg ruiters en met

BEKENDE *AUXILLIA*-REGIMENTEN

Naam van de eenheid	*Eretitels*	*Opgericht*	*Standplaats*
Ala I Brittonum	Veterana civium Romanorum	Domitianus?	Pannonia Inferior, Syria?
Cohors I Septimia Belgarum	equitata	eind eerste eeuw?	Dalamtia, Germania Inferior*
Cohors I Britannica	Millaria equitata civium Romanorum	Claudius? of Domitianus	Pannonia, Upper Moesia, Dacia
Cohors I Brittonum	Millaria Ulpia Torquata Pia Fidelis civium Romanorum	Vespasianus?	Noricum, Pannonia, Moesia, Dacia
Cohors II Britannorum	Millaria civium Romanorum Pia Fidelis	?	Germania Inferior, Moesia, Dacia
Cohors II Flavia Brittonum	equitata	Flavianus	Moesia Inferior
Cohors II Augusta Nervia Pacensis	Millaria Brittonum	Trajanus	Pannonia, Dacia
Cohors III Britannorum		Flavianus?	Raetia
Cohors III Brittonum	Veterana equitata	Flavianus?	Moesia Superior
Cohors VI Brittonum	equitata Pia Fidelis		Cappadocia?

* *Mogelijk was deze eenheid afkomstig uit Britannia, maar dit kan niet bewezen worden.*

De grafsteen van Genialis, een *imaginifer* (drager die de beeltenis van de keizer meedroeg – in dit geval waarschijnlijk Claudius) in Cohors VII Raetorium. De dierenhuid die over zijn linkerschouder hangt, werd mogelijk gewoonlijk over zijn helm gedragen. Hij stierf op 35-jarige leeftijd, nadat hij dertien jaar in het leger gediend had.

projectielen bewapende voetsoldaten had om de bereden boogschutters en katafrakten van de Parthen het hoofd te bieden. Er is heel weinig bekend over de *auxilia* in deze periode. We weten bijvoorbeeld niet hoe bedreven en gedisciplineerd ze waren. Sommige eenheden bestonden in wezen uit een krijgsheer met zijn stamgenoten, die net zo vochten voor de Romeinen als voorheen tegen andere stammen.

Onder het bewind van Augustus en zijn directe opvolgers werden de *auxilia* geleidelijk omgevormd tot meer reguliere beroepslegers. Opvallend is dat ze niet werden onderverdeeld in even grote formaties als de legioenen of de vroegere *alae*, maar in eenheden van vergelijkbare sterkte als de cohort. Een van de redenen daarvoor was dat zo'n kleinere eenheid zich makkelijker door het rijk kon verplaatsen als dat nodig was. Misschien wel even belangrijk was dat de legionairs uit de burgerij nu onder een hogergeplaatste bevelhebber vielen, en zo in het voordeel waren in een veldslag, mochten de buitenlandse *auxilia* in opstand komen.

De *auxilia* kenden drie soorten eenheden: de infanterie, de cavalerie en een mengvorm. De infanterie was verdeeld in cohorten van vijfhonderd (een *cohors quingenaria*) of duizend man (een *cohors milliaria*). In weerwil van hun namen bestond een *cohors quingenaria* meestal uit vierhonderdtachtig man, verdeeld in zes centuriën van tachtig, en een *cohors milliaria* uit achthonderd man, verdeeld in tien centuriën van tachtig. Ook de cavalerie

Een heel *ala* quingenaria van de cavalerie begint zich te verspreiden. Er zijn zestien turmae van dertig man, elk onder leiding van een standaarddrager. Aan het hoofd van de formatie bevinden zich de prefect en de standaard van de *ala*. Het is onwaarschijnlijk dat een eenheid werkelijk in zo'n diepe formatie vocht.

was ingedeeld in deze cohorten, maar die werden *alae* genoemd. Een *ala quingenaria* bestond uit 512 man, 16 troepen van 32. Een *ala milliaria* was helemaal indrukwekkend: 768 mannen, verdeeld over 32 *turmae*. Over de manier waarop de mengvormen, de *cohortes equitatae*, werden ingedeeld is minder bekend, maar het aannemelijkst is dat ze evenveel infanteristen bevatten als een gewone cohort, plus honderdtwintig ruiters voor een *quingeniaria* en tweehonderdveertig voor een *milliaria*. Paard en uitrusting deden wel onder voor die van de aparte cavalerie.

De cavalerie van het leger van het keizerrijk bestond voornamelijk uit *auxilia*. Hun wapens hadden een groter bereik dan de *pilum*. Zo waren er boogschutters te voet en te paard en slingeraars, al is niet bekend of er een hele eenheid met dit wapen was uitgerust. Wellicht waren er kleine contingenten in andere eenheden met deze wapens. Uit schriftelijke bronnen weten we dat er ook lichtbewapende cohorten waren, al bestaan daar geen specifieke inscripties van. De meeste infanterie-*auxilia* vormden dichte formaties en vochten vrijwel op dezelfde manier als de legioenen. De 'hulp' die ze boden aan de legioenen, school vooral in de extra mankracht, niet zozeer in nieuwe gevechtstechnieken. Vanwege hun kleinere eenheden waren de *auxilia* vooral nuttig als goedkope en flexibele troepen die de grenzen bewaakten.

In Italië gelegerde troepen

Pas helemaal aan het einde van de tweede eeuw n.C. werd er voor het eerst een legioen permanent gelegerd in Italië zelf. Noch Augustus, noch de keizers na hem wilden al te duidelijk laten zien hoezeer ze militaire steun nodig hadden. Toch had de keizer troepen nodig in Italië en in Rome, wat leidde tot de oprichting van een pretoriaanse en hoofdstedelijke cohort.

Veel Romeinse bevelhebbers hadden een lijfwacht in het leven geroepen, de pretorianen, genoemd naar het hoofdkwartier of *praetorium* in het kamp. Augustus behield zijn wacht zelfs toen er een einde aan de burgeroorlogen was gekomen. De wacht bestond uit negen cohorten van vierhonderdtachtig man, net iets kleiner dan een legioen. Aanvankelijk waren er maar drie van deze cohorten die in Rome dienstdeden, maar tijdens het bewind van Tiberius werden ze alle negen ondergebracht in een nieuwe kazerne aan de rand van de stad, de *castra praetoria*. Latere keizers zouden de cohorten uitbreiden totdat ze op militaire sterkte waren. Aan het hoofd van elke cohort stond een tribuun, en de gehele Praetoriaanse garde werd aangevoerd door twee prefecten. Al deze officieren kwamen uit de ruiterklasse.

Met steun van de Praetoriaanse garde kon een keizer zijn wil opleggen aan de bevolking van Rome. De garde stond al snel bekend als wreed door de vele edelen die werden opgepakt en geëxecuteerd op verdenking van samenzwering tegen de keizer. De steun van zijn garde kon doorslaggevend zijn voor de keizer. Claudius verstopte zich achter een gordijn toen zijn voorganger Caligula, die eerder een onwillige senaat had gedwongen hem het keizerschap te geven, door de pretorianen werd vermoord. De positie van Nero werd pas onhoudbaar toen zijn wachters hem niet langer steunden. Een voorval in 193 n.C. toont helemaal hoeveel macht de pretorianen bezaten. Nadat ze keizer Pertinax hadden vermoord, betrad de prefect van de garde de muren van de *castra praetoria* en bood hij het keizerschap aan de hoogste bieder aan.

De pretorianen moesten de keizer begeleiden wanneer hij ten strijde trok. In de eerste eeuw kwam dit nog maar zelden voor, maar later werd het gebruikelijk. De wachten waren getraind en uitgerust als andere legionairs, al bezat hun uitrusting vaak wel meer versierselen. Zo kregen sommige pretoriaanse cohorten toestemming om hun uitbundig gedecoreerde standaarden op lastdieren te vervoeren, omdat ze te zwaar waren om ze op een lange mars zelf te dragen.

Bij de Praetoriaanse garde hoorde ook een cavalerie, die gaandeweg omvangrijker werd. Samen met de elitecavalerie van de keizer (de *equites singulares Augusti*) telde ze op het hoogtepunt in de tweede eeuw n.C. wel tweeduizend man. Deze garde werd geselecteerd uit de *auxilia*-cavalerie en kreeg een uitgelezen training. Er waren verder nog twee paramilitaire troepen. De drie (later vijf) hoofdstedelijke cohorten fungeerden als een soort politiemacht en leverden

Een groep soldaten – het zouden heel goed pretorianen kunnen zijn – op de Zuil van Trajanus.

daarnaast een garde die de keizerlijke munt in het Gallische Lugdunum (Lyon) bewaakte. De zeven cohorten of *vigiles* traden op als brandweer en nachtwacht van Rome. Deze beide cohorten trokken alleen ten strijde als de nood heel hoog was, meestal wanneer er een burgeroorlog uitbrak.

SENATORIALE OFFICIEREN TIJDENS HET PRINCIPAAT

Tijdens het principaat bezat de senaat geen wezenlijke macht en onafhankelijkheid meer, maar als persoon behielden de senatoren wel grote invloed op het rijksbestuur tot ver in de derde eeuw, doordat ze het merendeel van de gouverneurs over de provincies en de hoogste legerofficieren leverden. Enkele posten bestonden al tijdens de republiek, maar de meeste senatoren bekleedden nieuw in het leven geroepen functies, wat onderstreepte dat hun autoriteit door de keizer werd verleend. De politieke omstandigheden waren inmiddels radicaal veranderd en hun vrijheid van handelen was beperkt. Magistraten werden niet langer gekozen voor een ambt dat hun burgerlijke en militaire verantwoordelijkheid bracht. Voortaan was een glansrijke carrière afhankelijk van connecties en begunstiging, en vereiste ze vooral de goedkeuring van de keizer. Dit gold in het bijzonder voor de hogere militaire bevelhebbers; tenslotte keek de keizer wel uit voordat hij iemand over de legioenen aanstelde die zich tegen hem zou kunnen keren.

Zoons van senatoren met publieke ambities begonnen omstreeks hun twintigste levensjaar als junior-magistraat. De meeste traden toe tot het Romeinse 'college van twintig' (de *vigintiviri*) voordat ze hun eerste militaire ervaring opdeden in een van de legioenen als *tribunus laticlavius*. Het lijkt niet ongebruikelijk te zijn geweest dat iemand een post bekleedde in een eenheid in een provincie die werd bestuurd door een familielid of goede vriend. Wellicht was het zelfs toegestaan dat een gouverneur om een dergelijke plaatsing vroeg, want we weten in ieder geval dat ze benoemingen voor allerlei lagere posten mochten doen. Doorgaans bleef men minstens een jaar in zo'n functie. Een minderheid hield het langer uit, en er zijn gevallen bekend van mannen die achtereenvolgens in verschillende legioenen dienden, maar wel steeds in een andere provincie. Later, meestal wanneer iemand vierentwintig was, bij uitzondering op jongere leeftijd, volgde dan de officiële toetreding tot de senaat, en kon hij de post van *quaestor* krijgen: het financiële beheer over een gevestigde provincie. Op enkele uitzonderingen na hoorde daar geen militaire verantwoordelijkheid bij. In de jaren daarna doorliep zo iemand dan een reeks ambten die slechts een zwakke afspiegeling waren van hun voorlopers en vooral bestonden uit ceremoniële taken.

De volgende stap op de militaire ladder was de *legatus legionis*, bevelhebber over een legioen, meestal omstreeks het dertigste levensjaar. Een *legatus* of 'vertegenwoordiger' was een officier die duidelijk namens de keizer optrad en zijn autoriteit aan hem ontleende. Deze functies waren zeker niet voor iedere gouverneur van een provincie weggelegd; de benoemingen werden altijd rechtstreeks door de

Een reliëf uit Holland, dat keizer Tiberius voorstelt die een rituele offertaart offert.

keizer gedaan. Sommigen voerden zes tot zeven jaar lang het bevel over een legioen, maar de gebruikelijke ambtstermijn lag veeleer rondom de drie. Het kwam vrijwel niet voor dat iemand het bevel over meerdere legioenen kreeg. Op deze post kon een propraetorschap volgen, het bestuur van een gevestigde provincie – zonder een grote garnizoensplaats –, waarna men als consul naar Rome terugkeerde.

Het hoogtepunt van een carrière bestond uit een benoeming tot *legatus Augusti propraetore*, gouverneur van een militaire provincie. Dergelijke posten waren belangrijk en schaars, zodat deze hoge rang voor de meeste senatoren niet was weggelegd. De ambtstermijn voor de meeste functies bedroeg gemiddeld drie jaar, maar er zijn veel uitzonderingen bekend. Tiberius verbruide het bij de senaat doordat hij zijn senatoren heel lang liet aanblijven, zodat er amper posities vrijkwamen voor de velen die stonden te popelen om die plaatsen in te nemen. Het was niet ongebruikelijk dat senatoren in de tweede eeuw n.C. in een kleinere militaire provincie dienden voordat ze als bevelhebber van de grootste legers in Britannia, Pannonia Superior of Syria werden aangesteld. Ook in tijden van nood, bijvoorbeeld wanneer er een opstand was, konden ervaren en loyale mannen naar een gebied gestuurd worden om er het bevel te voeren.

Twee provincies met garnizoenen vormden een uitzondering en stonden niet onder het bevel van een keizerlijke legaat. Egypte werd bestuurd door een bevelhebber uit de *equites*, de ruiterstand; dit komt in de volgende paragraaf aan de orde. Afrika was de andere uitzondering. Aan het hoofd van het legioen stond een proconsul die door de senaat was aangesteld en alleenheerschappij bezat. Alhoewel deze aanvoerder door de senaat was gekozen en benoemd, gebeurde dit uiteraard met toestemming van de keizer. Tijdens het bewind van Caligula werd de senatoriale proconsul vervangen door een keizerlijke legaat.

Dit tafereel op de Zuil van Trajanus toont Trajanus in het uniform van een oudere senaatsofficier op campagne.

Een inscriptie uit Caesarea aan de kust van Judea, waarop de bouw van een tempel opgedragen wordt aan keizer Tiberius door Pontius Pilatus, de gouverneur van de ridderstand (de equites). Pilatus heet hier prefect (*praefectus*), maar tijdens de regering van Claudius stonden gouverneurs afkomstig uit de equites bekend als procurators. Dit is de enige inscriptie die overgebleven is uit de tien jaar dat Pilatus over Judea regeerde.

Bekwaamheid, ervaring, verdienste, patronaat

Een provinciaal legaat deed ervaring op als militair tribuun en aanvoerder van een legioen voordat hij een leger mocht aanvoeren. Plinius de Jongere lijkt zijn ambtstermijn grotendeels te hebben doorgebracht als tribuun bij een legioen in Syrië, waar hij voornamelijk administratieve taken uitvoerde, zoals een gedegen controle van de verslagen van de eenheid. Een hogere functie in het leger heeft hij echter nooit bekleed. Volgens Tacitus was zijn schoonvader Agricola anders dan de doorsnee militaire tribuun, omdat hij zijn tijd niet verspilde met liederlijk gedrag, maar zijn functie serieus opvatte en daardoor veel verantwoordelijkheid kreeg. Het karakter van een tribuun, dat van zijn meerderen en de plaatselijke omstandigheden tijdens de dienst zullen bepalend zijn geweest. Dit zal deels ook zijn opgegaan voor de legionaire legaten, al hadden die veel meer verantwoordelijkheden. Naar moderne maatstaven waren de generaals van het Romeinse legers maar amateurs.

Sommige geleerden denken dat gedrag, loyaliteit en capaciteiten van jonge aristocraten vanaf het begin van hun carrière nauwlettend werden gevolgd, zodat aan de hand daarvan kon worden bepaald of ze geschikt waren voor een hogere functie. Het resultaat was een groep die bekendstond als de *viri militares*, mannen die waren voorgesorteerd voor de belangrijkste posten in het provinciebestuur. Er is geen hard bewijs dat dit zo is geweest, en aanwijzingen wie er in zo'n beoordelingscommissie kan hebben gezeten ontbreken ook. Het lijkt veeleer een zaak van patronaat te zijn geweest of iemands loopbaan in de knop werd gebroken of tot volle bloei kwam en hij de hoogste functies bereikte. Het merendeel van de Romeinse documenten die bewaard zijn gebleven, bestaat uit aanbevelingsbrieven. De Romeinen beschouwden dit niet als corruptie, maar vonden het zowel logisch als gepast dat iemand zijn gezag aanwendde ten behoeve van zijn vrienden. In een brief aan een gouverneur van een belangrijke militaire provincie verwoordt Plinius de Jongere deze instelling:

'Ik richt me met een dringend verzoek speciaal tot u, en wel om twee redenen. U voert het bevel over een groot leger, waardoor u veel gunsten te verlenen hebt, en in de tweede plaats bekleedt u deze post al geruime tijd en hebt u al voor velen van uw vrienden kunnen zorgen. Gedenk nu ook die van mij, het zijn er niet veel.'

Een inscriptie ter ere van de legaat die Legio II Augusta aanvoerde, Tiberius Claudius Paulinus, waarop enige details van zijn carrière te vinden zijn. Na zijn ambtsperiode als legionair legaat, werd hij proconsul van een van de Gallische provincies, en daarna keizerlijk legaat van een andere provincie. Dit monument is mogelijk vóór 220 na Christus vervaardigd, want in dat jaar werd Paulinus legatus Augusti van Lower Britain (een provincie gelegen in het huidige noorden van Engeland).

De hoogste instantie die iemand een gunst kon bewijzen was de keizer, en zoals eerder vermeld was zijn instemming nodig voor een benoeming tot legionair legaat of provinciegouverneur. De keizer had bekwame legeraanvoerders en stadhouders nodig, maar moest zorgen voor de juiste balans. Te veel macht delegeren aan een al te capabel persoon bracht het risico van rivaliteit met zich mee. Daarom werd de handel en wandel van gouverneurs veel nauwlettender in de gaten gehouden dan ooit tijdens de republiek. Augustus maande zijn bevelhebbers tot voorzichtigheid en probeerde de gebruikelijke strijdlust van de Romeinse aristocraten die als legeraanvoerder werden aangesteld iets te beteugelen. Claudius riep eens zijn legaat uit Germania Minor terug toen die het gebied van een Germaanse stam ten oosten van de Rijn was binnengevallen. Deze legaat, Gnaeus Domitius Corbulo, een van de beroemdste generaals uit de eerste eeuw, sputterde tegen dat de generaals ten tijde van de republiek maar hadden geboft, maar ging toen toch maar gehoorzaam terug naar zijn provincie.

OFFICIEREN UIT DE RUITERSTAND TIJDENS HET PRINCIPAAT

Voor de ruiterklasse waren er tijdens de republiek niet veel promotiekansen in leger of provinciebestuur. Hierin kwam verandering ten tijde van het principaat, toen Augustus en zijn opvolgers een verscheidenheid aan posten voor deze klasse in het leven riepen. Hierdoor kon de keizer niet alleen beschikken over een veel groter aantal vertegenwoordigers dan de senaat alleen kon leveren, het garandeerde bovenal steun van de *equites* voor het nieuwe regime. De ruiterstand was toegankelijk voor alle burgers met voldoende bezit. In de loop van de tijd kregen steeds meer mensen uit de provincies het burgerrecht, zodat uiteindelijk de meeste aristocraten tot de ruiterstand toetraden en een publiek ambt konden vervullen.

Er waren veel meer *equites* dan senatoren, en er stond een grotere variëteit aan ambten bij leger en overheid voor hen open. Vandaar dat er geen eenduidig carrièrepad voor deze klasse bestond, zoals voor de senatoren. Hieronder volgt een bespreking van de diverse posten die de *equites* konden bekleden.

Bevelhebber van hulptroepen

Met het ontstaan van de reguliere hulptroepen, de infanteriecohorten en cavalerie-*alae*, ontstonden er honderden nieuwe posten. Van enkele calvalerie-*alae* uit de begindagen van het principaat is bekend dat ze werden aangevoerd door voormalige centurio's uit de legioenen, maar van deze gewoonte stapte men snel af. Alle *auxilia* kwamen voortaan onder leiding van *equites* te staan. De officieren die het bevel voerden over de *cohortes quingenaria* en *alae* werden prefect genoemd (*praefecti*). Militaire eenheden en de zogenoemde *civium Romanorum*-cohorten stonden onder leiding van een tribuun. (Deze *cohortes civium Romanorum* waren oorspronkelijk door Augustus samengesteld uit slaven die tijdens de crisisjaren 6 en 9 n.C. werden bevrijd. Met hun vrijlating verkregen slaven automatisch het burgerrecht, maar de keizer stond aanvankelijk niet toe dat deze mannen in de legioenen dienden. Nadat de oorspronkelijke rekruten waren uitgediend en deze eenheden reguliere *auxilia*-cohorten waren geworden, werd ook onder niet-burgers geronseld. De cohorten behielden echter hun naam.)

Hulpeenheden opereerden vaak onafhankelijk, wat hun bevelhebbers veel meer vrijheid en kansen gaf om eigen initiatieven te ontplooien. Garnizoenscommandanten waren vaak de hoogstgeplaatste Romeinen in de wijde omtrek, en daarom vaak betrokken bij allerlei aspecten van plaatselijk bestuur.

Legioensofficier

Ieder legioen telde vijf *tribuni angusticlavii*, die allerlei leidinggevende taken vervulden. Deze tribunen konden ook als bevelhebber over grote detachementen (*vexillatio*'s) worden aangesteld die voor een opdracht werden ingezet of zich bij een veldleger moesten voegen. De legioenen hadden ook allemaal een kampprefect uit de ruiterklasse, behalve wanneer meer eenheden in één fort gelegerd waren; dan was er ook maar één prefect. Er zijn ook gevallen bekend van *equites* die rechtstreeks als legioenscenturio werden aangesteld en daar een loopbaan doorliepen.

Troepen in Rome

De loyaliteit van de militaire en paramilitaire eenheden binnen Rome was van groot belang voor de keizer. Vandaar de keuze voor bevelhebbers uit de ruiterstand in plaats van een senator aan te stellen die zich als rivaal kon ontpoppen. Aan het hoofd van iedere cohort die de Praetoriaanse garde telde stond een tribuun. Op enkele tijdelijke uitzonderingen na werd de gehele garde geleid door twee pretoriaanse prefecten. Twee, want geen enkele keizer durfde het aan zoveel macht aan één persoon te delegeren, ook al was dat iemand uit de ruiterstand. Voor de hoofdstedelijke cohorten en de *vigiles* gold een vergelijkbare hiërarchie, met het verschil dat daar maar één prefect was en dat hij en de tribunen een lagere rang hadden dan hun pendanten bij de Praetoriaanse garde.

Provinciegouverneur

Augustus vestigde een aantal provincies waarover hij gouverneurs uit de ruiterstand aanstelde. Met Egypte als enige uitzondering waren dit kleinere provincies dan die met een senator aan het hoofd. Doorgaans bevonden ze zich niet aan de grenzen en ze bezaten geen legioenen, al waren er in sommige provincies hulptroepen gelegerd. Judea was zo'n provincie tot aan de opstand ten tijde van Nero in 66 n.C., toen de vestiging van een garnizoen noodzakelijk leek en de provincie een senatoriaal legaat werd. Gouverneurs uit de ruiterstand werden aanvankelijk prefect genoemd, tot het midden van de eerste eeuw n.C., waarna het procurator werd.

Gedurende het principaat kreeg Egypte geen serieuze bedreigingen van buitenaf te verduren. Maar omdat de inheemse bevolking soms dwarslag, werd er een garnizoen met twee legioenen gestationeerd, iets buiten Alexandrië, vaak een broeinest van onrust. Een uitgekiend landbouwsysteem benutte de Nijlcyclus optimaal, wat leidde tot overschotten. Na verloop van tijd kwam een groot deel van het in Rome en Italië te gebruiken graan dan ook uit Egypte. Augustus stelde een prefect uit de ruiterstand aan over deze belangrijke provincie en verbood alle senatoren zelfs maar een bezoek aan Egypte te brengen zonder uitdrukkelijke toestemming vooraf. Toch werd de eerste prefect, Cornelius Gallus, beschuldigd van hoogverraad nadat hij zijn militaire triomfen wat te uitbundig had gevierd, waarop hij zelfmoord pleegde.

Een in Egypte gelegerd legioen bezat geen *legatus* en ook geen *tribunus laticlavius*, wat uniek was. In plaats daarvan voerde een *praefectus legionis* uit de ruiterstand het bevel, die verder exact dezelfde functie bekleedde als een gouverneur uit de senatoren.

Carrièrepaden

Equites die een militaire post ambieerden konden mannen zijn die in de ruiterstand geboren waren, maar je kon ook op latere leeftijd tot de orde worden toegelaten. Een *primus pilus* van een legioen, meestal iemand van in de veertig, kon na een jaar tot die rang toetreden en daarna verder opklimmen. Andere mannen traden toe tot de orde wanneer ze voldoende vermogen vergaard hadden, wat op verschillende leeftijden kon gebeuren. En Felix, procurator van Judea tijdens

Twee standaarddragers uit Adamklissi afgebeeld zonder uniform, zonder wapens of helm. Elk draagt een vierkante *vexillum*, vlag. Anders dan veel legionairs op de Zuil van Trajanus, die dikke baarden hebben, zijn de soldaten op de Tropaeum Traiani steeds gladgeschoren.

het bewind van Claudius, was een door de keizer bevrijde slaaf. Kortom, *equites* konden op uiteenlopende leeftijden en met diverse motieven aan hun militaire loopbaan beginnen.

De gebruikelijke loopbaan van iemand die in een ruiterfamilie geboren was bestond uit drie posten, de *tres militiae*:

I prefect van een hulp-infanteriecohort;
II *tribunus angusticlavius* bij een legioen;
III prefect van een cavalerie-*ala*.

Een grafsteen uit Bonn uit het midden van de eerste eeuw na Christus, ter nagedachtenis aan de cavalerist Vonatorix, zoon van Duco. Hij stierf op 45-jarige leeftijd na zeventien jaar dienst in het Ala Longiniana. Vonatorix is blootshoofds, maar draagt een geschubd pantser en gebruikt een speer. Hij heeft een lang *spatha* zwaard aan zijn rechterheup hangen.

Keizer Claudius maakte van de tweede post van legioenstribuun een tijdlang de derde, dus de hoogste rang, maar deze maatregel was niet populair en werd snel weer afgeschaft. De cavalerieprefect bezat meer vrijheid dan een stafofficier bij een legioen. Bovendien genoot de bevelhebber van de ruiterij meer aanzien, zelfs al kwamen zijn onderdanen niet uit de burgerklasse. Daarnaast had het leger simpelweg meer legioenstribunen nodig dan *ala*-prefecten. Dus waren zelfs onder normale omstandigheden niet alle tribunen in staat door te stromen naar de hoogste positie. In de tweede eeuw, waarschijnlijk onder het bewind van Hadrianus, werd dit carrièrepad verder verfijnd door er een vierde post aan toe te voegen, die van commandant van een *ala milliaria*. Er hebben nooit veel meer dan een tiental van dergelijke prestige-eenheden bestaan, en het commando was voorbehouden aan de officieren met de meeste capaciteiten – of de meeste connecties.

Anders dan bij gewone soldaten, die vaak hun leeftijd en aantal dienstjaren op monumenten vermeldden, komen we dergelijke informatie over de *equites* vrijwel niet tegen, of ze moesten op hun post gestorven zijn. Op basis van het beschikbare materiaal kunnen we concluderen dat vele of zelfs de meeste mannen die in de ruiterstand geboren werden, omstreeks hun dertigste aan hun militaire loopbaan begonnen en een post gemiddeld drie à vier jaar bekleedden. Voordat ze in het leger gingen, hadden deze mannen al gediend in de lokale magistratuur. Sommigen keerden daarnaar terug na één of meer militaire functies. Een langere militaire carrière was ook mogelijk, zelfs in verschillende posten van dezelfde rang, maar dan meestal wel bij een eenheid in een andere provincie. Voormalige oudste centurio's (een groep met de verzamelnaam *primi pilares*) die toegelaten waren tot de ruiterklasse, werden na de eerste eeuw n.C. zelden bevelhebbers van de hulptroepen; vele dienden daarna als kampprefecten, in posities bij de Romeinse eenheden of werden benoemd als procurator.

Net als bij de militaire senatoren waren connecties belangrijk voor de carrièremogelijkheden van een *eques*. Zo beval Plinius, in functie als *legatus Augusti* in Bithynia, een zekere Nymphidius Lupus bij Trajanus aan. Lupus was de zoon van een oud-*primus pilus* die toegetreden was tot de ruiterorde en *auxilia*-prefect was toen Plinius enkele jaren daarvoor als *tribunus laticlavius* diende. Lupus had er al een termijn als *praefectus cohortis* opzitten en hoopte duidelijk op een promotie. Connecties zullen ook een rol hebben gespeeld in het geval van Publius Aelius Tiro, die op zijn veertiende commandant van een cohort werd. Het is moeilijk uit te maken of dit slechts een titulaire positie was, die de jongen een inkomen en status opleverde zonder dat hij de eenheid echt hoefde te leiden. Wie niet over invloedrijke connecties beschikte had het een stuk moeilijker. De latere keizer Pertinax probeerde in zijn jeugd tevergeefs een benoeming tot legioenscenturio in de wacht te slepen. Pas halverwege de dertig lukte het hem als prefect van een *auxilia*-cohort aangesteld te worden. Daarbij betoonde hij zich een zeer bedreven soldaat, waarna hij carrière maakte totdat hij uiteindelijk door Marcus Aurelius tot senator werd benoemd. Anderen, voor wie een bevordering op de gebruikelijke manier helemaal niet mogelijk leek, werden legioenscenturio en gaven daarvoor hun officiële *eques*-post op. De meest prestigieuze posities, het bevel over de eenheden in Rome en het provinciebestuur, waren slechts weggelegd voor enkelen die zeer veel gunst genoten.

De grafsteen van Longinus Sdapeze uit Colchester is van iets latere datum dan die van Vonatorix (zie hiervoor). Er staat het gebruikelijke motief op van de ruiter die een ongewapende – en vaak naakte – barbaarse krijger vertrapt. Deze man is misschien geadopteerd geweest of heeft de algemene legernaam Longinus gekregen toen hij in het leger ging. Deze werd toegevoegd aan zijn eigen stamnaam Sdapeze. Hij diende vijftien jaar in het leger en stierf op veertigjarige leeftijd. Net als Vonatorix draagt hij een geschubd pantser, maar in dit geval is er geen zwaard zichtbaar, mogelijk droeg hij het links.

ANDERE OFFICIEREN: CENTURIO'S EN LAGERE RANGEN

Naast posities die alleen door de senatoren- en ruiterstand bekleed mochten worden, waren er vele lagere rangen. De centurio's waren daarvan de belangrijkste. Ieder legioen telde er negenenvijftig of zestig; alles bij elkaar waren er in het rijk ongeveer achttienhonderd in de legioenen en eenzelfde aantal in de *auxilia*. De centurio, die aan het hoofd van een centurie stond, werd bijgestaan door een *optio*, een *signifer* en een *tesserarius*, aangeduid met de verzamelnaam *principales*. Daarnaast waren er staffuncties, zoals de *librarius* en de *cornicularius*, die aan het hoofdkwartier van het legioen of de staf van de gouverneur waren verbonden, en andere rangen zoals de *beneficarius*, die doorgaans werd gedetacheerd. Bovendien zijn er vermeldingen van vele andere posten, bijvoorbeeld wapeninstructeurs en

De laatste tientallen jaren is er een flink aantal Romeinse re-enactment legergroepen gevormd. Deze toegewijde mensen brengen voorstellingen die het leven van het leger voor het grote publiek uitbeelden, en ze hebben een grote bijdrage geleverd aan onze kennis van militaire uitrustingen door hun nauwkeurige reconstructies en het uittesten van schilden, wapens en werktuigen. Op deze foto zien we leden van de eerste serieuze groep, de Ermine Street Guard, buiten bij het gereconstrueerde barakkenblok in Wallsend. In het midden staat een centurio met een grote dwarse kam. Over zijn maliënkolder draagt hij een harnas vol decoraties, inclusief torcs en de schijfvormige *phalerae*. Naast hem staan een standaarddrager (*signifer*) en muzikant (*cornucen*).

beulen, maar of deze aan een specifieke rang verbonden waren is moeilijk te zeggen. Een soldaat kon ook de status *immunis* krijgen, wat inhield dat hij was vrijgesteld van veel gewone plichten en corveetaken. Deze *immunes* lijken niet méér gezag te hebben genoten dan de overige soldaten. Veel, maar zeker niet alle posities en klassen kwamen onder dezelfde titel of een equivalent voor bij de *auxilia*.

Wat we weten van de rangen en de hiërarchie van dit niveau is voor het grootste gedeelte afkomstig van inscripties. Lagere officieren en soldaten komen nu eenmaal weinig voor in schriftelijke bronnen. Zowel historici als degenen over wie deze schreven behoorden tot de elite, en hun werken bevatten vaak een laatdunkende en altijd stereotiepe weergave van de lagere maatschappelijke klassen. Er kleven wel nadelen aan een reconstructie van een militaire hiërarchie op basis van inscripties. Zo bestaat er het gevaar dat we in het beschikbare materiaal een ordening zien die niet klopt met de werkelijkheid, of dat we de informatie aanpassen aan onze ideeën over hoe een leger eruit zou moeten zien. Het is geen toeval dat de Duitse wetenschappers die aan het eind van de negentiende eeuw als eersten probeerden de rangen in het Romeinse leger in kaart te brengen, met een leger aankwamen dat opvallend veel overeenkomsten vertoonde met de Pruisische en Duitse legers uit hun eigen tijd, met hun vele onderofficiersrangen. Later meenden Britse onderzoekers juist weer overeenkomsten te zien met het Britse leger, met centurio's die leken op ervaren adjudant-onderofficieren (*warrant officers*). We moeten alert zijn dat we niet anachronistisch vanuit eigen denkbeelden naar de Romeinen kijken, en tegelijkertijd beseffen dat er veel is wat onze bronnen niet vertellen.

Legioenscenturio's

Een centurio is eigenlijk meer een type of soort legerofficier dan een specifieke rang. De centurio's van de eerste cohort, gezamenlijk de *primi ordines* genoemd, bezaten wel duidelijk een hogere status dan de andere centurio's in het legioen. Hoe de onderlinge verhouding tussen de centurio's van de overige negen cohorten die het legioen telde precies was, is minder duidelijk. We weten wel dat de aanvoerders van ieder van de zes centuriën binnen een cohort een andere titel droegen, en kunnen conluderen dat de hiërarchische verschillen tussen de drie rijen van het republikeinse leger in zekere mate behouden zijn gebleven. Veel beheerstaken werden op het niveau van de centurie uitgevoerd. Bovendien identificeerden de soldaten zich meer met hun centurie dan met de cohort waartoe ze behoorden. Toch vormde de cohort de tactische basiseenheid, en was zij bovendien belangrijk bij het uitvoeren van bouwwerken; het is onwaarschijnlijk dat zij goed zonder een commandant kan hebben gefunctioneerd. Een rang die vergelijkbaar is met de *auxilia*-prefect lijkt niet te hebben bestaan; het kan dus niet anders dan dat een van de centurio's als commandant van de cohort optrad. De meest voor de hand liggende officier is de *pilus prior*, de aanvoerder van de eerste

Re-enactors van de Ermine Street Guard die een paar *principales* of onderofficieren van een centurie uitbeelden. Rechts staat een *optio* die zijn optiostaf (*hastile*) vasthoudt. Het is niet bekend of er speciale kammen en pluimen werden gebruikt om de rang aan te geven van *optiones* en *tesserarii*, maar het is aannemelijk dat die er wel waren.

centurie, maar het is ook mogelijk dat de hoogste positie die de bevelhebber leverde werd bepaald door het aantal dienstjaren.

Bij Caesar lezen we over centurio's die worden bevorderd van een lage positie in een ervaren legioen naar een hogere bij een nieuwe eenheid, wat een hogere status, meer verantwoordelijkheden en misschien ook meer loon inhield. Alleen de eerste cohort bleef voor hen gesloten. Volgens de laat-Romeinse schrijver Vegetius konden centurio's en andere officieren in het legioen zowel binnen cohorten als binnen centuriën promotie maken. Hij beschrijft een hiërarchie waarin de eerste cohort de hoogstgeplaatste is, daaronder de tweede, daaronder de derde, enzovoort. Werd iemand bevorderd, dan kreeg hij meteen een post in de tiende cohort en kon hij weer stap voor stap opklimmen naar de hogere rangen. Sommige wetenschappers hebben daaruit afgeleid dat een loopbaan begon bij *hastatus posterior* van de tiende cohort, de jongste centurio van het gehele legioen dus, en vervolgens de ladder op tot aan de post van *primus pilus* van de eerste cohort. Dit systeem kan alleen onmogelijk fatsoenlijk gefunctioneerd hebben. Het traject moet eindeloos lang hebben geduurd, of men kan geen enkele positie langer dan enkele maanden hebben bekleed. Ook mogelijk is dat de zes centurio's in de cohorten twee tot en met tien een gelijke status hadden. Dan kon iemand worden bevorderd tot hogere centurio in iedere cohort, of uiteindelijk tot een van de eliterangen, de *primi ordines*. Sommige commentatoren gaan nog verder en menen dat er geen enkel onderscheid bestond tussen de centurio's, op die van de eerste cohort na. Dat gaat wel heel ver. Er heeft toch duidelijk een systeem bestaan, al moeten we toegeven dat we niet precies weten hoe het in zijn werk ging.

Hoe werd je centurio?

Er zijn drie gangbare trajecten bekend waarlangs iemand legioenscenturio kon worden:

i Na een diensttijd in de gelederen, als *principalis* of junior-staffunctionaris in het legioen; naar schatting duurde het ongeveer vijftien tot twintig jaar om op deze manier centurio te worden.

ii Na of tijdens een diensttijd bij de Praetoriaanse garde; pretorianen dienden maximaal zestien jaar, zodat ze op iets jongere leeftijd als veteraan konden dienen dan degenen die uit het legioen kwamen.

iii Rechtstreekse benoeming, weggelegd voor sommigen uit de ruiterstand; wie minder rijk was, maar nog voldoende bemiddeld, kon worden benoemd na een ambtsperiode in de plaatselijke magistratuur.

Alle drie trajecten komen geregeld voor in bronnenmateriaal uit de eerste en de tweede eeuw n.C. Helaas is het erg lastig te bepalen wat de gangbare manier was. Een van de eerste geleerden die een gedetailleerde studie van bevorderingen

De grafsteen uit de eerste eeuw na Christus van de centurio Marcus Favonius Facilis uit Colchester levert een van de beste afbeeldingen van een officier van deze rang. Facilis draagt een maliënkolder en houdt zijn staf (*vitis*) vast, die zowel een teken van zijn rang als een middel om iemand te straffen was. Als centurio draagt Facilis zijn zwaard (*gladius*) links. Zoals bij de meeste monumenten van centurio's, geeft dit monument maar weinig details over Facilis' diensttijd of zelfs zijn leeftijd. Er wordt ons alleen verteld dat hij centurio was in Legio XX.

in het leger maakte, beweerde dat de meeste officieren afkomstig waren uit de gelederen van de Praetoriaanse garde. De reden daarachter zou dan zijn dat de keizer op die manier zeker wist dat de manschappen die binnen de legioenen tot centurio werden bevorderd loyaal waren. Het is alleen zo dat een onevenredig groot deel van de overgeleverde inscripties afkomstig is uit Italië, waar vooral pretorianen werden gerekruteerd, maar geen legioenssoldaten. Vandaar dat het aannemelijk is dat in deze bronnen de Italiaanse centurio's, voormalige pretorianen dus, te sterk vertegenwoordigd zijn. Er zijn dan ook weinig wetenschappers die deze visie nog aanhangen. De meesten gaan ervan uit dat het merendeel van de legioenscenturio's vanuit de gelederen werd benoemd. Naar men aanneemt is het aandeel direct benoemde hoofdmannen erg klein, ook al zullen de goede connecties ervoor gezorgd hebben dat zij meer kans hadden op een hoge post.

Ook al is dit de gangbare visie, het bewijs ervoor is maar summier. Bij het leeuwendeel van de centurio's maken de bronnen geen melding van eerdere lagere rangen. Veel *primi pilares* vermeldden bijvoorbeeld hun vroegere posities niet. Men gaat er gemakshalve van uit dat dit gebeurde omdat iedereen die inmiddels een hogere rang bekleedde zijn eerdere diensttijd als gewoon soldaat wilde verbergen. Dat is natuurlijk mogelijk, maar het is even aannemelijk dat degenen die vermeldden dat ze van onderop carrière hadden gemaakt, dat deden omdat ze trots waren op een zeldzame en bijzondere prestatie.

De status van de centurio

Een centurio was een zeer aanzienlijk persoon die een verantwoordelijke positie kon krijgen. Sommigen werden aangesteld als bestuurder over delen van een provincie, waar ze als hoogste Romeinse gezaghebber optraden. Deze bestuurlijke taken en de administratie die de dagelijkse organisatie van hun eenheden vergde, betekenden dat centurio's ontwikkelde mensen moesten zijn die goed konden lezen, schrijven en rekenen. Het is moeilijk vast te stellen hoeveel gewone rekruten binnen de legioenen een goede opleiding hadden genoten. Aan de hogergeplaatsten werden wellicht grotere verantwoordelijkheden toevertrouwd; we weten bijvoorbeeld van een *primus pilus* die als ambassadeur naar Parthia werd gestuurd. Centurio's die waren uitgediend, waren vooraanstaande mannen in hun stad of dorp.

We kunnen weinig met zekerheid zeggen over het inkomen van centurio's of andere officieren, maar zeker is dat het flink hoger was dan dat van de gewone soldaten. Plinius de Jongere, die een benoeming als centurio had geregeld – waarschijnlijk rechtstreeks vanuit een burgerbestaan – voor een van zijn connecties, zorgde ervoor dat deze man veertigduizend sertertiën kreeg voor de benodigde uniformen en uitrusting. Een gewone legionair verdiende in die tijd jaarlijks twaalfhonderd sertertiën; dus dat was meer dan deze in vijfentwintig jaar diensttijd bij elkaar verdiende. Centurio's genoten duidelijk veel aanzien, al waren ze minder invloedrijk dan de officieren uit de ruiter- en senatorenstand. Toch blijkt uit het gegeven dat sommige *equites* kozen voor een positie als centurio dat het een belangrijke en prestigieuze post was. Het lijkt aannemelijk dat de meeste centurio's rechtstreeks werden benoemd of na een kort voortraject

CENTURIO: TWEE MOGELIJKE LOOPBANEN

A. De militaire loopbaan van centurio Petronius Fortunatus (eind eerste eeuw/begin tweede eeuw v.C., overleden op zijn tachtigste jaar) zoals vermeld op zijn grafsteen uit Lambaesis, Noord-Afrika:

1 In dienst bij Legio I Italica (Moesia Inferior). Bekleedde gedurende vier jaar achtereenvolgens de post van librarius, tesserarius, optio en signifer.
2 Bevorderd tot centurio van hetzelfde legioen; gekozen door zijn kompanen.
3 De daaropvolgende zesenveertig jaar gediend als centurio bij Legio VI Ferrata (in Syria), I Minervia (Germania Inferior), X Gemina (Pannonia Superior), II Augusta (Britannia), III Augusta (Nimidia), III Gallica (opnieuw in Syria), XXX Ulpia (opnieuw in Germania Inferior), VI Victrix (opnieuw in Britannia), III Cyrenaica (Arabia), XV Apollinaris (Cappadocia), II Parthica (waarschijnlijk Italia) en I Aduitrix (Pannonia Superior of Inferior). Hij ontving tijdens zijn diensttijd de corona muralis (de muurkroon, een onderscheiding voor wie als eerste over de muur was bij een belegering), enkele torcs (lauwerkransen) en nog meer phalerae.
4 Op zijn grafzerk staat dat hij een zoon had die stierf toen hij vijfendertig was, nadat hij zes jaar als centurio had gediend in het leger (een rechtstreekse benoeming waarschijnlijk), achtereenvolgens in Legio XXII Primigenia en Legio II Augusta.

B. De militaire loopbaan van Gaius Octavius Honoratus (eerste/tweede eeuw n.C., leeftijd bij overlijden onbekend), zoals vermeld op zijn grafsteen in Thuburnica, Afrika:

1 Direct benoemd tot centurio van eques-orde Legio II Augusta (Britannia).
2 Achtereenvolgens gediend in Legio VII Claudia pia fidelis (Moesia Superior), XVI Flavia firma (Syria) en X Gemina (Pannonia Superior). Sloot zijn carrière af als princeps posterior (de vier na hoogste centuriorang in een gewoon cohort) van de vijfde cohort van legioen X Gemina. Het monument bevat geen gegevens over leeftijd of aantal dienstjaren.

werden bevorderd, wellicht na een lagere stafpost of een positie als *principalis*. Er is een centurio bekend die stierf op zijn achttiende jaar, wat erop wijst dat hij zijn benoeming ongetwijfeld aan een kruiwagen te danken heeft gehad. Net als bij hogere officieren zal het vooral aan de connecties hebben gelegen, en niet alleen aan capaciteiten en ervaring, dat een loopbaan snel en voorspoedig verliep. Toch was het geen rigide systeem, en was het ook hier voor capabele mannen zonder connecties mogelijk carrière te maken, net als bij de hogere posten. Zo kon iemand opklimmen tot de *primi pilares,* mogelijk zelfs een gewone soldaat, en daarmee toetreden tot de ruiterstand en daarin een hoge positie bemachtigen. Voor zijn zoons op hun beurt stond dan de volledige loopbaan van een *eques* open, vergelijkbaar met de manier waarop sommige ruiterfamilies tot de senaat konden toetreden. Doorgaans duurde zo'n standsverheffing een of meer generaties, al zijn er gevallen bekend van mannen die zelf zo opklommen. In ieder geval was sociale mobiliteit in Rome altijd mogelijk.

Auxilia-centurio's

Over de centurio's in de *auxilia*-legers is veel minder bekend, al wordt vaak aangenomen dat ze vanuit de soldatengelederen opklommen en doorgaans uit dezelfde etnische groep kwamen als hun manschappen. Op basis van enkele papyrusteksten kan worden geconcludeerd dat een decurio het bevel over een *turma* of cavalerieregiment kreeg na een diensttijd van acht tot vijfentwintig jaar in de gelederen. Veel centurio's lijken echter direct benoemd te zijn en afkomstig te zijn uit de meer welgestelde families en de plaatselijke aristocratie. Dit zou wel eens gebruikelijk kunnen zijn geweest. De bronnen wijzen erop dat soldaten bij de hulptroepen grotendeels analfabeet waren, waardoor promotie uitgesloten was. Waarschijnlijk is geen van de teksten uit Vindolanda bij de Muur van Hadrianus geschreven door iemand met een lagere rang dan *principalis.*

III

Het dagelijks leven van de Romeinse soldaat

Hun militaire trainingen kweken niet alleen lichamelijke hardheid bij de manschappen, maar maken hen ook tot onverschrokken soldaten. In hun oefenprogramma speelt angst een belangrijke rol. Krachtens hun wetten staat niet alleen op desertie uit de gelederen de doodstraf, maar ook op de kleinste onachtzaamheid.

Flavius Josephus, *De Joodse Oorlog*, 3, 102-103

Een Romeinse beroepssoldaat bracht een groot deel van zijn volwassen leven – vijfentwintig jaar gedurende het grootste deel van het principaat – door in het leger. Zijn wereld bestond uit het leger, apart van de overige burgers, waar hij zich moest voegen in een strikte, duidelijke hiërarchie en waar krijgswetten en discipline golden. Meestal was hij gelegerd in een van de permanente legerbases, die in grootte varieerden van een kleine *mansio* of voorpost die een handjevol manschappen kon herbergen, tot forten voor hulptroepen met een capaciteit van vijfhonderd tot duizend soldaten en enorme legioenskampementen voor meer dan vijfduizend man. Het leven in de barakken kende veel routine, er waren dagelijkse parades en ceremoniën, oefeningen en exercities, er moest corvee gedaan worden en er moesten allerlei andere werkzaamheden verricht worden.

Het Romeinse leger bestond uit soldaten met uiteenlopende achtergronden. Er was al een groot onderscheid tussen de legionairs met burgerrecht en de *auxilia*-soldaten zonder; bovendien werd er gerekruteerd in vrijwel alle rijksprovincies en zelfs over de grens. Sommigen vervulden hun dienstplicht, maar hoogstwaarschijnlijk namen velen vrijwillig dienst. Was men eenmaal in dienst, dan golden voor iedereen dezelfde discipline, rantsoenen en salarisstructuur. En vanaf het moment dat een aanstaande soldaat voor de rekruteringsofficier verscheen totdat hij uit dienst trad, werd zijn levensloop vastgelegd. Van deze enorme administratie is maar een fractie bewaard gebleven, maar wat we hebben geeft veel informatie over de dagelijkse routine van het leger. Uit andere bronnen weten we meer over privéaangelegenheden van de soldaten, zoals de goden en godinnen die ze vereerden en de gezinnen die ze stichtten, hoewel ze formeel niet mochten trouwen.

Een deel van het soldatenleven stond in het teken van oorlogvoering, maar het leger werd ook ingezet voor allerlei taken in vredestijd. Soms traden militairen op als bestuurders of ordebewakers, maar ook als ambachtslieden, ingenieurs en bouwlieden. Anderen werden ingezet bij minder omvangrijke conflicten, zoals grensincidenten of schermutselingen, en weer anderen vochten in de roeriger delen van het rijk.

Vorige pagina: Een tafereel van een groep soldaten in een kamp. De acht mannen van een *contubernium* verbleven in hun leren tent en zorgden gezamenlijk voor hun eten. Elk *contubernium* had een muildier om de tent en andere zware spullen te dragen.

Volgende pagina: Een bronzen standbeeld, ogenschijnlijk een oorlogsgod in het uniform van een Romeinse legionair. Het kuras is sterk gestileerd.

EEN LOOPBAAN IN HET LEGER

De meeste rekruten in het leger van het principaat waren vrijwilligers. Alle Romeinse burgers waren wettelijk nog verplicht dienst te nemen wanneer de staat dat vroeg, maar iedereen had een hekel aan de dienstplicht, in het bijzonder in Italië. Augustus heeft slechts bij twee gelegenheden een rekrutering (*dilectus*) gehouden: na de grote nederlagen in 6 n.C. in Pannonia en 9 n.C. in Germania. Er werden allerlei pogingen gedaan om uit dienst te blijven. Ooit werd iemand uit de ruiterstand door de keizer als slaaf verkocht omdat hij zijn beide zoons de duimen had afgehakt zodat ze fysiek niet meer in staat waren dienst te nemen. In het algemeen probeerden de opvolgers van Augustus de Italianen geen dienstplicht op te leggen. In andere rijksdelen werd deze methode wel eens gebruikt om de hulptroepen aan te vullen, en soms werd een *dilectus* in een provincie gehouden om een legioen op sterkte te brengen, vrijwel altijd wanneer er een oorlog ophanden was. Het is moeilijk te zeggen of hierbij sprake was van volledige of gedeeltelijke dienstplicht voor alle burgers in een gebied die daarvoor in aanmerking kwamen of dat er gewoon iets nadrukkelijker geworven werd.

Toen Plinius de Jongere gouverneur in Bithynia en Pontus was, kreeg hij te maken met een lastige zaak waarin hij keizer Trajanus om advies vroeg. Twee slaven hadden clandestien dienst genomen in het leger. Uit het antwoord van Trajanus blijkt dat er drie categorieën rekruten werden onderscheiden: vrijwilligers (*voluntarii*), dienstplichtigen (*lecti*) en reservisten (*vicarii*). De dienstplichtige soldaten werden uitgezocht door Romeinse officieren die de leiding over een rekrutering hadden, of door de provinciebestuurders, maar wie weet trok er soms ook gewoon een ronselaarsbende rond. Reservisten kunnen mannen zijn geweest die zich tegen de dienstplicht verzetten, of familieleden van hen, als compensatie voor hun ontheffing. In deze jaren zullen de voorbereidingen voor de verovering van Parthia al in gang gezet zijn; Trajanus kan hebben geweten dat er al dienstplichtigen werden opgeroepen om de eenheden in de oostelijke provincies te versterken. Toch is dit een duidelijke aanwijzing dat er nog steeds tot op zekere hoogte gebruikgemaakt werd van de *dilectus* om soldaten te rekruteren. Aan de andere kant: gedurende het principaat was het leger nog maar heel klein in verhouding tot de totale bevolking; we kunnen dus aannemen dat ze meestal wel genoeg zullen hebben gehad aan de vrijwillige aanmeldingen.

De aantrekkingskracht van het soldatenleven

Dienst nemen in de gelederen zal over het algemeen vooral aantrekkelijk zijn geweest voor de armeren. Het leger verschafte je levensonderhoud, kleding, betere medische zorg dan je je anders zou kunnen veroorloven en een geregeld inkomen. Veel soldij kregen soldaten niet; het lijkt erop dat ongeschoolde arbeiders evenveel of meer verdienden, vooral in de grote steden. Dergelijk werk was echter altijd onzeker, terwijl het leger garant stond voor een vast jaarinkomen. Voor bekwame mannen met een beetje opleiding bood het leger promotiekansen en het daarbij behorende hogere salaris, betere omstandigheden en misschien zelfs een hogere maatschappelijke status. Uit papyrusteksten met financiële gegevens blijkt dat er soldaten waren die flinke sommen konden verdienen. Soldaten genoten allemaal privileges, op grond waarvan de satiricus Juvenalis aan het einde

Een inscriptie met details over de carrière van Quintus Pompeius Falco, die legatus *Augusti* was in het Britannia in de vroege jaren van Hadrianus' regering. De dagelijkse praktijk voor gewone soldaten was heel anders dan die van een senaatsofficier, die zijn militaire dienst afwisselde met burgerlijke posten.

van de eerste eeuw verzuchtte hoe moeilijk het voor een burger was genoegdoening te krijgen wanneer een soldaat je iets had aangedaan. Als enigen mochten soldaten een testament opstellen terwijl hun vader nog in leven was; volgens de wet behoorden alle bezittingen van de kinderen aan de vader toe. Wanneer een legionair uit dienst trad, kreeg hij meestal een premie of een stuk land.

Allemaal voordelen voor een soldaat, maar daarvoor betaalde hij wel met vijfentwintig jaar krijgsdienst. Al die tijd moest hij zich onderwerpen aan een meedogenloze discipline. Zowel lijfstraffen als de doodstraf konden worden opgelegd wanneer een commandant maar wilde. Waarschijnlijk is dat de reden waarom het leger voortdurend met desertie te kampen had. Je kon wel promotie maken, maar dat was alleen weggelegd voor mensen met voldoende scholing en connecties, en dat gold voor veel rekruten niet. Ook wettelijk was het niet alleen maar gunstig in het leger te zijn. Zo was het verboden te trouwen, en werden alle bestaande huwelijken ongeldig verklaard op het moment dat iemand in dienst trad. Ondanks deze bepaling hadden veel legionairs vaste relaties en stichtten ze gezinnen terwijl ze in het leger waren. Onder meer om deze reden was het soldaten toegestaan een testament te laten opmaken om hun kinderen en 'vrouw' iets te kunnen nalaten, ook al waren die kinderen officieel onwettig en bezaten ze geen burgerrechten.

Vereisten voor nieuwe soldaten

Vegetius geeft een gedetailleerde beschrijving van de ideale soldaat, al lijkt die behoorlijk gekleurd te zijn door bepaalde raciale vooroordelen en medische mythes uit zijn tijd. Men dacht bijvoorbeeld dat wie in een meer gematigd klimaat was opgegroeid, en niet in een van de warmere provincies in het oosten, een standvastiger soldaat zou zijn. De voorkeur voor rekruten van het platteland gaat terug op het oude hoplietenideaal, de boer-soldaat, maar had ook een praktische reden. Soldaten die buiten waren opgegroeid hadden doorgaans een zwaarder leven geleid en waren meer gewend aan fysieke arbeid. Rekruten uit de stad hadden een langere periode van lichamelijke training nodig voordat ze aan de echte militaire opleiding konden beginnen. Het vroegere beroep van een aspirant-soldaat was ook van belang; volgens Vegetius genoten meer fysieke beroepen als jager, slager of smid de voorkeur boven minder 'mannelijke' banen als bakker, wever of visser. Bovendien moest degene die rekruteerde goed letten op lengte en conditie. Hoe langer hoe beter.

Traditioneel – Vegetius doelt hiermee waarschijnlijk op het principaat – dienden soldaten in de eerste cohort van een legioen of cavalerie-*ala* 1,77 lang te zijn, bij uitzondering ook 1,72. Daarbij vermeldt hij wel dat iets kortere mannen waren toegestaan als ze stevig gebouwd waren, omdat het vooral ging om kracht, niet alleen om lengte. Er was daarnaast plaats voor enkele geschoolde rekruten, want het leger had veel schrijvers en ambtenaren nodig op alle niveaus. Over de leeftijd van indiensttreding zegt Vegetius weinig, maar uit andere bronnen valt op te maken dat de meesten ongeveer twintig jaar waren.

Veel historici zijn er wat naïef van uitgegaan dat de meeste rekruten aan Vegetius' hoge standaard voldeden, maar wie wil weten wat gebruikelijk was kan beter geen theoretisch handboek raadplegen. Keizer Tiberius klaagde eens dat het zo moeilijk was goede soldaten te werven en dat in Italië alleen de allerarmste zwervers voor het leger te porren waren. Wie tot de wilde dieren was veroordeeld of tijdelijk verbannen was mocht niet in het leger, en wie dat toch probeerde werd onmiddellijk ontslagen wanneer dat ontdekt werd. Dat gold ook voor wie het leger in vluchtte omdat hij voor een vergrijp gezocht werd. Opmerkelijk is dat het leger alleen verboden terrein was voor mannen die voor een ernstig vergrijp veroordeeld waren. Wellicht telden de legioenen veel kleine criminelen.

De procedure van dienstneming

De provinciegouverneur lijkt de leiding te hebben gehad over de werving van nieuwe soldaten. Tijdens de eerste fase, de *probatio*, werden de rekruten doorgelicht. De wettelijke status moest dan bekend zijn, want alleen iemand met burgerrecht mocht in het leger dienen; slaven werden gewoonlijk in geen enkel legeronderdeel toegelaten. Op de brief van Plinius, die had ontdekt dat er twee slaven in zijn leger waren, antwoordde Trajanus dat de mannen straf verdienden als ze hadden gelogen dat ze vrije burgers waren. Waren het echter reservisten, dan was dat te wijten aan degenen die hen hadden aangebracht, en als ze dienstplichtig waren zat de ronselaar fout. In het Romeinse Rijk werd veel belang gehecht aan burgerrecht en status, maar veel officiële documenten zijn er niet van. Er is een Egyptische papyrustekst uit 92 n.C. waarin het geval van een *optio* van Legio III Cyrenaica wordt gedocumenteerd, die ervan beschuldigd wordt dat hij geen Romeins burger zou zijn, waar ten minste ontslag uit het leger op stond. De man toonde drie getuigenverklaringen die zijn status bevestigden: van twee legionairs uit andere centuriën en één veteraan.

Bij de *probatio* hoorde ook een medisch onderzoek. Uit een andere papyrustekst kennen we het geval van een zekere Tryphon, de zoon van de wever Dionysius, die op 24 april 52 n.C. zijn congé kreeg omdat hij staar had. Of hij ontslag uit dienst kreeg of alleen ontheffing van bepaalde taken is niet duidelijk, maar afkeuring op medische grond zal vast volgens een vergelijkbare procedure zijn gegaan. Het verslag van het martelaarschap van Maximilianus van Teveste uit de derde eeuw n.C. laat waarschijnlijk een normale *probatio* zien, al is dit duidelijk een zaak van dienstplicht. Maximilianus moest voor een representant van de gouverneur verschijnen, waarna formeel werd vastgesteld dat hij geschikt was voor het leger en ook de juiste lengte had (1,77 meter) en dus in dienst moest. Maximilianus bleef echter weigeren, omdat hij christen was en vanwege zijn geloof niet

Een tafereel op de Zuil van Trajanus toont vertegenwoordigers van verschillende barbaarse volken. Sommigen dragen hun haar in een knot in de stijl van de Germaanse Sueven. Links staan Sarmatianen met hun karakteristieke lange kaftans. De Romeinen rekruteerden hun hulptroepen zowel binnen de rijksprovincies als daarbuiten.

als soldaat wilde dienen en geen mens kwaad wilde doen. Hiervoor werd hij ten slotte terechtgesteld.

Iemand met meer zin in een legercarrière kon het zichzelf makkelijk maken als hij beschikte over aanbevelingsbrieven. Zo'n document had meer gewicht naarmate de schrijver meer status bezat en de band met de betrokken officier nauwer was. Juvenalis schreef spottend over een rekruut die aankwam met een aanbevelingsbrief van de godin Venus aan haar minnaar, de oorlogsgod Mars. Een brief kon ook duidelijkheid verschaffen over de status en capaciteiten van een rekruut, waarmee hij kans maakte op een snelle promotie. In 107 n.C. meldde een zekere Julius Apollinarius zich bij een legioen, en hij werd vrijwel onmiddellijk bevorderd tot klerk (*librarius*). In een brief aan zijn vader prees hij zichzelf gelukkig dat hij zo'n makkelijk baantje had gekregen, terwijl zijn kompanen buiten stenen moesten houwen, waarschijnlijk voor een of ander bouwproject. Toch kon het ook mét aanbeveling minder goed uitpakken. Rond diezelfde tijd probeerde Claudius Terentianus tevergeefs een plaats in een legioen te bemachtigen, waarna hij maar bij de marine ging, die veel minder hoog werd aangeslagen. Maar ook daar was hij niet tevreden over zijn carrièrekansen, en hij klaagde 'dat je niets voor elkaar krijgt met geld, noch met aanbevelingsbrieven'. Je moest vooral voor jezelf zorgen.

Nadat aangenomen rekruten de *probatio* hadden doorlopen, werden ze naar hun eenheid gestuurd. Waarschijnlijk was dit het moment waarop ze hun *signaculum* kregen, een loden schijfje met inscriptie dat ze in een leren zakje om de nek droegen, vergelijkbaar met het identiteitsplaatje van moderne soldaten. Ze hadden dan vast ook de militaire eed (het *sacramentum*) afgelegd, waarin ze de keizer trouw zwoeren. Daarna ontvingen ze hun *viaticum*, het reisgeld dat altijd symbolisch uit drie gouden munten bestond, een totaalbedrag van 75 *denarii.* Een aardige som, waar tijdens de reis naar hun legerkamp altijd toch een flink gat in werd geslagen. Het zal voor de soldaten die de nieuwelingen begeleidden waarschijnlijk een sport geweest zijn hen zoveel mogelijk geld af te troggelen. Toen de nieuwe rekruten zich in 117 n.C. meldden bij hun Cohors I Lusitanorum en de rest van hun *viaticum* moesten opgeven bij de *signifer* van hun centurie, hadden ze gemiddeld minder dan een derde over. Een ander document beschrijft een lichting rekruten:

Afschrift van C. Minucius Italus aan Celsianus
Laat de volgende zes rekruten die door mij zijn toegelaten voor jouw cohort, inschrijven met ingang van 19 februari. Een bijlage met de namen en kenmerken is bij deze brief gevoegd.

C. Veturius Gemellus	21 jaar	geen bijzondere kenmerken
C. Longinus Priscus	22 jaar	litteken bij linkerwenkbrauw
C. Julius Maximus	25 jaar	geen bijzondere kenmerken
-. Julius Secundus	20 jaar	geen bijzondere kenmerken
C. Julius Saturninus	23 jaar	litteken op linkerhand
M. Antonius Valens	22 jaar	litteken rechts op voorhoofd

Ontvangen op 24 februari AD 103, via Priscus, *singularis.* Ik, Avidius Arrianus, *cornicularius* van Cohors III Ituraeorum, verklaar dat de originele brief wordt bewaard in het archief van de cohort.

Deze rekruten namen dienst in een *auxilia*-cohort; het waren dus waarschijnlijk geen burgers. Toch staan ze allemaal ingeschreven met drie Romeinse namen, waarmee ze in de omvangrijke legeradministratie tijdens hun hele diensttijd zullen worden gedocumenteerd. Een Egyptenaar met de naam Apion, die bij de marine was gegaan en in het Italiaanse Misenum was gelegerd, schreef aan zijn familie dat hij voortaan Antonius Maximus heette en diende in de centurie Athenonica. Verder vertelde hij aan zijn vader dat hij het goed maakte en bedankte hij hem voor de opleiding die hij had genoten, waarvan hij tijdens zijn loopbaan zeker profijt zou hebben.

Wanneer de soldaten bij hun eenheid aankwamen werden ze bijgeschreven op de namenlijst en ingedeeld bij een centurie of *turma*. Maar eerst moesten de rekruten een zware training doorlopen.

Rekrutering en etnische opbouw van eenheden bij hulptroepen

Alle legionairs moesten Romeinse burgers zijn, al werden buitenlanders bij wijze van uitzondering toegelaten, bijvoorbeeld wanneer er een burgeroorlog of militaire crisis was. Ze ontvingen dan meteen het burgerrecht. De hulptroepen bestonden gewoonlijk uit soldaten zonder burgerrecht; dat kregen ze pas wanneer ze hun vijfentwintig dienstjaren erop hadden zitten. De naam van de hulptroepen bevatte meestal een aanduiding van de streek of het volk. Dit was een verwijzing naar de oorspronkelijke herkomst van de eenheid, maar de Romeinen lijken er niet bijzonder veel moeite voor te hebben gedaan ze aan te vullen met rekruten uit hetzelfde volk. Waar mogelijk zochten ze juist manschappen in de onmiddellijke omgeving. Dit gaat zeker op voor de legioenen, die gedurende het principaat naar verhouding steeds minder nieuwelingen uit Italië omvatten. In plaats daarvan werden er burgers gezocht uit de provincie waar het legioen haar thuisbasis had. Dit gold ook voor de hulptroepen. Alleen wanneer ze gelegerd bleven in hun plaats van oorsprong, bestond een cohort of *ala* voornamelijk uit mannen uit die regio; in andere gevallen ontstond er al snel een samenraapsel van allerlei herkomsten. Zo blijkt uit een inscriptie in de Muur van Hadrianus dat een bepaalde cohort een groep Germanen telde. Het is moeilijk te zeggen of soldaten van een bepaalde afkomst aparte centuriën vormden of over de cohorten verdeeld werden. De voertaal in het leger en de administratie was Latijn, en alle rekruten zullen een basiskennis moeten hebben gehad, al is het lastig te bepalen hoeveel soldaten van de hulptroepen – en trouwens ook bij de legioenen – konden lezen en schrijven.

Basistraining

Nieuwe soldaten moesten eerst hun lichamelijke conditie opbouwen en aan discipline wennen. Leren optrekken in een dichte formatie was erg belangrijk, en de soldaten werden gedrild om in de pas en in colonnes te marcheren. Met afstandsmarsen trainden ze hun uithoudingsvermogen. Volgens Vegetius werd van een soldaat verwacht dat hij in vijf uur marcheren twintig Romeinse mijlen

Twee re-enactors laten zien hoe Romeinse troepen vaak werden getraind door te schermen met wapens met stompe punten. In het begin van de training gebruikten rekruten houten zwaarden en droegen ze rieten schilden – allebei zwaarder dan de uitrusting die in de echte strijd werd gebruikt. Later zouden ze een betere uitrusting krijgen, waarbij de punten van de wapens waren beveiligd met leren dopjes.

aflegde in normaal tempo, vierentwintig in snelle pas. Daarnaast was er veel aandacht voor rennen en springen. Een deel van de oefeningen werd in volle uitrusting gedaan, en op mars vaak nog met bepakking en extra uitrusting.

Voor de wapentrainingen had men een systeem van de gladiatorenopleiding overgenomen. De rekruten moesten leren zwaardvechten tegen een oefenpaal van 1,82 meter. Dat gebeurde met een houten zwaard en een rieten schild die even groot waren als de echte wapens, maar een stuk zwaarder. Zo kon een soldaat niet alleen leren steken, houwen en pareren, maar trainde hij meteen zijn armspieren. Werpen met de *pilum* stond ook op het programma, met de oefenpaal als doel, en wellicht ook instructie in het hanteren van andere wapens, zoals de katapult, pijl en boog en artillerie. Vegetius adviseerde verder dat iedereen moet leren paardrijden en zwemmen.

De training werd geleidelijk opgebouwd. Na een poos werden er schijngevechten gehouden, met oefenwapens of echte wapens waarvan de punten met leren kapjes werden afgeschermd. Aanvankelijk vochten de soldaten in paren, daarna in grotere groepen totdat er met de hele eenheid werd geoefend. Deze basistraining nam een paar maanden in beslag, waarna de rekruten volwaardige leden van de eenheid werden. Daarmee kwam geen einde aan de trainingen; die vormden een vast onderdeel van de diensttijd. De legeraanvoerders moesten ervoor zorgen dat hun manschappen in vorm bleven en gevechtsklaar waren mocht er oorlog uitbreken.

DE DAGELIJKSE ROUTINE

Een soldaat bracht het grootste deel van zijn leven door in het legerkamp, een omgeving die we nu nader gaan bekijken. Voor rekruten uit de steden zal het leven op een drukbevolkte basis enigszins vertrouwd zijn geweest. Voor wie van het platteland kwam, vooral uit de minder ordelijke buitengewesten, was alles nieuw en vreemd.

De term 'vesting' wordt meestal gebruikt voor de grootste permanente legerbasis, die een heel legioen kon herbergen. Een kleinere basis die groot genoeg was voor een eenheid hulptroepen noemen we een 'fort'. Alle tijdelijke bases noemen we, ongeacht de grootte, een 'kamp'. Geen van deze termen dekt de lading precies, want ze bestrijken een grote verscheidenheid aan functies. Zowel 'vesting' als 'fort' verwijst naar verdedigingswerken, zoiets als een middeleeuwse burcht. Toch hadden deze kampen geen stevige versterkingen. Het waren in de eerste plaats grote barakken met ruimte voor veel soldaten en voorraden.

De vesting voor een legioen

Zelfs na de Marianische hervormingen bezaten de Romeinen nog geen permanente legerkampen. Het leger was in wezen nog steeds een veldleger, dat zich snel moest kunnen verplaatsen. Dit was een tijd van veroveringen, en tot het jaar 14 n.C. breidde het rijk zich nog in hoog tempo uit. Het leger trok er alleen in de lente, zomer en vroege herfst op uit, want het was vrijwel onmogelijk tijdens de wintermaanden aan voldoende eten voor de eenheden te komen. Aan het eind van het seizoen trok het leger zich terug en sloeg het een winterkamp (*hiberna*) op. In stedelijk gebied kon dit inkwartiering betekenen, in andere streken bouwde men een duurzamere versie van het mobiele kamp. Ze maakten sterkere verdedigingswerken, hogere wallen van aarde en hout met wachttorens erop, en vervingen de tenten door barakken. Dergelijke kampen waren een stuk comfortabeler in de wintermaanden, waardoor er minder mensen ziek werden en uitvielen. Daarnaast dienden ze vaak ook een strategisch doel: het leger behield de macht in een recentelijk veroverd gebied en kon zich voorbereiden op de veldtochten van het volgende jaar.

Onder het bewind van Augustus kreeg het leger een permanenter karakter. De uitbreiding van het rijk ging wél door, maar veel legioenen verbleven gedurende langere tijd in dezelfde streek. In de loop van de tijd ontwikkelde het winterverblijf zich tot een vaste basis, die als depot van het legioen werd gebruikt. Het grootste deel van de administratie werd er bewaard en bijgehouden, ook al was de eenheid op veldtocht. Aanvankelijk waren zulke bases veredelde winterkampen, met houten gebouwen en aarden wallen, maar langzamerhand werden het steviger onderkomens, met pannendaken in plaats van riet en stenen muren in plaats van hout. Het vervangen van houten onderdelen door stenen bouwwerken ging meestal in fasen: de delen die voor de eenheid de hoogste prioriteit hadden het eerst. Het tempo hing af van de staat waarin de bestaande houten bouwsels verkeerden en de beschikbaarheid van metselwerk.

De vestingen voor de legioenen waren groot: wel twintig tot vijfentwintig hectare. Sommige waren zelfs nog groter, bijvoorbeeld het aan de Rijn gelegen Vetera (het huidige Xanten) dat twee legioenen herbergde. Boven veel van deze vestin-

Een plattegrond van de legioensvesting Inchtuthil in Schotland, die aan het eind van de eerste eeuw na Christus gebouwd werd en die al verlaten werd voor hij klaar was.

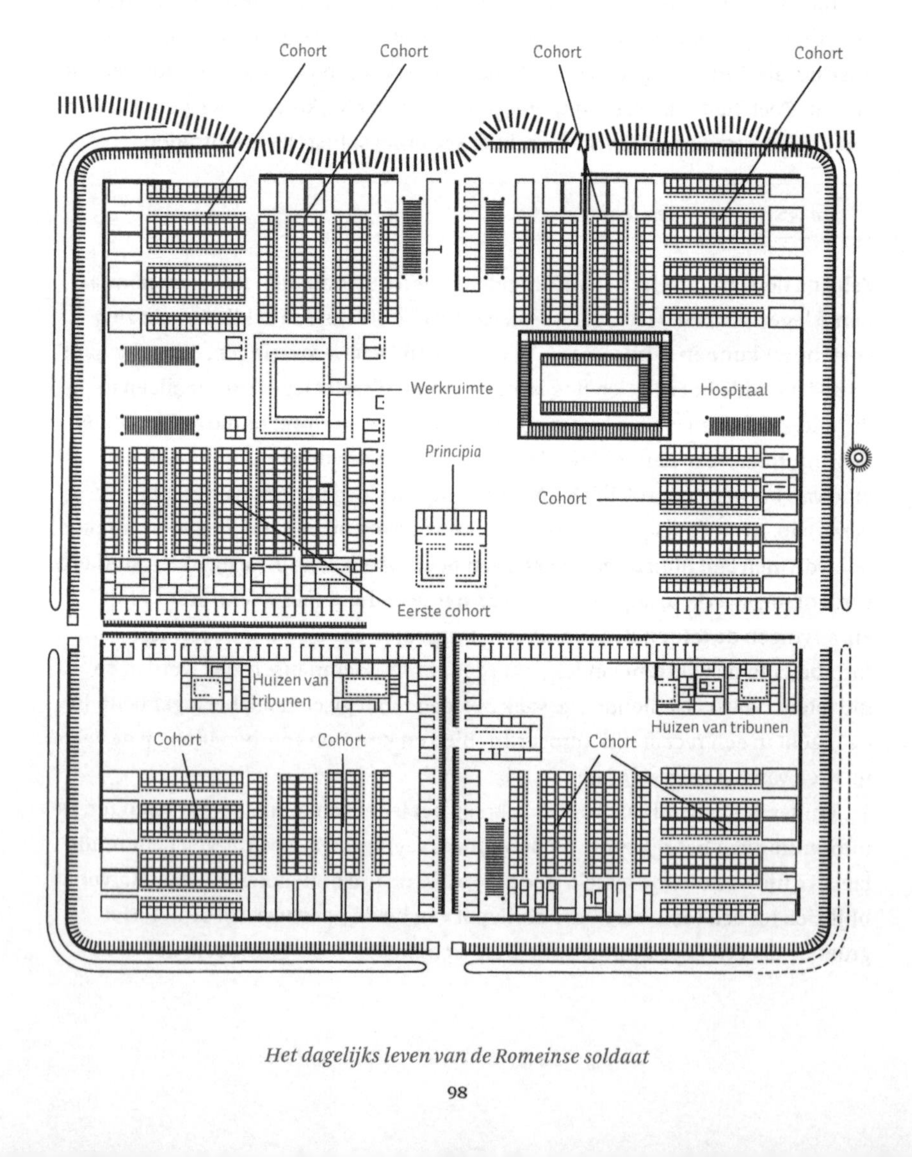

gen zijn steden gebouwd, zoals het moderne Chester en York in Groot-Brittannië. Om deze reden, en ook vanwege hun enorme omvang, kunnen slechts fracties van de meeste archeologische vindplaatsen nauwkeurig onderzocht worden. Dat betekent dat ons beeld van hoe een legioensvesting eruitgezien heeft, is opgebouwd uit fragmenten van diverse opgravingen. Dit hoeft geen groot probleem te zijn, want grondplan en indeling van de vestingen lijken in hoge mate gelijk te zijn geweest. Tegelijkertijd is het goed te weten dat er op alle archeologische vindplaatsen tot nu toe bijzonderheden zijn aangetroffen. Sommige vestingen zijn een aantal eeuwen gebruikt en vertonen diverse ontwikkelingsstadia.

Een plattegrond van de legioensvesting in Caerleon (Isca Silurum) in Zuid-Wales. Deze werd meer dan twee eeuwen lang bewoond door Legio II Augusta. Er zijn veel overeenkomsten met die van Inchtuthil, maar het lijkt erop dat er geen twee forten identiek waren.

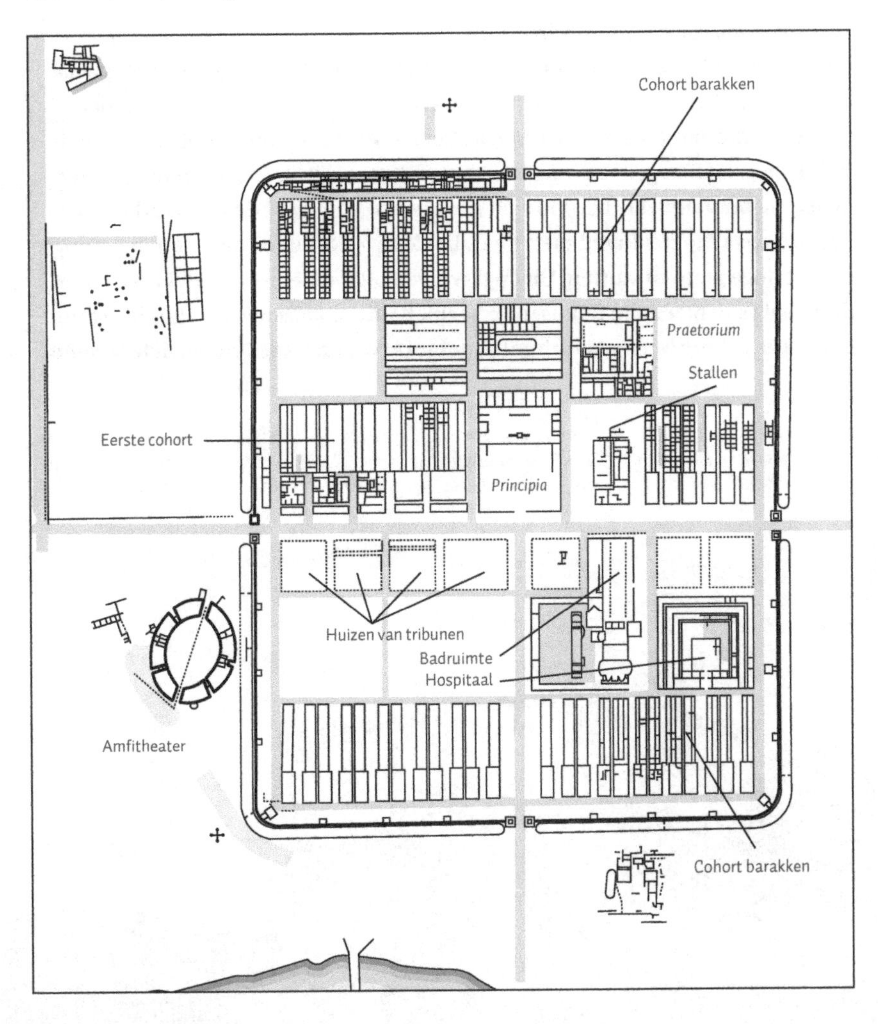

Bij de keuze van een locatie speelde de verdediging van de vesting geen grote rol. Goede verbindingen met het oog op communicatie waren veel belangrijker, over de weg en vooral over het water. De meeste legioensvestingen bevonden zich vlakbij een goed bevaarbare rivier. De vroegste vormen kenden wat variatie, maar bijna alle vestingen hebben dezelfde basisvorm als alle veldkampen, namelijk die van een klassieke speelkaart: een rechthoek met ronde hoeken. Een Romeinse basis had bovendien twee belangrijke wegen. De *via principalis* liep tussen de beide poorten in de langste zijden van het fort. Haaks hierop stond de *via praetoria*, die van de hoofdpoort, de *porta praetoria*, naar het hoofdkwartier of *principia* liep, dat zich achter de *via principalis* bevond. Er liepen nog andere wegen door de vesting, waarvan de *via decumana* de belangrijkste was. Deze liep van de gebouwen die rondom de *principia* stonden naar de *porta decumana* in de achtermuur.

Gebouwen binnen de vesting

De *principia* – In het hoofdkwartier bevond zich het administratief en religieus centrum van het legioen. De hoofdingang lag aan de *via praetoria* en was doorgaans van monumentale afmetingen. Hierachter lag een binnenplaats met zuilenrij, meestal betegeld en omgeven door ruimten die als kantoren fungeerden. Achter de binnenplaats bevond zich een enorm grote basilica of dwarsbeuk van negen à twaalf meter breed met een dubbele rij grote zuilen over de gehele lengte die het hoge plafond stutten. Uit opgravingen bij Caerleon en York blijkt dat in deze zaal vaak meer dan levensgrote beelden van de keizer en zijn familie stonden. Deze ruimte werd waarschijnlijk gebruikt voor parades en officiële ceremo-

De *principia* in Lambaesis in Noord-Afrika is een van de best bewaarde voorbeelden van de gebouwen die het geestelijke en administratieve hart van de legioenen vormden. Anders dan de hoofdkwartieren in het koudere, vochtiger klimaat van Europa, werd veel van de ruimte ingenomen door een binnenplaats in de openlucht waar parades gehouden konden worden.

niën. Langs een wand stond een podium met zetel vanwaar degene die dergelijke bijeenkomsten leidde het woord kon richten tot de aanwezigen.

Midden in de achterste wand bevond zich de ingang naar het heiligdom (*aedes* of *sacellum*), waar de standaarden, de negenenvijftig of zestig *signa*, de *imagines* (borstbeelden) van de keizerlijke familie, de *vexilla* (vlaggen) van de detachementen en, als belangrijkste, de *aquila* of adelaar werd bewaard. Dit heiligdom werd afgeschermd van de grote zaal, vaak met stenen panelen, maar zo dat men nog wel een glimp van de waardevolle standaarden kan opvangen. Aan de andere kant van het heiligdom waren kantoren, en eronder was vaak nog een kelder met de schatkamer van het legioen.

Afmetingen en details kunnen per locatie verschillen, maar opgravingen lijken erop te wijzen dat de *principia* bij de meeste vestingen deze indeling hadden. Lambaesis, het depot van Legio III Augusta in Noord-Afrika vormt een uitzondering op deze regel. Daar vervult een open plein met zuilen de functie van de basilica.

Het *praetorium* – Met uitzondering van Egypte, waar de legerleiding in handen was van een prefect uit de ruiterstand, was de aanvoerder van een legioen een Romeins senator. Een bemiddeld man van aanzien dus. De huisvesting voor deze *legatus*, hoogstwaarschijnlijk met vrouw en gezin en in ieder geval met een flink aantal slaven en *liberti* (vrijgelaten slaven), moest daarom omvangrijk zijn. Het huis van de legaat, het *praetorium*, was gebouwd naar het voorbeeld van een villa van een Romeinse aristocraat, en bestond uit een reeks gebouwen rondom een vierkante binnenplaats. Er waren kantoren, vergaderzalen en privévertrekken. Vaak waren er enkele kleinere binnenplaatsen. De huizen in Xanten en Caerleon bijvoorbeeld hadden ook nog een zuilenrij met een halfrond uiteinde, tuinen waarschijnlijk. De gebouwen kenden veel luxe, zoals vloerverwarming en een eigen badhuis, en waren bovendien heel groot. Op basis van schattingen was het *praetorium* in Caerleon een stuk groter dan de grootste huizen in Pompeï. Dat past bij de status van deze legatus uit de senatorenstand, de enkele honderden leden tellende elite van het rijk. Hun huizen waren in onmiskenbaar Romeinse stijl gebouwd, zelfs als een legioensvesting in een streek lag zonder mediterraan klimaat.

Andere woningen – Overige hooggeplaatste officieren hadden ook een eigen huis. De *tribunus laticlavius* was ook senator en bewoonde een kleinere versie van het Italiaanse huis met binnenplaats. Voor de tribunen uit de ruiterklasse en misschien ook voor de *praefectus castrorum* was er een vergelijkbaar, maar ietsje minder chic huis. De centurio's van de eerste cohort, de *primi ordines*, hadden een hogere status dan de andere centurio's en mochten in een klein huis wonen in plaats van in een paar kamers aan het einde van een serie barakken.

De barakken – Binnen een vesting bevonden zich voornamelijk barakkengebouwen. Ieder blok huisvestte een centurie van tachtig manschappen met hun officieren. Een legioensvesting telde zestig van dergelijke blokken, of vierenzestig als de eerste cohort een *cohors milliaria* was. Sloeg men een tijdelijk kamp op, dan plaatste iedere centurie de tenten in een rij, en bij de vaste barakgebouwen werd dit patroon overgenomen. Hier kreeg ieder *contubernium* (eenheid van acht) twee kamers toegewezen in plaats van een tent. In de ene ruimte sliep en woonde men, waarschijnlijk in stapelbedden, al hebben we daarvan geen bewijsstukken. De andere kamer werd waarschijnlijk als opslagruimte gebruikt en was even groot, ongeveer 4,5 m2 of kleiner. Er was geen gang in de barakken, maar er liep wel een zuilenrij voor de gebouwen langs, met wellicht een deur naar een tweetal kamers. Bij opgravingen rondom barakken worden geregeld glasscherven gevonden; de meeste barakken zullen dus ramen hebben gehad, maar toch zal het binnen wat duister zijn geweest. Dat gold vooral voor de achterste kamers, want het was gebruikelijk dat er twee blokken tegen elkaar aan gebouwd werden, met hooguit een smalle gang ertussen.

Aan het uiteinde van ieder blok bevonden zich diverse ruimten, die bij de opgravingen allemaal iets anders zijn. Hier zullen zich de kantoren hebben bevonden waar het beheer en de administratie voor de centurie werden verzorgd. Hier waren ook de kamers van de centurio. Het lijkt erop dat de officieren enig comfort genoten; hun onderkomens waren bijvoorbeeld gepleisterd en beschilderd, en ze hadden een eigen latrine met afvoer en wasgelegenheid. De grotere en mooiere kamers waren doorgaans in het achterste blok, zo ver mogelijk van de drukke straat vandaan.

In theorie hoorde een blok barakken te bestaan uit de verblijven van de centurio's, kantoren en tien paar kamers voor de tien *contubernia*. Alle blokken die zijn opgegraven tellen er echter meer dan tien; elf of twaalf komt veel vaker voor. Waarvoor de extra kamers dienden is onduidelijk. Men denkt bijvoorbeeld aan opslagruimte of huisvesting voor de *principales*. In de voorste kamers van sommige barakblokken zijn vuurplaatsen aangetroffen, maar bij andere vestingen, zoals die in Caerleon, zijn ovens ingebouwd aan de binnenkant van de vestingmuur. Wanneer een eenheid in volledige bezetting aanwezig was, zal het in de barakken donker en benauwd zijn geweest. Aan de andere kant: de leefomstandigheden zullen niet veel erger zijn geweest dan die van de armere burgers in de appartementen (*insulae*) in de steden.

Het hospitaal (*valetudinarium*) – De ziekenbarak was een van de grotere gebouwen in de vesting, gebouwd conform de medische kennis van die tijd. Ook dit was een rechthoekig gebouw met een binnenplaats. Het hospitaal in de vesting Inchtuthil in Schotland meet ongeveer negentig bij vijfenvijftig meter. De ruimte werd onderverdeeld in vierenzestig zalen, alle ruwweg even groot als één kamer van een *contubernium* in een barak. Als deze zalen evenals de *contubernia* vier tot acht zieken konden herbergen, was er plaats voor vijf tot tien procent van het legioen aan zieken of slachtoffers. Er waren twee rijen met zalen die elkaar omsloten, af en toe verbonden door een kleine gang. Bij opgravingen in Duitsland werden hospitalen gevonden die deze bijzonderheid niet hadden, maar verder hetzelfde grondplan bezaten, al was er zowel bij Neuss als bij Xanten nog een grote zaal bij de hoofdingang.

De graanschuren (*horrea*) – De gebruikelijke aanduiding 'graanschuur' dekt de lading van de enorme opslagruimten niet helemaal. In werkelijkheid werd er allerlei voedsel bewaard, niet alleen graan. De resten zijn duidelijk herkenbaar doordat ze bijna altijd een verhoogde vloer bevatten, gemaakt van lage muurtjes of rijen palen of zuiltjes. Op deze manier kon ongedierte niet makkelijk bij de voorraad komen en, belangrijker nog, werd de ruimte geventileerd. Naast de verhoogde vloer waren er ook luchtgaten in de muren. Stenen graanschuren bevatten vaak steunberen, deels omdat het hoge gebouwen waren, maar wellicht ook om het overhangende dak te stutten dat het regenwater moest afvoeren. Zo kon het graan koel en droog worden bewaard en bleef het lange tijd goed.

De reconstructie van een houten graanschuur uit de eerste eeuw na Christus bij fort Lunt, in de buurt van Coventry. Let op de ramen die zorgen voor ventilatie en op de verhoogde vloer.

De graanschuren bij Fort Housesteads op de Muur van Hadrianus laten een van de manieren zien om het grondniveau van zulke gebouwen te laten stijgen met als doel de temperatuur van de goederen te regelen en ongedierte tegen te gaan.

Het badhuis – Voor de Romeinen was een badhuis niet zomaar een ruimte waar je je kon wassen, maar een belangrijke ontmoetingsplaats. De techniek om de verschillende badkamers te verwarmen was een van de vernuftigste Romeinse uitvindingen. Op iedere militaire basis was een badhuis, en die van een legioensvesting was zo groot als een modern sportcomplex.

Andere gebouwen – Een legioensvesting was een groot geheel waar nog veel meer gebouwen stonden. In Inchtuthil ontdekten archeologen een grote werkplaats (*fabrica*), en een gebouw in Lambaesis wordt voorlopig als *schola* bestempeld of als huis voor officieren met een bepaalde rang, zoals centurio's. Van een aantal gebouwen is alleen het grondplan bekend van een opgraving, en kunnen we alleen gissen wat de functie ervan geweest kan zijn. In Chester werd een vreemd ellipsvormig gebouw ontdekt dat geen enkele overeenkomst vertoont met andere militaire of civiele bouwwerken. Ook werden er grote open ruimten aangetroffen, misschien wijzigingen ten opzichte van de oorspronkelijke indeling. Ondanks eeuwenlange bewoning werden niet alle onderdelen van de legioensvestingen even goed onderhouden. Zo blijkt dat de vesting bij Chester in de tweede eeuw n.C. grotendeels verlaten was, en dat in sommige gebieden de bouwwerken werden afgebroken, waarna de vesting later weer bewoond werd. Het lijkt aannemelijk dat dit geen uitzondering was.

Verdedigingswerken

De muren om een Romeinse basis waren niet bijzonder hoog en sterk. In de eerste en de tweede eeuw n.C. waren de torens in de regel niet voorbij de muren uitgebouwd, waardoor bij een aanval de vijand die zich tegen de muur opstelde niet met enfilerend vuur bestookt kon worden. Het is moeilijk te berekenen hoe hoog de muren geweest kunnen zijn, maar de omgang zal zich niet hoger dan 3,5 tot 4,5 meter hebben bevonden. De torens waren wellicht tweemaal zo hoog, en de torens bij de hoofdpoort zullen in ieder geval met opzet indrukwekkend zijn geweest.

Buiten de muren was altijd ten minste één greppel, en kleine forten en die voor de hulptroepen hadden er meestal zeker drie. De greppels hadden een V-vorm in doorsnee, waren een meter of twee diep en hadden een klein rechthoekig geultje zodat buit gemakkelijk schoongespoeld kon worden, en iemand die probeerde aan de overkant te komen makkelijk zijn enkel verstuikte. Soms waren er in de strook voor de greppels overdekte kuilen gegraven met een scherpe staak erin, die de soldaten lelies (*lilia*) noemden.

De gereconstrueerde poort van fort Lunt geeft een indruk van de ingang van aarden en houten forten. De hoogte van het oorspronkelijke gebouw is onmogelijk vast te stellen.

De verdedigingswerken van de meeste Romeinse forten hielden een leger met een beetje kennis van belegeren niet tegen. Maar gedurende vrijwel het gehele principaat waren de Romeinen de enigen die die techniek onder de knie hadden. Een minder bedreven leger zou zeker door de greppels en obstakels worden afgeremd, waardoor hun aanval minder kracht had. Tegelijkertijd kon de verdediging de aanvallers bestoken met allerhande geschut, zoals pijlen, speren en stenen. Moderne experimenten hebben aangetoond dat men de greppels vanaf de muren en torens goed in het vizier kon houden en dus prima kon bombarderen. Sommige bases waren misschien ook uitgerust met artillerie, al zal dit pas in de loop van de derde eeuw gebruikelijker zijn geworden voor kleinere forten.

De Romeinen hadden de kennis en de mankracht in huis om grotere en hogere verdedigingswerken aan te leggen rondom hun vestingen, maar deden dat gedurende het principaat bewust niet. Toch zal een aanval op een vesting een moeilijke en riskante onderneming zijn geweest. De reden waarom de verdediging niet werd uitgebreid is dat het leger in hoofdzaak was bestemd voor veldtochten. De Romeinen waren erop gericht onder alle omstandigheden hun bases te verlaten en de vijand in het open veld te verslaan.

Forten van hulptroepen

De forten van de hulptroepen waren in veel opzichten kleinere versies van de grote legioensvestingen. Het grondplan was in grote lijnen hetzelfde. Ook hier vormden de *via praetoria* en de *via principalis* een T-kruising, waarachter de *principia* stonden, eveneens een kleinere versie van het legioenshoofdkwartier. Daarnaast waren er een *praetorium*, dat wat afmetingen betrof meer leek op een tribuunswoning in de legioensvesting, en waarschijnlijk ook een kleiner hospitaal, soms bestaand uit een enkele rij zalen in plaats van een gebouw rondom een binnenplaats. De blokken met barakken waren even groot als in een legioensvesting, maar er waren er minder: slechts zes voor een *cohors quingenaria*, tien voor een *milliaria*. Er waren, als de cohorten en *alae* een ruiterij hadden, ook stallen, die ongeveer even groot waren als de barakken. De badhuizen waren eveneens kleiner en bevonden zich meestal buiten de muren.

Het leven in de barakken

Zoals altijd bij een staand leger hielden ook de Romeinen hun manschappen flink bezig. Van het omvangrijke papierwerk waarin van elke soldaat werd opgetekend waar hij was en wat hij deed is maar een fractie bewaard gebleven. Er is een dienstrooster overgeleverd van een centurie van een van de Egyptische legioenen, wellicht Legio III Cyrenaica, uit het eind van de eerste eeuw n.C. Hierop staan de taken vermeld van de eenendertig dienstdoende legionairs voor de eerste tien dagen van oktober. De taken variëren van wachtlopen bij de *principia*, de poorten en de vestingmuur, tot patrouilleren op en rondom de basis. Twee soldaten brengen een paar hele dagen door bij de artillerie, maar of dit om oefeningen ging of om het schoonmaken van wapens en munitie kunnen we hieruit niet opmaken. Er staan ook corveetaken op, zoals 'badhuis', wat waarschijnlijk niet badderen betekende, maar onderhoud of ondersteuning en, een nog minder aangenaam klusje, latrines schoonmaken. Het corvee 'schoeisel' kan betekenen dat de soldaat zijn eigen uitrusting moest onderhouden, maar er kan ook het schoonmaken van het schoeisel van de centurie mee bedoeld zijn. Als er staat dat het schoeisel van de centurio moet worden schoongemaakt, kan dat ook een ruimere taak als officiersknecht zijn geweest, en 'in de centurie' kan betekenen dat iemand voor klussen voor de centurio of *principales* kon worden opgeroepen.

Voor soldaten in reguliere dienst zal zo'n rooster bekend zijn geweest. Dat er weinig of geen activiteiten van de centurie als geheel werden gehouden hoeft ons niet te verbazen. Taken werden individueel toegewezen. Sommige soldaten werden uitgeleend aan een andere centurie voor opdrachten binnen en buiten het kamp. Aanvankelijk waren er eenendertig dienstdoende legionairs, later waren er vijfendertig. De overige negen soldaten van deze centurie, die in totaal dus iets meer dan de helft van de mogelijke omvang had, waren *immunes*: vrijgesteld van dagelijkse klussen. Zij worden ook genoemd, samen met hun bijzondere taken, zoals een wagenreparateur, een bewaarder van het arsenaal en diverse administratieve krachten. We zagen eerder dat een zekere Julius Apollinarius tevreden aan zijn vader schreef dat wie zo'n positie had geen zwaar werk of vervelende klussen hoefde te doen. Bovendien waren er in veel eenheden soldaten die hun centurio omkochten on onder de minder plezierige taken uit te komen. Uiteraard was dit niet goed voor de discipline, maar het verschijnsel lijkt nooit helemaal te zijn uitgebannen.

Er zijn inventarissen van alle activiteiten van alle soldaten in een eenheid. Zo zijn er documenten bewaard gebleven met daarin de namen van alle soldaten van Cohors XX Palmyrenorum in Dura Europus, met de toegewezen taken erbij. Ook hieruit blijkt dat er allerlei klussen werden gedaan, en dat doorgaans individueel, niet met de hele centurie of het *contubernium*. Eenheden hielden waarschijnlijk ook voor iedere soldaat lijsten met verlofaanvragen bij. In een andere Egyptische papyrustekst, uit het eind van de eerste eeuw n.C., lezen we dat vier soldaten van Legio III Cyrenaica in de loop van zeven jaar enkele malen verlof kregen. Marcus Papirius Rufus werd bijvoorbeeld tweemaal naar de graanopslag in Neapolis bij Alexandrië gestuurd. En Titus Flavius Saturninus was een poos afwezig omdat hij hielp een haven uit te baggeren, waarna hij achtereenvolgens gedetacheerd werd bij centurio Timinius en de bevrijde slaaf Maximus.

Parades en religieuze ceremoniën

De dagtaak van de soldaten bestond dus uit klussen die ze persoonlijk kregen toebedeeld, maar daarnaast ontplooide de eenheid ook nog gemeenschappelijke activiteiten; ook dit was niet anders dan bij veel moderne legers. In het garnizoen begon men de dag met een appèl, en werden de namen afgeroepen. Waarschijnlijk verdeelde een van de hogere officieren de taken voor die dag, misschien vanaf het podium in de *principia*. Terwijl de mannen op weg gingen naar hun speciale klussen, volgden er andere parades, waarna de manschappen óf ziekteverlof kregen óf hun gewone dagelijkse werk oppakten. Op een bepaald moment werden de wachten in het kamp gewisseld en nieuwe wachtwoorden voor die dag verstrekt. Het lijkt erop dat ook dit met enige ceremonie gepaard ging.

Bij bijzondere gelegenheden werden er méér parades gehouden. Het *Feriale Duranum*, een document uit Dura Europus, bevat een officiële kalender van Cohors XX Palmyrenorum van eind jaren 220 n.C. Het is geschreven in het Latijn en bevat veel traditionele Romeinse feestdagen waarop werd geofferd aan de drie goden van het Capitool – Jupiter, Juno en Minerva – en vele andere belangrijke Romeinse goden, onder wie de oorlogsgod Mars.

Uitsluitend militaire vieringen waren zeldzaam, slechts de *honesta missio*, de 'dag van eervol ontslag' op 7 januari, en de *rosaliae signorum*, het 'versieren van de standaarden', op 10 en 31 mei. Veel feestdagen waren ter ere van de keizerlijke familie, in dit geval de Severische dynastie, met het duidelijke doel de soldaten niet te snel te laten vergeten aan wie ze trouw verschuldigd waren. Ook tot goden verheven keizers als Augustus, Claudius en Trajanus kregen een feestdag, evenals de goddelijke Julius Caesar en vreemd genoeg ook Germanicus, Augustus' kleinzoon die in 19 n.C. stierf zonder ooit keizer of god te zijn geworden. Bij al deze gelegenheden zal een officiële parade hebben gehoord waaraan vrijwel de hele eenheid meedeed, en die gepaard ging met offers van stieren, koeien of ossen, waarschijnlijk gevolgd door een feestmaal waarbij het offervlees op tafel kwam. Toen Titus met zijn leger de verovering van Jeruzalem in 70 n.C. vierde, zal dat ongetwijfeld het geval zijn geweest.

Trainingen en exercities met de eenheid

Vegetius beveelt onafgebroken training aan, opdat de soldaten altijd voorbereid zijn op de strijd. Ook Josephus zet de onophoudelijke en zware exercities bij het Romeinse leger af tegen de gebrekkige voorbereiding bij alle andere landen. Het Romeinse leger trainde zo hard en was zo bedreven en gedisciplineerd geworden dat de Joodse geschiedschrijver de exercities eens 'een slag zonder bloedvergieten' en een slag 'een exercitie mét bloedvergieten' noemde. Een ideale Romeinse officier was dan ook iemand die zijn manschappen aan een zwaar trainings- en exercitieprogramma onderwierp.

In werkelijkheid werd dit ideaal niet altijd gehaald. In de literatuur uit die dagen werd vaak een stereotiep beeld aangehaald van het leger in de oostelijke provincies, dat een bruin leventje zou leiden in kazernes in of vlak bij de welvarende steden, met als gevolg dat de ongedisciplineerde soldaten niet opgewassen waren tegen de inspanningen van een veldtocht. Zo erg was het zeker niet, maar wat wel een probleem gaf was dat het leger in het hele rijk zoveel bijkomende taken had dat er weinig tijd overbleef voor gevechtstraining. Eerder zagen we al dat uit corveeroosters blijkt dat de soldaten weinig samen trainden met hun eenheid, maar allerlei taken in en om het kamp kregen toegewezen. Andere documenten die bewaard zijn gebleven (waarover later meer) bevestigen de indruk dat het leger in veel kleine groepen werd verdeeld. Er moet dus wel minder gelegenheid zijn geweest voor exercities met de hele eenheid. Hierdoor werden de band en het wederzijdse vertrouwen en begrip tussen de manschappen en hun officieren versterkt. Het leger had allerlei verschillende taken, en die konden soms belangrijker zijn dan het op peil houden van de gevechtskracht met het oog op een oorlog. Toch werd van een goede provinciegouverneur en van alle officieren verwacht dat ze tijd vrijmaakten om ook geregeld militaire oefeningen te houden, iets wat door de meeste keizers extra benadrukt werd. Sommige gingen iets verder dan een aansporing. Hadrianus trok bijvoorbeeld het grootste deel van zijn bewind rond door de provincies, waarbij hij alle legers grondig inspecteerde om te beoordelen hoe getraind ze waren. Zelf bezat hij een uitgebreide kennis van wapens en tactiek.

In 128 n.C. bezocht Hadrianus het leger in Noord-Afrika en woonde hij een aantal grootschalige exercities van Legio III Augusta en de hulptroepen van de

Exercities met de eenheid

'Het is moeilijk voor de cavalerie van een (gemengd) cohort om zich goed te presenteren, en nog moeilijker om zich niet te ergeren aan een exercitie die door een ala wordt uitgevoerd; de laatste neemt veel meer ruimte in, heeft meer ruiters die speren gooien, zwenkt regelmatig naar rechts en voert de Cantabrische cirkel in gesloten formatie uit, en – in overeenstemming met hun hogere soldij – heeft betere paarden en een betere uitrusting. Toch hebben jullie deze nadelen overwonnen door alles wat jullie deden vol energie te doen, ondanks de hitte. Daarbij hebben jullie stenen uit slingers geschoten en met speren gevochten en overal snel gereden. De bijzondere zorg van mijn legaat Catullinus voor jullie is duidelijk...'

Deel van de toespraak van keizer Hadrianus voor Cohors VI Commagenorum na de exercities, Noord-Afrika, 128 na Christus.

provincie bij. Daarna werd er een formele parade gehouden waarin Hadrianus het leger toesprak. Als blijvende herinnering werd er een gedenkteken opgericht met de tekst van zijn bijzonder lovende rede (*allocutio*) erop. Bewoordingen en stijl van dergelijke peptalks veranderden amper door de eeuwen heen. Hadrianus sprak directe taal; hij had het bijvoorbeeld over 'mijn legaat' en 'mijn legioen', en bleek goed op de hoogte te zijn van de recente activiteiten van de eenheid. Zo wist hij dat één cohort was gedetacheerd bij de Afrikaanse proconsul en dat een ander cohort, aangevuld met vier mannen uit de helft van de andere centuriën, twee jaar geleden was vertrokken om een ander derde legioen te versterken – dat kan Gallica of Cyrenaica zijn geweest – en dat ze dus niet op volle sterkte waren. Bovendien was het legioen onlangs ten minste tweemaal verplaatst, en waren de kleine voorposten tijdrovend. Alles bij elkaar een goed excuus om minder te presteren, zei Hadrianus, waarop hij liet volgen dat dat nu niet aan de orde was – zo tevreden was hij met hen. In het bijzonder de *primi ordines* en overige centurio's kregen complimenten. De lofrede van Hadrianus was doorspekt met lof aan het adres van zijn officieren; in het bijzonder de ijver van de legatus Quintus Fabius Catullinus werd telkens genoemd.

Ala I Pannoniorum had voor Hadrianus een reeks manoeuvres uitgevoerd, waarbij de cavalerie haar bedrevenheid met diverse werpsperen demonstreerde. Ze werden gevolgd door het cavaleriecontingent van Cohors VI Commagenorum, dat ondanks het feit dat ze niet met zo veel man waren, en hun paarden en uitrusting van mindere kwaliteit waren, zich toch van hun beste kant lieten zien. Enkele kritische noten ontbraken ook niet; de cavalerie had een charge iets te snel uitgevoerd, waardoor de aftocht rommelig verliep, maar in het algemeen was het commentaar zeer positief.

Een oefenveldtocht en -strijd hadden deel uitgemaakt van de exercitie. Hadrianus complimenteerde een *cohors equitata* dat zich geformeerd had en daarna in hoog tempo een kamp opgeslagen had met een stenen muur eromheen, waarna ze een greppel uithakten in de harde grond, een rij tenten opzetten, de maaltijd kookten en weer in formatie opbraken. In Groot-Brittannië zijn verschillende opgravingen gedaan, met als belangrijkste Llandrindod Common in de Brecon Beacons in Zuid-Wales, waar minstens vijftien kleine kampen zijn aangetroffen, die vrijwel zeker zijn opgeslagen tijdens een exercitie. Er zijn dus resten aangetroffen die aantonen dat er militaire trainingen hebben plaatsgevonden, maar hoe gebruikelijk ze waren binnen het leger en de eenheid kunnen we niet zeggen. Het zal grotendeels afhankelijk zijn geweest van de plaatselijke omstandigheden en van de vraag of de aanvoerder van de eenheid en de provinciegouverneur er veel belang aan hechtten. De meeste, misschien zelfs alle kampen hadden een exercitieveld dat zich buiten het terrein bevond, maar exercities op grotere schaal werden elders gehouden, wellicht op een speciaal daarvoor aangewezen plaats.

DE BELONING

Soldij voor de legioenen

Volgens de verhalen werden soldaten in de Romeinse republiek voor het eerst betaald tijdens het tienjarig beleg van Veii, aan het begin van de vierde eeuw v.C. Bij Polybius lezen we bedragen die de cavalerie en de infanterie ontvingen in het midden van de tweede eeuw v.C. De cavalerie kreeg meer dan de infanterie, wat deels hoort bij een hogere rang, maar daarin zat ook een bijdrage voor het voer voor de paarden. Er werd namelijk een bedrag in mindering gebracht voor de hoeveelheid graan die iedereen kreeg toebedeeld. Geallieerde soldaten kregen geen soldij van Rome, maar hoefden hun portie graan niet te betalen. Polybius vermeldt het equivalent in de Griekse munteenheid: een centurio krijgt vier obolen, een infanterist twee obolen, een cavalerist een drachme per dag. Hoeveel dit in Romeins geld van die tijd was kunnen we nu moeilijk bepalen, omdat we niet weten van welke koers

In dit tafereel op de Zuil van Trajanus staat de keizer die auxilia-soldaten beloont voor opvallende verdiensten. Onder het principaat kwamen alle onderscheidingen uit naam van de keizer, zelfs als ze in feite uitgereikt werden door de provinciale legaat.

Polybius uitging, maar een drachme zou het equivalent van een *denarius* geweest kunnen zijn. Dit geld was geen hoofdinkomen voor een soldaat, maar een bijdrage in de kosten totdat hij naar zijn burgerleven terugkeerde.

Caesar verdubbelde het bedrag dat zijn legionairs kregen. Voortaan ontvingen ze 225 zilveren *denarii* (negen gouden *aurei*) per jaar, waaruit we kunnen afleiden dat de soldij vóór de aanpassing ongeveer 112,5 *denarii* bedroeg. Deze hoogte bleef in gebruik tot het einde van de eerste eeuw n.C. Het bedrag werd in drie termijnen (*stipendia*) uitbetaald, elk ter hoogte van 75 *denarii* (men kreeg drie gouden munten of *aurei*; waarschijnlijk was dat symbolisch en werd het bedrag uitbetaald in meer praktische zilveren munten). De betaaldata waren vermoedelijk 1 januari, 1 mei en 1 september. Tijdens een veldtocht zullen dergelijke reguliere betalingen niet mogelijk zijn geweest. Toch kondigde Titus een staakt-het-vuren af tijdens de belegering van Jeruzalem in 70 n.C. om zijn soldaten te kunnen uitbetalen. Dit gebeurde met groot ceremonieel. De troepen paradeerden in hun beste uitrusting, en het geheel duurde vier dagen; voor ieder van de vier legioenen van het leger was een dag uitgetrokken. Waarschijnlijk kregen de mannen hun soldij te laat, want de parade werd gehouden van eind mei tot begin juni. Het leger had toen een reeks tegenslagen te verwerken gehad, zodat de betaling ook moest helpen het moreel van de soldaten te versterken.

Aan het eind van de eerste eeuw verhoogde Domitianus het loon van de legioenen tot 300 *denarii* (of 12 *aurei*), die waarschijnlijk in vier *stipendia* werden uitbetaald. Iets meer dan een eeuw later voerde Septimius Severus opnieuw een verhoging door, wellicht naar 450 *denarii*, weer in drie termijnen. Zijn zoon Caracalla verhoogde het loon met nog eens vijftig procent, wat verband hield met de enorme inflatie in de derde eeuw n.C.

Hoeveel officieren van de diverse rangen ontvingen kunnen we niet met zekerheid zeggen. Dio schrijft dat de Praetoriaanse garde onder Augustus tweemaal zoveel krijgt als de legionairs, maar dit betreft hoogstwaarschijnlijk een ruwe schatting.

Soldij voor de hulptroepen

Niet alle soldaten in de *auxilia* kregen hetzelfde bedrag, zo blijkt. We weten dat een cavalerist meer verdiende dan een infanterist. Vandaar dat een overgang naar de cavalerie binnen een *cohors equitata* als een promotie gold. Uit de lofrede die Hadrianus in Lambaesis hield, weten we dat de manschappen in een *ala* meer kregen dan de ruiters in een gemengde cohort. Sommigen, onder wie de *principales* en bekleders van andere junior-posten, ontvingen anderhalf loon (*sesquiplicarii*) of dubbel loon (*duplicarii*). Maar voor geen van de geledingen van de hulptroepen bestaan er bronnen waaruit we de exacte hoogte van het bedrag kunnen opmaken. Er bestaat verschil van mening over de vraag of infanteristen zonder burgerrechten hetzelfde salaris kregen als de legionairs of minder. Een recente studie waarin wordt betoogd dat het niveau lager lag, zegt dat onder het bewind van Augustus, toen een legionair 225 *denarii* per jaar kreeg, een infanterist bij de *auxilia* 187,5 *denarii* ontving, een calaverist in een cohort 225 *denarii* en een cavalerist in een *ala* 262,5 *denarii*. Er bestaat wel consensus over dat er in het hele rijk gelijke betaling gold voor alle *auxilia*-geledingen – de cavalerie binnen een *ala*, de ruiters van een gemengd cohort en de gewone infanteristen. Dit zou het geval kunnen zijn, maar het is ook mogelijk dat het loon varieerde en samenhing met de herkomst van de diverse eenheden.

Inhoudingen en spaarsaldi

Deze bedragen zijn allemaal bruto. De soldaat kreeg uiteindelijk veel minder uitbetaald. Wanneer Tacitus de muiterij van het Rijnleger beschrijft, die volgde op de dood van Augustus in 14 n.C., voert hij een van de muiters op die klaagt over de slechte betaling, waarop ook nog geld wordt ingehouden voor kleding, uitrusting en tenten. Enkele overgeleverde documenten met gegevens over loon, inhoudingen en spaarsaldi van individuele soldaten leveren concretere informatie. Een van de best bewaarde documenten komt uit 81 n.C. en bevat de financiele gegevens van twee Egyptische soldaten. Het is onbekend tot welke eenheid ze behoorden, maar ze zaten waarschijnlijk bij de hulptroepen, want ze krijgen beiden een lager *stipendium* dan een legionair. De munteenheid is de drachme, in waarde waarschijnlijk gelijk aan een sestertie. Hieruit wordt doorgaans afgeleid dat ze standaard een *stipendium* van 250 sestertiën krijgen (of 62,5 *denarii*), maar daarvan wordt een bijdrage van 2,5 sestertiën afgetrokken voor de kosten van het omwisselen in drachmen. Dit zijn de financiën van de eerste man:

Tijdens het consulaat van Lucius Asinius (81 n.C.) heeft QUINTUS JULIUS PROCULUS uit DAMASCUS de eerste salaristermijn van het derde jaar van de keizer ontvangen, te weten 247,5 drachmen. Inhoudingen:

hooi	10 drachmen
voor eten	80 drachmen
schoeisel en riemen (wellicht kousen)	12 drachmen
Saturnalia in het kamp	20 drachmen
?	60 drachmen
kosten =	182 drachmen
bijgeschreven op zijn rekening	65,5 drachmen
saldo op rekening	136 drachmen
totaal	201,5 drachmen

Ontvangen de tweede salaristermijn van datzelfde jaar, 247,5 drachmen.
Inhoudingen:

hooi	10 drachmen
voor eten	80 drachmen
schoeisel en riemen (wellicht kousen)	12 drachmen
voor de standaarden	4 drachmen
kosten =	106 drachmen
bijgeschreven op zijn rekening	141,5 drachmen
saldo op rekening	201,5 drachmen
totaal	343 drachmen

Ontvangen de derde salaristermijn van datzelfde jaar, 247,5 drachmen.
Inhoudingen:

hooi	10 drachmen
voor eten	80 drachmen
schoeisel en riemen (wellicht kousen)	12 drachmen
voor kleding	145,5 drachmen
kosten =	247,5 drachmen
bijgeschreven op zijn rekening	343 drachmen

De afrekening van de andere man lijkt hierop, maar bij hem worden van het eerste *stipendium* nog eens 100 drachmen ingehouden voor kleren, en zijn beginsaldo was lager, zodat hij uiteindelijk maar 188 drachmen heeft gespaard. De overige posten zijn vrijwel hetzelfde, wat erop wijst dat de bedragen, zoals 80 drachmen per *stipendium* voor voedsel, standaard waren en bij alle soldaten werden ingehouden. Het is niet duidelijk waarom deze mannen ook voor hooi moesten betalen, want ze zaten waarschijnlijk niet bij de cavalerie. Misschien werd het gebruikt om op te slapen, in een soort stromatras, of was het bestemd voor de pakezel van het *contubernium*. Voor beide mannen werden 145,5 drachmen ingehouden van het derde *stipendium*, wat kan betekenen dat bepaalde zaken jaarlijks werden uitgedeeld omdat ze in de tussentijd versleten waren.

In Massada in Judea werd een vergelijkbaar document gevonden met de financiën van een soldaat die deel uitmaakte van een garnizoen in een veroverd fort. Deze man, Gaius Messius, was Romeins staatsburger en diende hoogstwaarschijnlijk in Legio X Fretensis. In zijn geval worden de posten in *denarii* genoteerd, waarvan er 20 werden ingehouden voor voedsel (het equivalent van 80 drachmen, wat ook wijst op een standaardbedrag). Op deze lijst staan waarschijnlijk ook enkele aankopen vermeld – een mantel en een witte tunica – van anderen die met name genoemd worden; waarschijnlijk medesoldaten. Deze man betaalde ook voor gerst, waardoor sommigen denken dat we hier met een cavalerist bij een legioen te maken hebben, maar het kan ook een ander woord zijn voor het 'hooi' in de Egyptische papyrustekst. Opvallend is zijn salaris, dat 50 *denarii* bedraagt in de eerste termijn, 60 in de tweede. Uitleggers menen onder meer dat het hier om de som van de inhoudingen gaat of dat er eerder iets is ingehouden voordat de *signifer* van de eenheid tot uitkeren overging. Beide veronderstellingen zijn aannemelijk; in ieder geval is zo'n discrepantie een waarschuwing niet te snel conclusies te trekken over de betalingen op basis van zo weinig specifiek bronnenmateriaal.

Domitianus verbood zijn soldaten meer dan 250 *denarii* op te potten in de schatkist van de eenheid, nadat een provinciegouverneur met dat geld geprobeerd had een opstand te bekostigen. Uit andere papyrusteksten weten we dat het voor sommigen mogelijk was zo'n bedrag en zelfs grotere bedragen te sparen. Het lijkt er dus op dat die restrictie niet lang geldig is geweest.

Donaties

Augustus liet bij zijn overlijden 250 *denarii* na aan iedere pretoriaan, 125 aan de soldaten in de hoofdstedelijke cohorten en 75 aan de legionairs en de leden van de *cohortes civium Romanorum* (de eenheden met slaven die na de crises van 6 en 9 n.C. waren bevrijd). De keizers na hem namen deze gewoonte over. Flinke donaties bij een bijzondere gelegenheid of ter ere van een troonsbestijging kwamen ook voor. Het was van levensbelang dat de pretorianen loyaal bleven. Vandaar dat zij altijd veel meer geld kregen dan alle anderen in het leger. Claudius had zijn troon volledig aan hun steun te danken en schonk iedere wacht daarom een bedrag van 3750 *denarii*. In de tweede helft van de tweede eeuw n.C. gaven Marcus Aurelius en Lucius Verus elk lid van de Praetoriaanse garde 5000 *denarii* ter ere van hun gedeelde heerschappij. Ook de donaties aan legionairs stegen in waarde, maar dan iets minder snel. Voor de hulptroepen lijkt dit tot in de late oudheid niet weggelegd te zijn geweest.

Onderscheidingen

Niet alle beloningen die een soldaat kon krijgen waren in klinkende munt. Volgens Polybius was een van de belangrijkste succesfactoren van het Romeinse leger dat het moedige soldaten gepaste eer betoonde. Een veldtocht werd afgesloten met een parade waarbij de generaal de troepen toesprak en degenen naar voren riep die bijzondere moed betoond hadden. Zij werden allereerst geprezen voor hun dappere optreden en vervolgens voor hun overige uitmuntende gedrag, waarna ze geschenken ontvingen. Josephus beschrijft hoe Titus een dergelijke parade afneemt na de val van Jeruzalem in 70 n.C.:

‘Hij riep hen een voor een naar voren en prees hen voor het front van de troepen met een uitbundigheid alsof het om zijn eigen persoonlijke successen ging. Hij bekranste hen met gouden kransen en overhandigde hen gouden halskettingen en kleine gouden lansen en zilveren veldtekens, en ieder van hen werd in rang bevorderd. Bovendien kregen zij een aandeel uit de oorlogsbuit: zilver, goud, gewaden en andere zaken.’
De Joodse Oorlog, VII.3.14-15

Josephus noemt hier enkele van de meest voorkomende onderscheidingen (*dona*), zoals de miniatuurspeer met botte punt (*hasta pura*), de miniatuurstandaard (*vexillum*) en een om de hals gedragen torc. Kleinere medailles in de vorm van een torc en decoratieve schijven (*armillae*) werden op het lichaamspantser gedragen, en er waren armbanden (*armillae*) voor om de pols. Kronen in verschillende soorten vormden de belangrijkste onderscheidingen. De oudste en meest verheven was de burgerkroon (*corona civica*), die iemand kreeg wanneer hij een medeburger het leven had gered. Traditie was dat diegene moest onderkennen dat hij bij zijn kameraad in het krijt stond en een krans van eikenbladeren voor hem moest maken. De blokkadekroon (*corona obsidionalis*) van gevlochten gras werd slechts bij bijzondere gelegenheden toegekend aan wie een belegerd garnizoen had bevrijd. De andere kronen waren van goud, zoals de muurkroon (*corona muralis*) en de walkroon (*corona vallaris*) voor wie als eerste over respectievelijk de muur of verdedigingswal was bij een belegering.

De grafsteen uit de eerste eeuw na Christus van Gnaeus Musius, *aquilifer* (adelaardrager) van Legio XIV Gemina. Hij draagt een harnas dat versierd is met een groot aantal *dona*, inclusief *phalerae* en torcs.

Een charge op een vesting van de vijand aanvoeren was zeer gevaarlijk, maar kon iemand ook veel roem bezorgen. Na de inname van Cartagena in 209 v.C. moest Scipio Africanus bemiddelen tussen de vloot en de legioenen, waarbij beide kampen beweerden dat een van hun mannen als eerste over de muur was gekomen. Uiteindelijk gaf hij beiden een kroon.

Postume onderscheidingen kwamen bij de Romeinen vrijwel niet voor, al lijkt Caesar een van zijn centurio's die in 48 v.C. bij Pharsalus sneuvelde te hebben gelauwerd. Een soldaat hoorde een tastbare onderscheiding in levenden lijve te aanvaarden. Het zal onvermijdelijk zijn geweest dat officieren vaker om hun moed werden geprezen. Gedurende het principaat werden hogergeplaatste officieren, zoals tribunen en legaten, geregeld onderscheiden, wat doet vermoeden dat deze decoraties automatisch werden toegekend en dat er geen uitzonderlijke prestatie aan voorafging.

Bij Jeruzalem kregen de soldaten hun onderscheidingen en kregen ze bovendien een hogere rang en een groter aandeel in de buit. Die tastbare beloningen waren ongetwijfeld zeer belangrijk, maar we moeten niet onderschatten hoeveel gevoelsmatige waarde men aan de medailles zelf hechtte. Ze waren een teken dat een soldaat moed had getoond en waardering en bewondering van zijn kameraden genoot. In 47 v.C., tijdens de burgeroorlog tussen Caesar en zijn vijanden, weigerde generaal Metellus Scipio aanvankelijk de gouden *armillae* toe te kennen aan een voormalige slaaf. De directe commandant van deze soldaat, Labienus, bood aan hem in plaats daarvan in gouden munten te belonen. De soldaat wees de geste af, waarna Metellus zijn hand over het hart streek en de man een veel minder waardevolle zilveren *armilla* gaf, waar de soldaat dolblij mee was. *Dona* waren belangrijk, en ze worden dan ook vaak genoemd en geregeld afgebeeld op de grafstenen van de dragers. De keizers begrepen ook wel hoeveel waarde aan deze onderscheidingen werd gehecht, en ze zorgden er daarom voor dat hun naam eraan verbonden was, om zich zo te verzekeren van de loyaliteit van het leger.

Aan het einde van de eerste eeuw n.C. werden er bij de hulptroepen zelden of nooit decoraties aan gewone soldaten gegeven, maar wel aan de officieren. Bijzonder moedig optreden werd wel beloond, maar dan door eerbetoon aan de hele eenheid. Soms kregen de soldaten het Romeinse burgerrecht voordat ze uit dienst gingen, zoals bij Cohors I Brittonum milliaria na actieve dienst in de Dacische Oorlogen van Trajanus. Dergelijke eenheden behielden doorgaans de toevoeging *civium Romanorum* (van Romeinse burgers), zelfs al was iedereen die deze titel verdiend had inmiddels al uit dienst. Het kwam ook voor dat persoonlijke onderscheidingen doorklonken in de namen van *auxilia*, bijvoorbeeld bij toevoegingen als *torquata* of *bis torquata*, *amillata* of *coram laudata* (meestal afgekort als C.L.). De hierboven genoemde eenheid van Britten had een lange reeks titels verzameld en heette uiteindelijk Cohors I Brittonum milliaria Ulpia torquata p.f. (pia fidelis) c.R. (civium Romanorum).

Voedsel en rantsoenen

De grootste zorg voor een commandant van een leger op mars was hoe hij zijn manschappen voldoende te eten kon geven. Zelfs in vredestijd was het bevoorraden van het leger in garnizoen een flinke klus. Eerder zagen we al dat er standaard een bijdrage in de kosten voor levensonderhoud werd ingehouden op het salaris van een soldaat. Voor moreel, gezondheid en daadkracht van het leger was het belangrijk dat de juiste rantsoenen ook werkelijk werden uitgedeeld. Uit tekstbronnen kunnen we afleiden dat het menu vooral bestond uit graan (meestal tarwe), vlees (vooral spek), kaas, zure wijn (*acetum*) – dus niet gewone 'zoete' – en vaak groente, vooral linzen.

Het rantsoen werd grotendeels onbereid uitgedeeld, want iets als een keuken of gezamenlijke kantine in een modern leger was er niet. De soldaten ontvingen hun portie en bereidden de maaltijd met hun *contubernium*. Daarvoor gebruikten ze de ovens die in de vestingmuur waren uitgespaard of zich in de barakken bevonden. Het leger at twee hoofdmaaltijden per dag, het ontbijt (*prandium*) 's morgens vroeg en het avondeten (*cena*) aan het eind van de dag. Meestal kregen de soldaten hun graan in onverwerkte vorm; soms werd er op veldtochten een soort scheepsbeschuit van gebakken (*bucellatum*), die ze vervolgens tot meel vermaalden. Keizer Caracalla wilde tijdens veldtochten net zo leven als de gewone soldaten, en schijnt een handmolen te hebben gehad waarmee hij zijn rantsoen graan maalde. Op sommige militaire vindplaatsen zijn molenstenen aangetroffen. Het tot bloem gemalen meel werd vervolgens gebakken tot volkorenbrood (*panis militaris*). In de legioensvesting bij Caerleon werd een broodvorm gevonden waaruit blijkt dat een bakker met twee knechten de taak had de broden voor de centurie in de ovens te bakken. Er schijnt ook brood van fijnere kwaliteit te zijn geweest, misschien bestemd voor de officieren. Van het graan kon ook pap of soep worden gemaakt, soep met vlees en groente bijvoorbeeld, of een pastasoort zoals we die uit Pompeï kennen.

Een hardnekkig fabeltje is dat de Romeinse soldaten vegetariër waren. Die misvatting berust voor het grootste deel op een verkeerde interpretatie van enkele teksten van een geschiedschrijver die schrijft over soldaten die tegen hun zin vrijwel alleen vlees voorgeschoteld krijgen. Het is echter duidelijk dat een evenwichtig en gevarieerd dieet waar mogelijk de voorkeur had. In tekstbronnen worden spek en varkensvlees vaak genoemd; de Italiaanse burgers aten dat vaak. Wat opvalt is dat bij opgravingen veel meer varkensbeenderen worden gevonden in legioensvestingen dan in forten van de *auxilia*, vooral in Noord-Europa, wat kan betekenen dat soldaten uit de burgerij liever varkensvlees aten. Dit komt vooral voor in oudere legioensbases, zoals in het Nederlandse Nijmegen, dat onder Augustus bezet werd, toen de legioenen evenveel vlees consumeerden als de Italianen. Daarna daalt het percentage varkensbeenderen op de vindplaatsen van legioenen, waarschijnlijk doordat er steeds minder Italianen dienstnamen. Het percentage zakt echter niet onder de twintig, en bij de bovenloop van de Donau blijft het een stuk hoger.

In plaats van varkensvlees lijken de legionairs aardig wat rundvlees te hebben geconsumeerd. Rundvee leverde niet alleen vlees, maar ook leer, en daaraan had het leger grote behoefte, vooral voor de tenten. Ook bij *auxilia*-forten worden runderbeenderen gevonden, waaruit kan worden afgeleid dat ook daar de consumptie groot was, maar het aandeel schapen- en geitenbotten is er veel hoger dan bij de legioensbases. Dit kan een kwestie van voorkeur zijn geweest, maar ook van verkrijgbaarheid. In Engeland aten de bewoners van de dorpen en boerderijen die sinds de ijzertijd, vóór de Romeinen, weinig veranderd waren qua eetgewoontes, nog steeds voornamelijk geiten- en schapenvlees. In de veel meer geromaniseerde grote steden en buitenverblijven at men wel veel vaker rundvlees. De *auxilia*-forten bevonden zich doorgaans in de minder ontwikkelde gebieden; daar aten ze vaak hetzelfde vlees als hun omwonenden, maar dan meestal wel in grotere hoeveelheden. Varkens zijn bovendien veel lastiger over langere afstanden te vervoeren dan koeien en schapen. Ook dat kan ertoe hebben bijgedragen dat de meer centraal gelegen legioensbases gemakkelijker over varkensvlees konden beschikken.

Een tafereel op de Zuil van Trajanus met daarop een rij Romeinse kleine forten en uitkijktorens langs de Donau. Links zijn twee auxilia-soldaten bezig een boot uit te laden. In de oude wereld was het meestal veel gemakkelijker om grote pakketten over water dan over land te vervoeren.

De rantsoenen die het leger verstrekte lijken over het algemeen toereikend te zijn geweest, al was het eten niet zo gevarieerd. De soldaten zullen ongetwijfeld zelf extra eten en drinken hebben gekocht. In de correspondentie van Romeinse soldaten gaat het vaak over eten. Een document uit Vindolanda lijkt melding te maken van ondernemende burgers die zowel graan als brood leveren aan eenheden en particulieren, in het leger en daarbuiten. Brieven van Egyptische soldaten aan familieleden bevatten vaak verzoeken om extra eten te sturen. Voedsel is het belangrijkste onderwerp op de vele *ostraka*, potscherven met berichten erop, afkomstig uit de eerste eeuw uit het nogal afgelegen garnizoen bij Wadi Fawakhir, langs de route van Coptos naar de Rode Zee. Ze vermelden brood, gerst, olie, allerlei groenten zoals ui, radijs en kool, zoute vis, wijn en vlees. Uiteraard waren officieren die meer betaald kregen in staat wat meer luxegoederen te kopen, van oesters en sauzen tot goede wijnen. Sommige tabletten uit Vindolanda geven een beeld van het huishouden van een hogergeplaatste officier, al zullen het slaven zijn geweest die de benodigde producten hebben gekocht. De slaaf Severus schreef bijvoorbeeld een boodschappenlijst aan Candidus, de slaaf van prefect Genialis, waarop onder meer radijs stond. Een andere brief, waarschijnlijk ook van slaaf tot slaaf, bevatte de opdracht aankopen te doen voor een omvangrijke huishouding, waaronder 'bonen, twee *modii* [17,5 liter], kippen, twintig, honderd appels, mooie als je die kunt vinden, honderd of tweehonderd eieren, als ze voor een gunstige prijs gaan [...] 8 *sextarii* [4,4 liter] vissaus [...] een *modius* olijven [...]'.

Een aanvulling op het rantsoen kon niet alleen worden gekocht, ook jagen kwam veel voor. In de noordelijke provincies werd vooral gejaagd op edelhert, ree en elanden, voor de keuken en als sport. Germania had betere jachtgronden dan Britannia, want uit vondsten van beenderen blijkt dat er op verschillende dieren werd gejaagd, zoals beren, wolven en oerossen, die in deze streken tegenwoordig zijn uitgestorven. Er werd ook gevist, getuige de graten en vishaken die op verschillende vindplaatsen zijn aangetroffen.

In Vindolanda wordt op verschillende plaatsen over bier (*cervesa*) gesproken. Dat zou goed tot het basisrantsoen behoord kunnen hebben. Er zijn aanwijzingen dat de soldaten in Caerleon bier brouwden. Bier werd waarschijnlijk veel gedronken, zeker in de provincies in het noorden en westen. Wat de soldaten aten en dronken kan per streek en periode hebben verschild, maar die variaties zijn moeilijk vast te stellen. Wellicht waren bepaalde etenswaren verboden voor soldaten uit sommige volken. In het garnizoen bij Bearsden langs de Muur van Antoninus werd weinig vlees gegeten, maar we weten niet wie deze soldaten waren en waarom dit zo was.

Naast de zorg voor de soldaten droeg het leger ook de verantwoording voor de vele rij- en lastdieren die men hield. In een document uit het eind van de eerste eeuw n.C. staat hoeveel tarwe en gerst alle zestien *turmae* van een cavalerie-*ala* krijgen; de tarwe was voor de soldaten, de gerst voor hun paarden. Het leger had enorme hoeveelheden graan en vlees nodig, wat het op allerlei manieren bekostigde. Een daarvan was het heffen van belastingen. Het was niet altijd mogelijk alle benodigde voorraden in de regio te krijgen; een eenheid moest vrijwel altijd grote hoeveelheden graan en andere waren van ver halen. In de tweede en de derde eeuw werden daarom grote opslagplaatsen, die doorgaans vooral uit vele rijen graanschuren bestonden, gebouwd in de buurt van havens en bevaarbare rivieren. De basis Arbeia (nu de Engelse kustplaats South Shields) bij de monding van de rivier de Tyne is daarvan een voorbeeld. Vandaar werd het graan gedistribueerd naar de verschillende eenheden.

Gezondheid en medische voorzieningen

Voor een goed opererend leger was het van groot belang dat de soldaten gezond en fit bleven. Vandaar dat voor Romeinse bases en tijdelijke kampen zo veel mogelijk een gezonde omgeving werd gezocht. Ze hadden er badhuizen waar de soldaten zich konden wassen, terwijl riolen en latrines voor een redelijke hygiëne moesten zorgen. De latrines van het kamp in het Noord-Engelse Housesteads zijn bijzonder goed bewaard gebleven. Men zat op een houten zitting boven een stenen toilet waardoor stromend water liep dat het afval voortdurend wegspoelde. In andere goten met stromend water konden de sponzen uitgespoeld worden die de Romeinen gebruikten in plaats van toiletpapier.

Diverse Romeinse medische instrumenten. Sommige legerartsen waren zeer vakkundig voor die tijd, en het Medisch Handboek van Celsus bevat veel informatie over de behandeling van wonden. Soldaten ontvingen betere medische zorg dan beschikbaar was voor de armere klassen van de burgerbevolking.

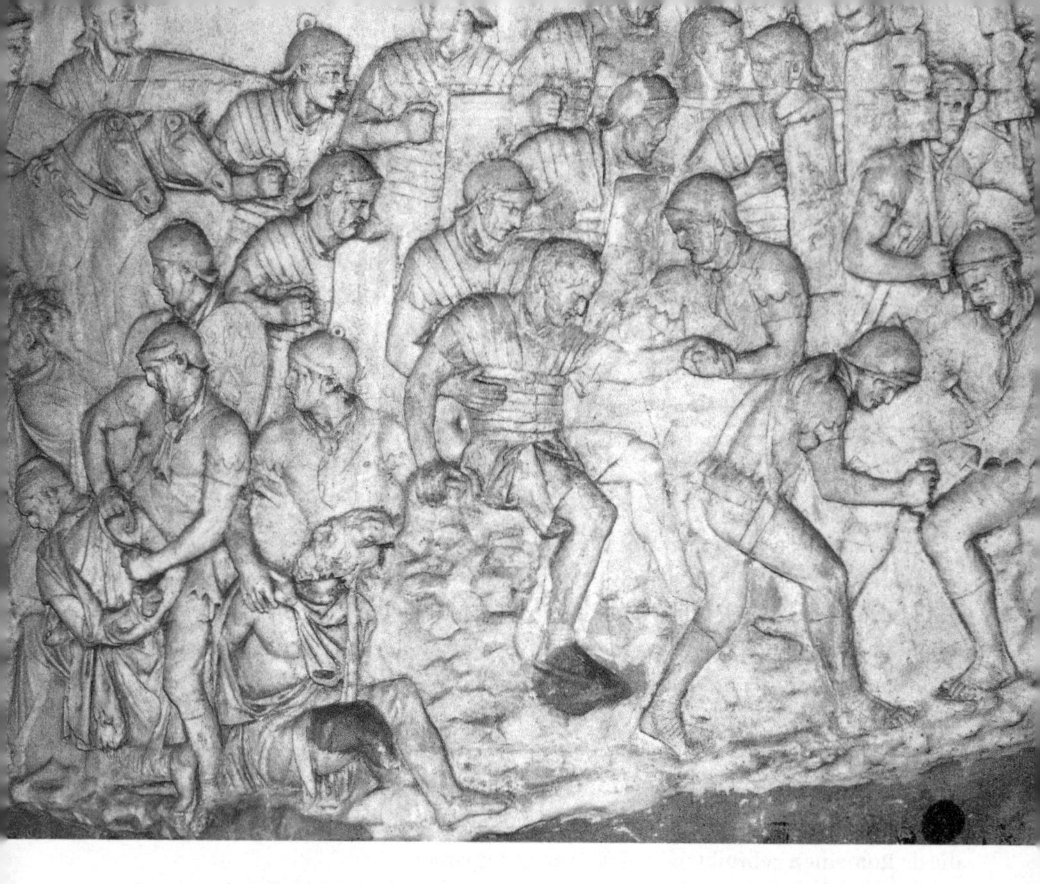

In een van de oorlogsscènes op de Zuil van Trajanus laten een legionair en een auxilia-soldaat hun wonden behandelen door hospitaalsoldaten.

Bij sommige tijdelijke kampen bevond zich een flink veldhospitaal, meestal van tenten, in een vierkant opgesteld om een binnenplaats. Deze indeling werd later grotendeels overgenomen toen er permanente forten gebouwd werden. Zelfs als er geen grote veldtochten werden gehouden, schijnen deze veldhospitalen in gebruik te zijn geweest. Een aanwezigheidsverslag uit 90 n.C. van Cohors I Tungrorum, dat gelegerd was in Vindolanda, vermeldt dat 31 mannen geen dienst kunnen doen. Vijftien zijn er ziek, zes gewond, en tien lijden aan een oogontsteking. Dat is bijna twaalf procent van de 265 manschappen die zich in deze basis bevonden, iets meer dan vier procent van de hele eenheid. Ook in andere verslagen wordt het aantal zieken en gewonden vermeld. In een van de brieven die de legionair Claudius Terentianus aan zijn vader schrijft, verontschuldigt hij zich. Hij kon zijn vader niet ontmoeten, want 'ik was zo vreselijk ziek van een hevige voedselvergiftiging na het eten van vis dat ik vijf dagen lang niet in staat was een brief te schrijven, laat staan naar u toe te komen. Niemand van ons kon het kamp verlaten.' Nadat hij was opgeknapt, schijnt hij gewond te zijn geraakt tijdens een opstand in Alexandria, waardoor hij wéér in het hospitaal terechtkwam.

Er was veel medisch personeel dat ten dienste stond van de legioenen. De arts (*medicus*) was de belangrijkste; ten minste een deel van de artsen bezat de rang van centurio (*medicus ordinarius*). Een behoorlijk aantal van hen schijnt afkomstig te zijn geweest uit de hellenistische provincies, en van hen was in ieder geval een deel hoogopgeleid. De grote medicus Galenius schrijft bewonderend over een remedie tegen hoofdpijn die de legerarts Antigonus had ontwikkeld en over een oogzalf van allerlei ingrediënten, waaronder kwiksulfaat, van de hand van de ogendokter bij de Britse vloot (*classis Britannica*), Axius. Weer een andere legerarts, Pedanius Dioscurides, had de *Materia Medica* geschreven, die lange tijd in gebruik was en door Galenius werd aangehaald. Dit was duidelijk het puikje van de zalm van de legerartsen; de doorsnee-medicus zal hun niveau bij lange na niet gehaald hebben, al valt het Celsus, een andere medische auteur, op dat zij net als de chirurgen van de gladiatorenscholen veel meer kansen krijgen om de anatomie te bestuderen dan hun burgercollega's.

Onder de *medici* vielen allerlei andere werknemers, zoals de *optio valetudinarii*, die het beheer over het hospitaal voerde. De *capsarii*, vernoemd naar de ronde verbanddoos (*capsa*), boden basisverzorging. Celsus beschrijft in zijn handboek in detail hoe verschillende wonden behandeld moeten worden. Zijn behandelingen zijn zo geavanceerd dat ze bijna niet onderdoen voor wat nog maar een paar eeuwen geleden werd toegepast. Er zijn ook enkele chirurgische instrumenten bewaard gebleven, waaruit we opmaken dat er vrij gecompliceerde operaties werden uitgevoerd. Het leger bood medische zorg op een niveau dat voor de gewone burgers niet was weggelegd.

Discipline en straffen

De discipline en tucht in het Romeinse leger waren altijd al strikt, zelfs toen de legioenen nog bestonden uit bemiddelde burgers die werden gemotiveerd door hun trouw aan de staat. Zo mogelijk werden de straffen nog wreder toen het beroepsleger ontstond. Vanaf het allereerste moment dat een nieuwe rekruut aan zijn training begon, kreeg hij te horen hoe een soldaat zich hoorde te gedragen. Wie zich daarin schikte werd beloond; wie dat niet deed kreeg straf. In het *Strategikon*, een Byzantijns militair handboek dat dateert van lang na de periode die dit boek beslaat, staan nog Latijnse commando's voor de exercitiemeester die sinds het principaat waarschijnlijk wezenlijk gelijk gebleven zijn. Hieruit blijkt dat voortdurend tot stilte en strikte discipline wordt gemaand. De *optiones* die de achterhoede volgden, droegen lange stokken om een tik te kunnen uitdelen aan wie uit de pas liep of iets zei. Centurio's maakten geregeld gebruik van de *vitis*, hun staf, die was gemaakt van een wijnrank, met striemen op soldatenruggen als gevolg. Lijfstraffen werden blijkbaar volledig willekeurig door de officieren uitgedeeld, zodat de drilsergeants vaak de eerste slachtoffers vormden bij een opstand. Tacitus schrijft dat tijdens de muiterij bij de legioenen aan de Rijn in 14 n.C. een centurio werd gelyncht met de bijnaam 'Geef me er nog een!' (*cedo alteram*), omdat hij vaak zijn staf brak op de rug van een legionair en dan riep dat hij een nieuwe moest hebben om verder te kunnen gaan.

Op een aantal vergrijpen stond de doodstraf, waarvoor waarschijnlijk wel instemming van een of meer officieren nodig was. Bijvoorbeeld op slapen tijdens de wacht (een bekend trucje onder soldaten was je hoge schild rechtop zetten en stutten met je *pilum*, zodat je erop kon leunen om een dutje te doen en toch bleef staan). Tijdens de republiek voltrokken de kameraden de straf door de wacht, die tenslotte hun leven in gevaar had gebracht, dood te knuppelen. Wie tijdens de strijd het slagveld ontvluchtte werd gekruisigd of voor de wilde dieren gegooid, straffen die normaal gesproken alleen voor de laagste geledederen van de maatschappij waren gereserveerd en niet aan burgers werden opgelegd. Een van de bekendste straffen is waarschijnlijk het decimeren. Wanneer een eenheid van het slagveld was gevlucht, een schande, werd een tiende deel na loting geëxecuteerd. De overige negentig procent kreeg een meer symbolische straf: ze moesten hun tenten voor de nacht buiten de verdedigingsmuur van het kamp opzetten en kregen gerst in plaats van tarwe. Deze publieke vernederingen werden hoog opgenomen; vergelijkbaar met het belang dat men hechtte aan onderscheidingen, die iemand status als krijger verleenden. Van Augustus wordt gezegd dat hij niet alleen soldaten, maar zelfs centurio's strafte door hen de hele dag lang de wacht te laten houden voor zijn tent, slechts gekleed in een tunica, zonder riem en met een paal of klomp aarde in de hand.

Soldaten konden geen bezwaar maken tegen welke straf dan ook. In de vierde eeuw n.C. schreef soldaat en historicus Ammianus Marcellinus dan ook dat het ontlopen van een straf de voornaamste aanleiding voor desertie was. Dit kan best ook voor het principaat gegolden hebben; in ieder geval weten we uit de bronnen dat desertie altijd een probleem is geweest in het beroepsleger. Veel aanvoerders van vijandelijke troepen, onder wie Jugurtha, Tacfarinas en Decebalus, schijnen de beste soldaten te hebben gerekruteerd uit Romeinse deserteurs. In de eerste eeuw n.C. executeerde Corbulo, bekend om zijn strenge discipline, steevast iedereen na de eerste keer deserteren. Doorgaans kregen alleen manschappen die voor de tweede of derde keer waren weggelopen de doodstraf. Toch hielp dat het probleem niet uit de wereld; alleen werd er binnen zijn leger naar verhouding minder gedeserteerd.

VRIJE TIJD

Huwelijk en gezin

Vanaf de regering van Augustus was het Romeinse soldaten niet toegestaan te trouwen. Was een nieuwe rekruut al getrouwd, dan werd het huwelijk onmiddellijk ontbonden verklaard. De Romeinse staat meende dat het leger niet goed kon functioneren als de soldaten gezinnen hadden. Een belangrijker reden was dat de staat liever niet de zorg voor hen op zich wilde nemen. Het verbod was meer dan twee eeuwen van kracht, totdat het door Septimius Severus werd afgeschaft, al is niet duidelijk wat zijn hervorming precies behelsde. De diensttijd duurde vijfentwintig jaar, het grootste deel van iemands volwassen leven; van soldaten kon moeilijk verwacht worden dat ze pas een vaste relatie met een vrouw aangin-

De grafsteen van de vrijgelatene Victor, die op twintigjarige leeftijd stierf, werd opgericht door zijn voormalige meester, Numerianus, een cavalerist in Ala I Asturum. De hoge kwaliteit van de grafsteen veronderstelt Numerianus' genegenheid voor zijn vrijgelatene.

gen wanneer ze uit dienst kwamen. Uit veel bronnen blijkt dan ook dat soldaten 'echtgenotes' en gezinnen hadden, relaties die beide partijen als een regulier huwelijk beschouwden. Dit was misschien altijd al gebruikelijk, maar zeker toen de legereenheden zich vestigden in meer permanente garnizoenen omstreeks het einde van de eerste en het begin van de tweede eeuw n.C. De vrouwen waren meestal afkomstig uit de provincies, en een behoorlijk aantal van hen was slavin geweest en had door het huwelijk met een soldaat de vrije status gekregen. In de tweede eeuw n.C. lees je steeds meer dat soldaten 'in het kamp' (*in castris*) zijn geboren, kinderen dus uit dergelijke verbintenissen. Op een grafsteen die buiten de vesting van Legio II Augusta bij Caerleon werd aangetroffen, staat niet alleen een vrouw vermeld, Tadia Vallaunia, maar ook haar zoon Tadius Exuperatus, die in het leger zat en gesneuveld was tijdens een veldtocht in Germania. Het grafmonument was opgericht door haar dochter, Tadia Exuperata, en vermeldt verder dat het graf van haar man zich er vlak naast bevindt. Misschien was deze man zelf ook soldaat geweest.

Deze situatie wordt stilzwijgend erkend in de formulering van de *diplomata* die *auxilia*-soldaten na vijfentwintig jaar aan het einde van hun diensttijd krijgen uitgereikt. Dit document verleent het Romeinse burgerrecht niet alleen aan de soldaat zelf, maar ook aan zijn vrouw en kinderen of aan een toekomstige vrouw (maar slechts één) als hij nog ongetrouwd was toen hij uit dienst ging. In sommige vroege *diplomata* worden de soldaat, zijn vrouw en kinderen met name vermeld. Vanaf het

Een steen gevonden in de buurt van de vesting bij Caerleon, ter nagedachtenis aan de vrouw van een soldaat, Tadia Vallaunius, die stierf op 65-jarige leeftijd, en aan haar zoon Tadius Excuperatus.

midden van de tweede eeuw n.C. wordt een andere formulering gebruikt, en vervalt de vermelding van het verlenen van het burgerrecht aan de kinderen.

Legioensoldaten waren al burgers en hoefden dat recht dus niet te krijgen wanneer ze uit dienst gingen. Velen van hen hadden dan al een gezin, maar de wettelijke status van hun vrouw en kinderen was verre van zeker. De vrouwen waren meestal geen burgers, maar zelfs als ze dat wel waren was het huwelijk niet rechtsgeldig, en werden de kinderen beschouwd als bastaarden, voor wie het burgerrecht niet was weggelegd. Erven was voor de gezinnen vaak lastig. De wettelijke status van een soldaat was in veel opzichten uitzonderlijk. Hij mocht niet trouwen en kon straffen opgelegd krijgen die golden voor burgers zonder kinderen. Dit was het geval totdat Claudius soldaten vrijwaarde van deze wetten. Verscheidene keizers na hem wilden wel tegemoet komen aan de wens van soldaten die hun bezit aan hun gezinnen wilden nalaten, maar niet morrelen aan het verbod op het huwelijk. Ze deden daarom bepaalde concessies, zoals het opstellen van een testament. Normaal gesproken was dat niet toegestaan wanneer iemands vader nog in leven was, omdat hij dan formeel eigenaar was van alle bezit. Hadrianus legde dit recht vast en stond toe dat soldaten niet-burgers als erfgenamen aanwezen. Voortaan mochten zelfs de kinderen aanspraak maken op het bezit van hun vader als deze was overleden zonder een testament na te laten. Uit Egyptische papyrusteksten blijkt hoezeer deze zaken de mensen bezighielden. Zo verklaart Epimachus, zoon van Longinus, in 131 n.C. dat Longinia, het pasgeboren kind van zijn vrouw/concubine Arsus, zijn dochter is. Dergelijke officiele vaderschapsverklaringen, ten overstaan van getuigen afgelegd, vormden een bewijs van identiteit

Een Germaans monument uit de late tweede eeuw na Christus, ter nagedachtenis aan de dochter van een matroos. Hoe men ook aankeek tegen militair personeel dat een gezin stichtte, de troepen zelf namen zulke banden duidelijk erg serieus.

waarmee een kind met succes aanspraak kon maken op de erfenis van zijn of haar vader. Dat dit niet gemakkelijk ging bewijst de overgeleverde jurisprudentie. In 117 n.C. probeerde de 'weduwe' Lucia Macrina geld terug te krijgen uit de boedel van haar overleden echtgenoot via een beroep op de Egyptische prefect. Ook al erkende hij dat ze dit geld als bruidsschat had geschonken, toch besloot hij dat ze het niet mocht terugkrijgen, omdat een soldaat nu eenmaal niet mocht trouwen. Een paar jaar eerder vroeg een Romeins burger die in een *auxilia*-cohort diende en met een burgervrouw samenleefde het burgerrecht aan voor hun twee zoons. De prefect kende de jongens het burgerrecht toe, maar weigerde hen de status van wettige kinderen te geven. Een ander geval is dat van de vrouw Chrotis, die de zoon die ze met de soldaat Isodorus had wilde laten erkennen. Isodorus had de jongen als erfgenaam aangewezen zonder officiële verklaring dat hij de vader was. De prefect benadrukte ook nu weer dat kinderen van een dienstdoende soldaat niet wettig waren, maar stemde erin toe dat de jongen erfde omdat hij in Isodorus' testament stond. Kortom, de wettelijke status van een soldatengezin was op z'n minst onduidelijk en onzeker.

Ook al is bekend dat een groot deel – ongeveer de helft volgens sommige schattingen – van de soldaten vrouw en kinderen hadden, niet helemaal duidelijk is waar die gezinnen dan woonden. Traditiegetrouw wordt aangenomen dat de vrouwen en kinderen woonden in *canabae*, dorpen rondom het fort, wat zou kunnen betekenen dat getrouwde mannen een groot deel van de tijd buiten het legerkamp verbleven en wellicht ook sliepen. Er zijn echter ook aanwijzingen voor de aanwezigheid van vrouwen en kinderen, vooral gebaseerd op voorwerpen en kleding die bij opgravingen werden aangetroffen in de barakkenblokken. De gezinnen zouden dus in het kamp bij hun man en vader hebben gewoond. Naar moderne maatstaven moeten de kamers van het *contubernium* daarvoor erg krap zijn geweest en hadden de bewoners er weinig privacy, maar tot ver in de negentiende eeuw was dit bij veel Europese legers niet ongebruikelijk. Er verbleven misschien nog wel meer niet-soldaten in de legerkampen. Veel soldaten hadden persoonlijke slaven; bovendien waren er in het leger meer slaven, de zogenoemde *galearii* (of 'helmdragers'), die eenvoudige uniformen droegen en allerlei werk deden, zoals zorgen voor de bagage en de lastdieren op veldtochten.

Officiersvrouwen

Het huwelijksverbod gold niet voor hogere officieren uit de senatoren- en ruiterstand en voor centurio's van de legioenen, en waarschijnlijk ook niet voor *auxilia*-centurio's en -decurio's. Dat de officieren van de hulptroepen mochten trouwen, kan uit de volgende bronnen worden afgeleid. Tijdens het gouverneurschap van Bithynia en Pontus vraagt Plinius de Jongere met succes aan keizer Trajanus of hij het burgerschap wil toekennen aan de dochter van een *auxilia*-centurio. Uit

In deze reconstructie geven acteurs een goede impressie van de praal van de Romeinse cavalerie. De vaandeldrager draagt een helm met gezichtsmasker, maar over het algemeen dragen de mannen geen ceremonieel maar een gevechtstenue.

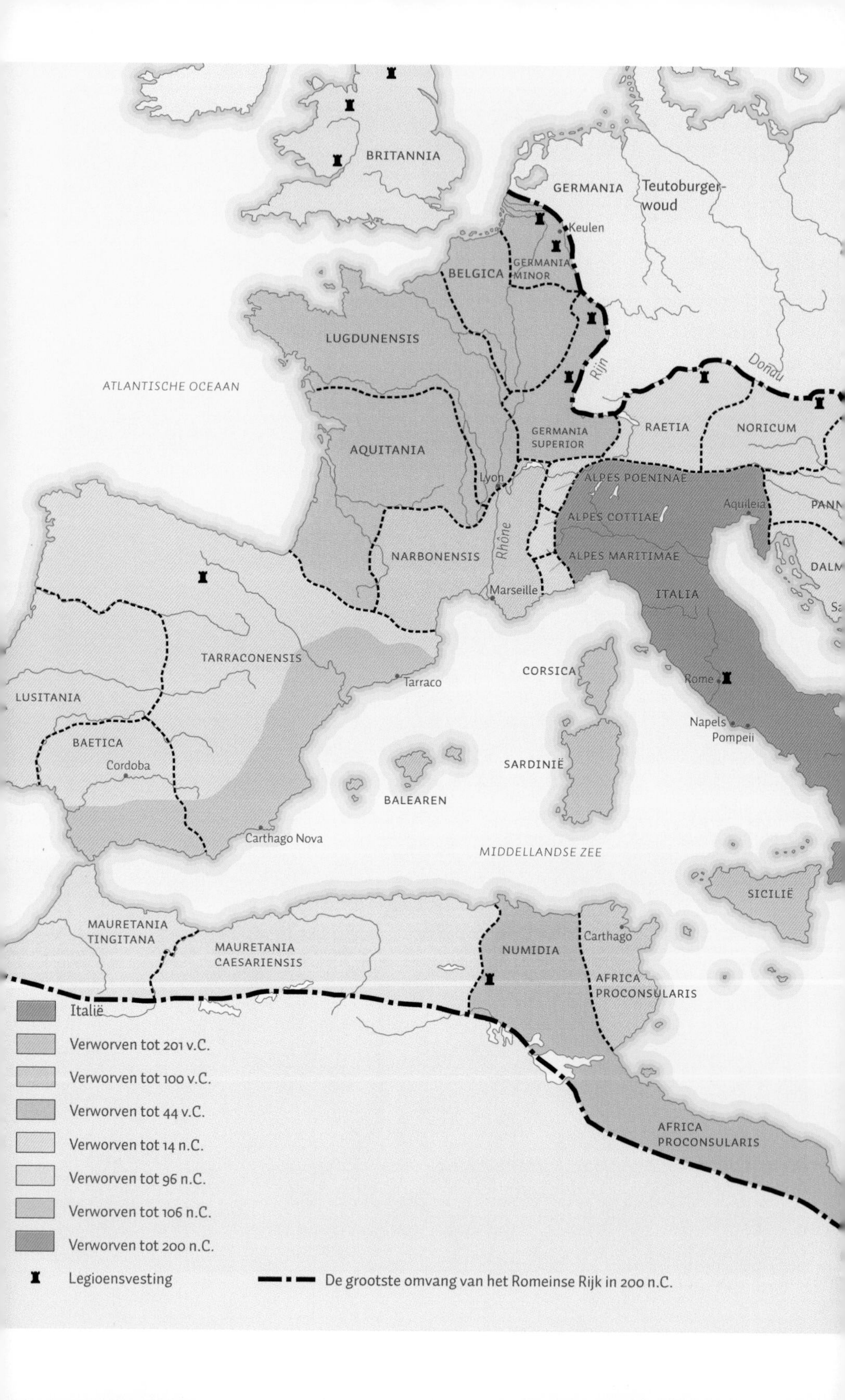

BRITANNIA
GERMANIA
Teutoburger-woud
Keulen
GERMANIA MINOR
BELGICA
LUGDUNENSIS
Rijn
Donau
ATLANTISCHE OCEAAN
AQUITANIA
GERMANIA SUPERIOR
RAETIA
NORICUM
Lyon
ALPES POENINAE
Aquileia
PANN
ALPES COTTIAE
Rhône
NARBONENSIS
ALPES MARITIMAE
DALM
Marseille
ITALIA
TARRACONENSIS
CORSICA
Tarraco
Rome
LUSITANIA
Napels
Pompeii
BAETICA
Cordoba
SARDINIË
BALEAREN
Carthago Nova
MIDDELLANDSE ZEE
SICILIË
MAURETANIA TINGITANA
MAURETANIA CAESARIENSIS
NUMIDIA
Carthago
AFRICA PROCONSULARIS
AFRICA PROCONSULARIS
Italië
Verworven tot 201 v.C.
Verworven tot 100 v.C.
Verworven tot 44 v.C.
Verworven tot 14 n.C.
Verworven tot 96 n.C.
Verworven tot 106 n.C.
Verworven tot 200 n.C.
Legioensvesting
De grootste omvang van het Romeinse Rijk in 200 n.C.

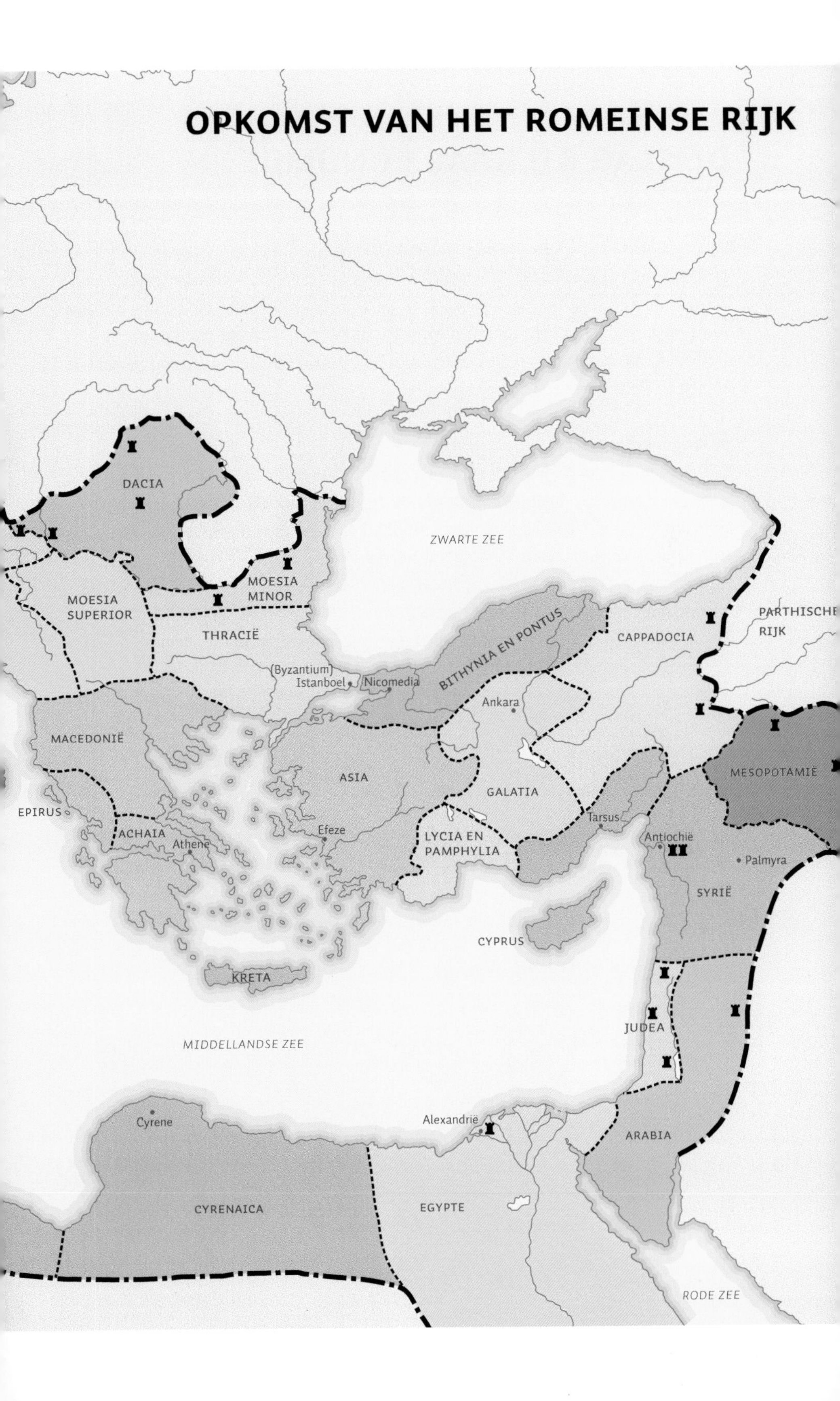
OPKOMST VAN HET ROMEINSE RIJK
DACIA
ZWARTE ZEE
MOESIA MINOR
MOESIA SUPERIOR
THRACIË
PARTHISCHE RIJK
CAPPADOCIA
BITHYNIA EN PONTUS
(Byzantium)
Istanboel
Nicomedia
Ankara
MACEDONIË
ASIA
GALATIA
MESOPOTAMIË
EPIRUS
ACHAIA
Athene
Efeze
LYCIA EN PAMPHYLIA
Tarsus
Antiochië
Palmyra
SYRIË
CYPRUS
KRETA
JUDEA
MIDDELLANDSE ZEE
Cyrene
Alexandrië
ARABIA
CYRENAICA
EGYPTE
RODE ZEE

DE SLAG BIJ KAAP ECNOMUS 256 V.C.

In 264 v.C. stuurde de Romeinse Senaat een leger naar Sicilië, waar het openlijk de strijd aanbond met het machtige handelsrijk Carthago. In de loop van de langdurige en kostbare Eerste Punische Oorlog ontwikkelden de Romeinen een vloot om de omvangrijke Punische vloot het hoofd te kunnen bieden. In 256 kwam het tot een treffen voor de kust van Sicilië, vlak bij Kaap Ecnomus, toen de Carthagers probeerden te verhinderen dat de Romeinse vloot Afrika zou binnenvallen.

De strijdmachten

1. De Romeinen: 330 galeien (meestal quinqueremen of 'vijfroeiers', plus minstens twee 'zesroeiers' en waarschijnlijke een aantal kleinere schepen). Elke quinquereem had een bemanning van 300 plus 120 soldaten, in totaal circa 140.000 man. De consuls Lucius Manlius Vulso en Marcus Atilius Regulus hadden het bevel.
2. De Carthagers: circa 350 galeien (ook zij hadden vooral 'vijfroeiers') met in totaal zo'n 150.000 man. De vloot stond onder aanvoering van Hamilcar, de hoogste commandant van de Carthaagse strijdkrachten te land en ter zee, en de aristocraat Hanno.

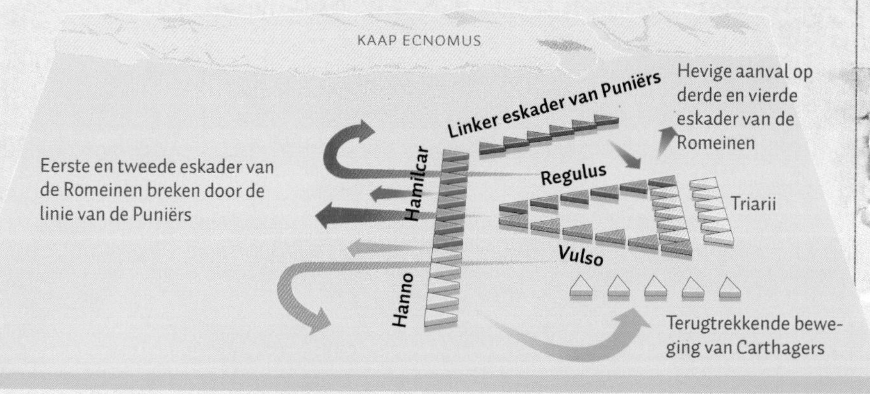

De Eerste Punische Oorlog brak uit toen zowel de Romeinen als de Carthagers zich mengden in de interne strubbelingen in Messana, Sicilië. Het schiereiland en de omringende wateren vormden het strijdtoneel.

Het gevecht

De Romeinen verdeelden de vloot in vier eskaders, de eerste twee in wigvorm, het derde daarachter met de voorraadschepen in sleeptouw en het vierde (met de bijnaam triarii) in de achterhoede. De Carthagers vormden een brede linie met een bocht naar voren vlak bij de kust. Hamilcars strategie was de Romeinse vloot op te breken in kleinere eenheden, zodat hij ze met zijn snellere en beter wendbare schepen stuk voor stuk kon uitschakelen. De consuls openden de aanval door met het eerste en tweede eskader op te trekken naar de Puniërs, die zich terugtrokken in de hoop de vijand mee te lokken. Tegen de tijd dat ze elkaar naderden hadden de andere Carthaagse schepen het derde en vierde eskader van de Romeinen omsingeld. Ondanks het succes van deze manoeuvre wisten de mannen van Hamilcar geen raad met de corvus waarmee de Romeinen hun vijanden konden enteren. Telkens wanneer een Punisch schip een Romeinse galei aanviel, lieten deze de corvus neerkomen op het dek van hun tegenstanders zodat die niet meer wegkwamen. Uit de verwarrende strijd die daarop volgde kwamen de Romeinen vrijwel elke keer als overwinnaar tevoorschijn. De consuls wisten stand te houden tot ze op het kritieke punt met de eerste twee eskaders de rest van de vloot te hulp konden schieten.

Slachtoffers

1. Bij de Romeinen: 24 schepen gezonken, maar geen veroverd.
2. Bij de Carthagers: 94 schepen verloren, waarvan 30 gezonken en 64 veroverd.

Afloop

De Romeinse vloot had de slag duidelijk gewonnen, maar was vermoeid en keerde terug naar Sicilië. Niet lang daarna voer een invasieleger naar Afrika zonder tegenstand te ondervinden.

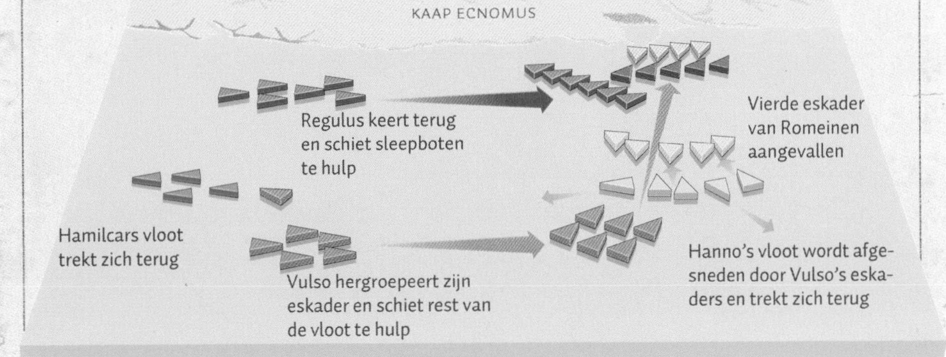

DE SLAG BIJ CANNAE
2 AUGUSTUS 216 V.C.

De Tweede Punische Oorlog, deel van een eeuwenlange strijd tussen Rome en Carthago, begon toen de Carthaagse generaal Hannibal Italië binnenviel. Hij versloeg een Romeins leger bij Trebia in 218 en het jaar daarop lukte het hem een ander leger in hinderlaag te lokken en te vernietigen bij het Trasimeense meer. In 216 mobilseerde de Romeinse Republiek een ongekend grote troepenmacht en maakte zich op voor een treffen bij Cannae.

De strijdmachten

1. De Romeinen: acht legioenen en acht alae, in totaal 80.000 infanteristen en 6.000 cavaleristen onder aanvoering van twee consuls, Lucius Aemilius Paullus en Marcus Terentius Varro.
2. De Carthagers: 40.000 infanteristen (Libiërs, Spanjaarden en Galliërs) en 10.000 Numidische, Spaanse en Gallische ruiters onder leiding van Hannibal, de zoon van Hamilcar.

Fase één

De Romeinen beseften dat de cavalerie van Hannibal groter en sterker was dan die van henzelf. Ze kozen daarom voor een open veldslag in een nauwe passage tussen de rivier de Aufidius en het hoger gelegen gebied rond de verlaten stad Cannae. De bedoeling was dat hun beide flanken zo waren beschermd tegen omtrekkende bewegingen van de cavalerie van de tegenstander. Hiervoor werd de zware infanterie in het centrum in een zeer diepe en dichte formatie opgesteld. De gebruikelijke flexibele inzet van de manipels werd hiervoor opgegeven.
Hannibals doel was de kracht van de Romeinen tegen zich te laten keren. Hij stelde zijn zware cavalerie massaal op in de linkerflank, tegenover de Romeinse ruiters. Aan de rechterkant plaatste hij zijn lichte cavalerie, van Numidiërs, en gaf hun bevel de ruiters tegenover hen zo veel mogelijk in het gevecht te betrekken. De frontlinie bestond uit Spaanse en Gallische soldaten, in het centrum

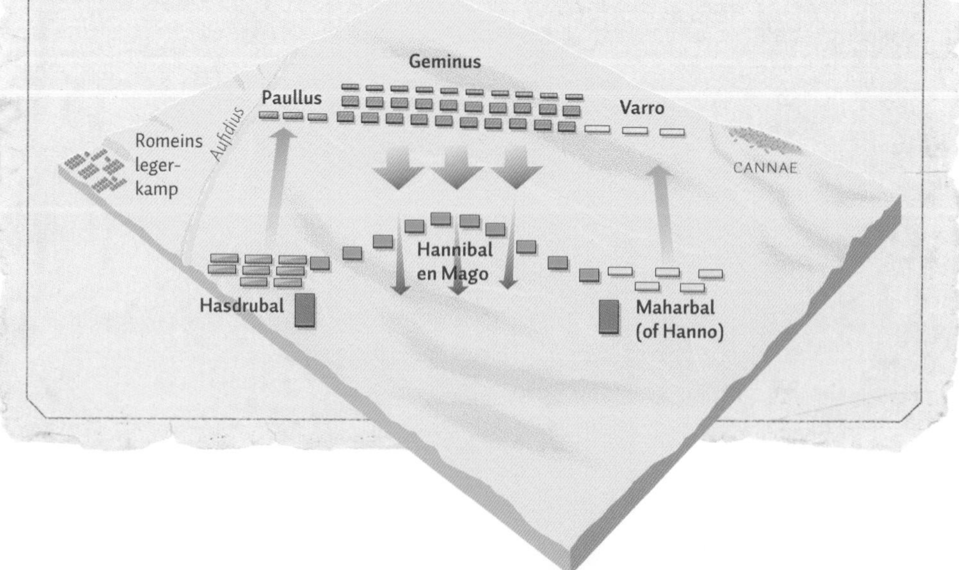

vooruitgeschoven om zo de Romeinse infanterie snel tot de aanval uit te lokken. Achter deze linie had hij aan beide flanken een eenheid Libische infanterie.

Fase twee

De strijd bleef onbeslist na aanvankelijke schermutselingen in de voorste linies. Vervolgens viel de zware cavalerie onder leiding van Hasdrubal aan en brak door de Romeinse cavalerieformatie onder leiding van Paullus. Ondertussen waren de gevechten uitgebroken tussen de Romeinse infanterie en de Spaanse en Gallische voetsoldaten. Na enige tijd werd de massale aanval te veel voor de Carthaagse infanterie. De Romeinen drongen de Carthagers terug, en stroomden als één grote, ongeordende troep het gat dat in het centrum van de linie was ontstaan binnen. Plotseling werd deze massa aan de flanken aangevallen door de Libiërs, wat de Galliërs en de Spanjaarden tijd gaf om zich te hergroeperen en weer in de strijd te voegen. De Romeinen konden geen kant meer op. In de tussentijd had Hasdrubal zijn ruiters verzameld en viel de cavalerie van Romeinse bondgenoten in de rug aan en joeg ze van het slagveld. Daarna liet hij zijn troepen omdraaien en de Romeinse voetsoldaten in de rug aanvallen. Deze waren nu volledig ingesloten en werden in een lange, bloederige strijd afgeslacht, zodat het Romeinse leger vrijwel compleet werd weggevaagd.

Slachtoffers

1. Bij de Romeinen: 45.500 infanteristen en 2.700 cavaleristen gedood, onder wie ook consul Aemilius Paullus, en circa 18.700 gevangenen.
2. Bij de Carthagers: circa 5.700-8.000 manschappen gesneuveld.

Afloop

De slag bij Cannae was een groot fiasco voor de Romienen. De meeste bondgenoten in Zuid-Italië liepen daarna over naar de vijand. Het lukte Hannibal echter niet zijn tactische overwinning om te zetten in strategisch succes op de lange termijn. De Romeinen gaven het verzet niet op en wonnen uiteindelijk de oorlog.

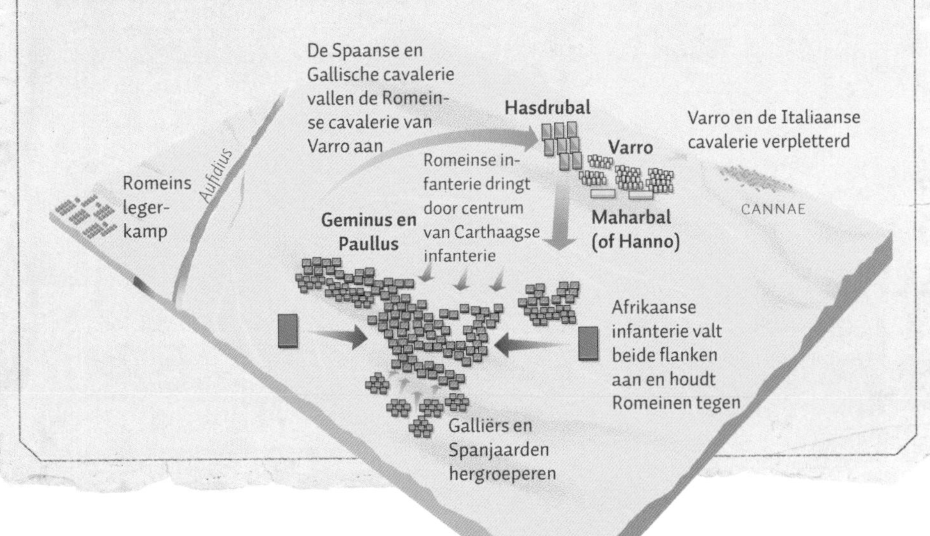

DE ROMEINEN VERSLAAN BOUDICCA 60 N.C.

In 43 n.C. viel keizer Claudius Britannia binnen. Amper een generatie later, in 60 n.C., brak de felste opstand uit die de Romeinen op dit eiland ooit te verduren kregen. De opstand werd geleid door Boudicca, de weduwe van Prasutagus, koning van de Iceni-stam (die woonden in East-Anglia, het huidige Norfolk), naar aanleiding van het brute optreden van enkele Romeinse officieren. De koningin wist een grote groep medestanders te mobiliseren uit haar eigen en naburige stammen en plunderde Camulodunum (Colchester), Verulamium (St. Albans) en Londinium (Londen) en versloeg een vexillatio van Legio IX Hispana. Toen de opstand uitbrak, was de gouverneur van de provincie, Gaius Suetonius Paulinus, op veldtocht in Noord-Wales. Hij haastte zich terug om slag te leveren met de rebellen. De locatie van de slag is niet bekend.

De strijdmachten

1. De Romeinen: vrijwel heel Legio XIV Gemina en een deel van Legio XX, beide met ondersteuning van auxilia-cavalerie en -infanterie. In totaal ongeveer 10.000 man onder leiding van legaat Suetonius Paulinus.
2. De Britten: betrouwbare gegevens over hun sterkte ontbreken, maar het was zeker een overmacht.

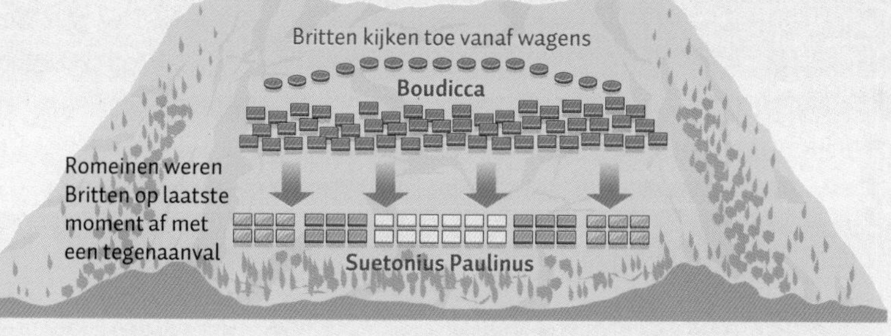

Boudicca (gestorven circa 60-61 n.C.)

De geschiedschrijver Dio Cassius omschrijft Boudicca anderhalve eeuw later als een lange vrouw met golvend rood haar, felle ogen en een schelle stem. Of ze er echt zo heeft uitgezien is de vraag; misschien is dit meer het stereotiepe beeld dat men in die tijd had van de barbaren uit het noorden. Hij schrijft verder dat ze vaak een veelkleurige jurk droeg (een Schotse ruit), een gouden torc om haar nek en een lange mantel die met een speld was vastgezet.

Een sterk geromantiseerd standbeeld uit de negentiende eeuw van Boudicca, rijdend in haar strijdwagen met zeisen.

Suetonius Paulinus wist dat hij zwaar in de minderheid was, maar zijn mannen waren beter getraind, bewapend en gedisciplineerd. Hij stelde zijn leger daarom op in defilé met een helling en bosgebied als flank- en rugdekking. De legioenen stonden in het midden, de *auxilia*-cohorten aan beide zijden en de cavalerie in de vleugels. Boudicca vertrouwde erop dat haar leger groot genoeg was en zonder geraffineerde tactiek de vijand kon verpletteren. Achter de massa krijgers bevond zich een rij wagens, vanwaar de vrouwen de strijd konden gadeslaan. De Romeinen wachtten tot de Britten optrokken, en begonnen de tegenaanval toen ze vlakbij waren. Ze versloegen de Britten na een fel gevecht en maakten veel slachtoffers.

Slachtoffers

1. Bij de Romeinen: circa 400 doden en iets meer gewonden (zo'n 8 à 10 procent).
2. Bij de Britten: wel 80.000 volgens één bron, in ieder geval waren het er veel.

Afloop

De opstand werd de kop ingedrukt, maar daarna waren nog wel acties nodig om de laatste vonken te doven. Boudicca schijnt in wanhoop gif te hebben ingenomen.

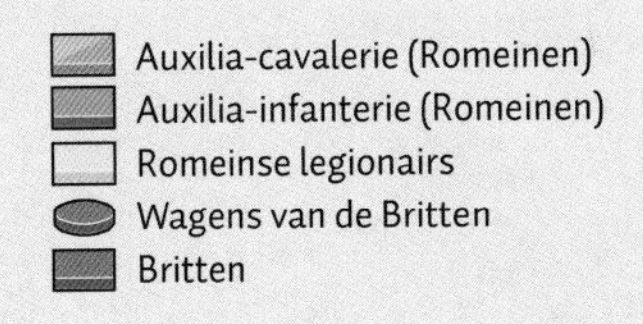

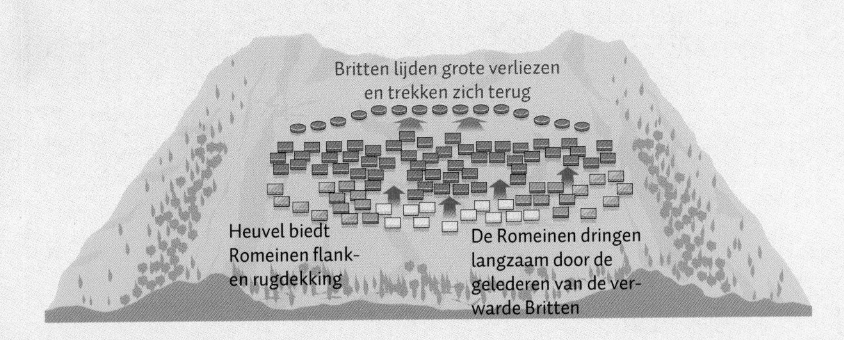

DE SLAG BIJ PHARSALUS
9 AUGUSTUS 48 V.C.

In de loop van 49 v.C. was er een burgeroorlog uitgebroken tussen Gaius Julius Caesar en zijn rivalen in de Senaat, met Pompeius de Grote aan het hoofd. Caesar had in snel tempo Italië veroverd en vervolgens de legers van Pompeius in Spanje verslagen terwijl zijn tegenstanders hun troepen mobiliseerden in Macedonia. Caesar werd aanvankelijk tegengehouden bij Dyrrachium, maar daarna kwam het tot een treffen met Pompeius bij het kleine stadje Pharsalus.

De strijdmachten

1. Caesars troepen: ongeveer acht legioenen, niet op sterkte, in totaal 22.000 man plus 1000 ruiters.
2. Pompeius troepen: elf sterke legioenen, in totaal 45.000 man plus 7000 ruiters.

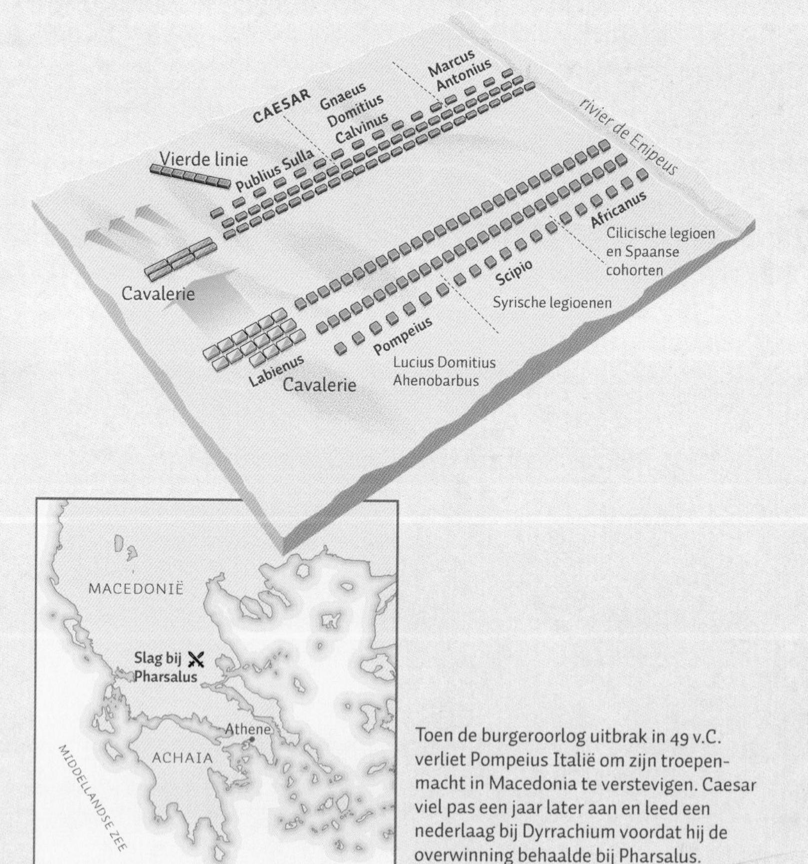

Toen de burgeroorlog uitbrak in 49 v.C. verliet Pompeius Italië om zijn troepenmacht in Macedonia te verstevigen. Caesar viel pas een jaar later aan en leed een nederlaag bij Dyrrachium voordat hij de overwinning behaalde bij Pharsalus.

Het gevecht

Caesar plaatste zijn linkerflank langs de rivier de Enipeus, vandaar dat Pompeius besloot zijn enorme cavalerie op de rechterflank van zijn tegenstander te richten. Caesar nam één cohort uit de derde linie van al zijn legioenen en stelde die in een vierde linie op, schuin achter zijn cavalerie aan de rechterkant. De cavalerie van Pompeius, aangevoerd door Labienus, viel aan en drong Caesars ruiters terug, maar raakte daarbij uit formatie. Toen Caesars vierde linie onverwacht aanviel, sloeg de achterhoede van de opgedreven ruiters op hol. Ondertussen was Caesars infanterie opgetrokken. Pompeius mannen vielen niet aan, en Caesars soldaten hielden halt en hergroepeerden zich voordat ze weer optrokken. Er ontbrandde een felle strijd. Uiteindelijk liet Caesar zijn derde linie meevechten en stuurde hij de vierde linie op de onbeschermde infanterie aan de linkerflank van de vijand af. Het leger van Pompeius bezweek en vluchtte.

Slachtoffers

1. Bij Caesar: 30 centurio's en ongeveer 200 legionairs.
2. Bij Pompeius: naar verluidt 15.000 doden en 24.000 krijgsgevangenen. Negen adelaars en 180 *signa* buitgemaakt.

Afloop

Pompeius' hoop was geknakt en hij vluchtte naar Egypte, waar hij vermoord werd. Hiermee had een einde aan de oorlog kunnen komen als Caesar niet een halfjaar zelf in Egypte was gebleven. Daar mengde hij zich in de dynastieke perikelen van Egypte en begon een verhouding met koningin Cleopatra.

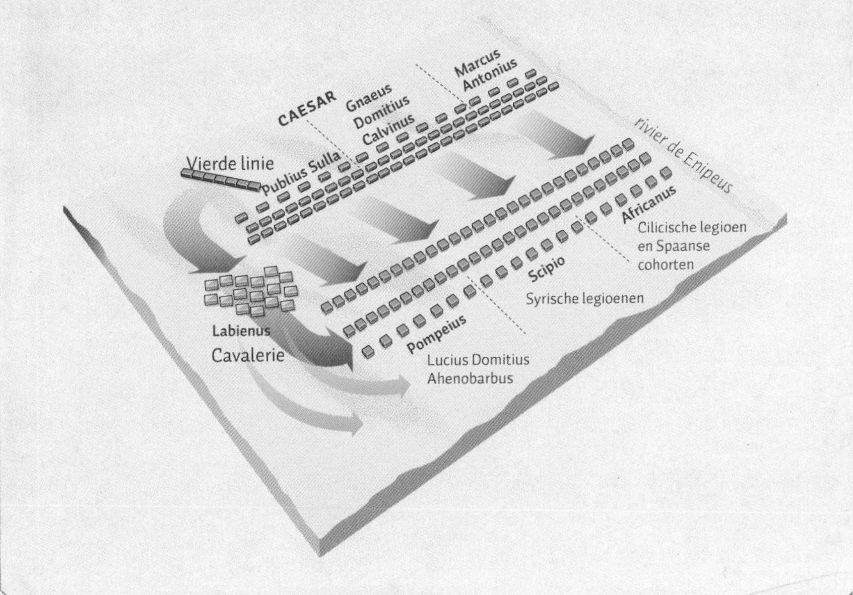

DE BELEGERING VAN MASSADA 73 N.C.

In 66 n.C. kwam de provincie Judea in opstand tegen de Romeinse overheersing. Een extremistische Joodse groepering die moordaanslagen pleegde, de Sicariërs (genoemd naar hun dolk, de *sica*), wist Massada binnen te dringen en in te nemen. Massada was een van de luxueuze toevluchtsoorden die Herodes de Grote had laten bouwen. De Joodse Opstand leek aanvankelijk te slagen, maar werd na een paar jaar hevige gevechten ten slotte neergeslagen met de bestorming van Jeruzalem in 70 n.C. Een paar bolwerken hielden het nog langer vol, waaronder de rotsvesting van Massada. In 73 n.C. trok de gouverneur van Judea, Flavius Silva, met zijn leger op naar de vesting.

De strijdmachten

1. De Romeinen: Legio X Fretensis en een onbekend aantal *auxilia*-eenheden. Zowel het legioen als de *auxilia* waren waarschijnlijk niet op sterkte na jarenlang in het veld en telden in totaal niet meer dan 5000 man.
2. De Sicariërs (vaak ten onrechte 'zeloten' genoemd): ongeveer 960 mensen, onder wie een groot aantal dat niet kon vechten, zoals ouderen, vrouwen en kinderen. Hun leider was Eleazar ben Jair, lid van een militante verzetsfamilie.

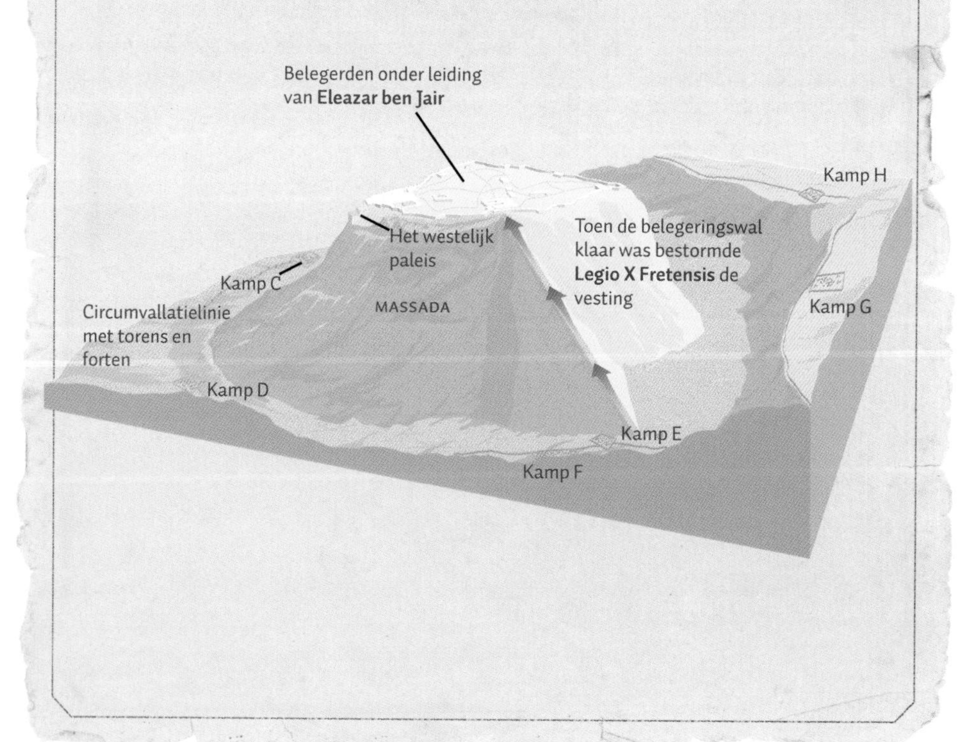

Het gevecht

Massada ligt bovenop een heuvel met steile rotswanden en is alleen bereikbaar via een moeilijk begaanbaar slingerpad aan de oostflank. Er waren veel opslagplaatsen, en zelfs een stuk waar gewassen verbouwd konden worden, en diepe cisternes die het schaarse regenwater opvingen. Er was dus voldoende voedsel en water zodat het garnizoen het een paar jaar in de vesting kon uithouden. De Romeinen beseften dat ze de vijand niet snel op de knieën kregen door ze uit te hongeren. Een aanval via het pad in het oosten had ook weinig kans van slagen, vandaar dat Silva zijn mannen een hoge belegeringswal liet opwerpen tegen de steile westelijke rotswand. De Romeinen bouwden ook een circumvallatielinie rond de vesting om uitbreken te voorkomen en de belegerden in te prenten dat ze omsingeld waren. De linie werd versterkt met zes forten en een aantal torens. Erachter werden twee legerkampen aangelegd. Toen de stormbaan klaar was werd een belegeringstoren naar boven gereden die een bres in de vestingmuur sloeg. Voordat de vesting de volgende dag ingenomen kon worden, doodden de Sicariërs hun familieleden en pleegden zelfmoord.

Afloop

Hiermee kwam een einde aan de Joodse Opstand. De Romeinen hadden een duidelijke waarschuwing afgegeven aan de onderdanen in de overige provincies dat rebellie streng bestraft werd. Een klein Romeins garnizoen verbleef een tijdlang na de belegering in de vesting van Massada.

De hoge belegeringswal die Silva liet opwerpen tegen de steile westelijke rotswand.

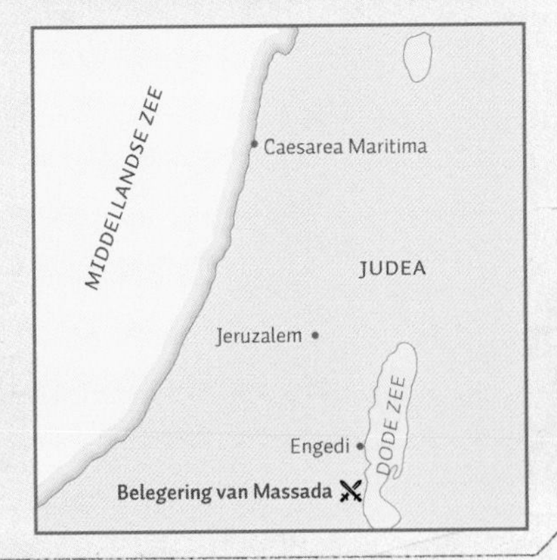

De Joodse Opstand concentreerde zich rond Jeruzalem. Nadat de stad was ingenomen bleven nog enkele verzetshaarden actief, zoals Massada bij de westoever van de Dode Zee.

DE SLAG BIJ STRAATSBURG 357 N.C.

Een verbond van Germaanse stammen, de Alemannen, tijdelijk verenigd onder leiding van twee vorsten, Chnodomar en zijn neef Serapio, trok al plunderend langs de Rijn. Julianus Apostata, de caesar van het westen, trok tegen hen op. Onder druk van zijn enthousiaste troepen viel hij de barbaren aan bij Argentoratum, het huidige Straatsburg.

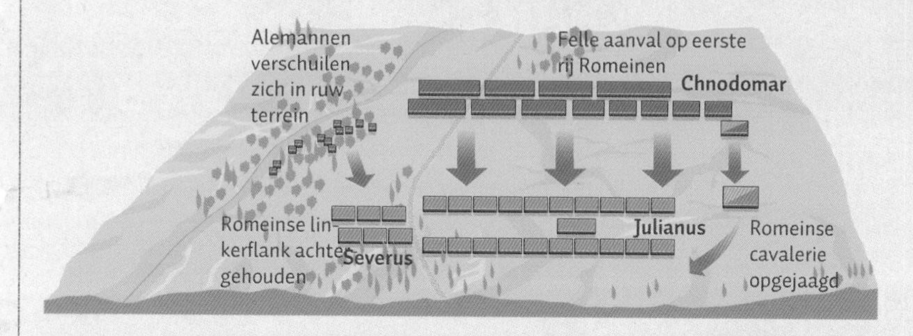

Een standbeeld van Julianus de Afvallige, nu in het Louvre. Julianus had geen eerdere militaire ervaring voor hij tot caesar werd benoemd, en hij leerde nooit het moreel van zijn soldaten begrijpen.

Julianus werd benoemd tot caesar van het westen vanwege de situatie in Gallië. Hij opereerde voornamelijk langs de grens bij de Rijn.

De strijdmachten

1. De Romeinen: 13.000 man, waaronder enkele legioenen en *auxilia palatina*.
2. De Alemannen: volgens Romeinse bronnen 35.000 man.

Het gevecht

Voor aanvang van de strijd stegen Chnodomar en zijn hoofdmannen af om samen met hun mannen te voet te strijden. De Germanen lieten enkele krijgers zich schuilhouden in ruw terrein rechts van hen, maar de Romeinen waren achterdochtig en hielden een deel van hun linkervleugel achter. De Romeinse cavalerie en een eenheid katafrakten aan de rechterkant werden opgejaagd en zochten dekking achter de twee rijen met Romeinse infanteristen, waar Julianus ze vervolgens hergroepeerde. De Alemannen voerden een woeste aanval uit op de Romeinse voorste rij. Ze wisten in het midden door te dringen, waar ze werden tegengehouden door de Primani, een legioen in de tweede rij. Door langzaam maar zeker hun tweede rij in te zetten wisten de Romeinen de Germanen terug te dringen en te verslaan.

Slachtoffers

1. Bij de Romeinen: 4 officieren en 243 manschappen gedood.
2. Bij de Alemannen: volgens Romeinse bronnen ongeveer 6000 gesneuveld en Chnodomar gevangengenomen.

Afloop

Door deze overwinning was het een poos rustig langs de Romeinse grens. Dit duurde altijd maar zolang als de stammen buiten het Rijk geloofden dat de Romeinen sterk genoeg waren om ook de volgende invasie neer te slaan.

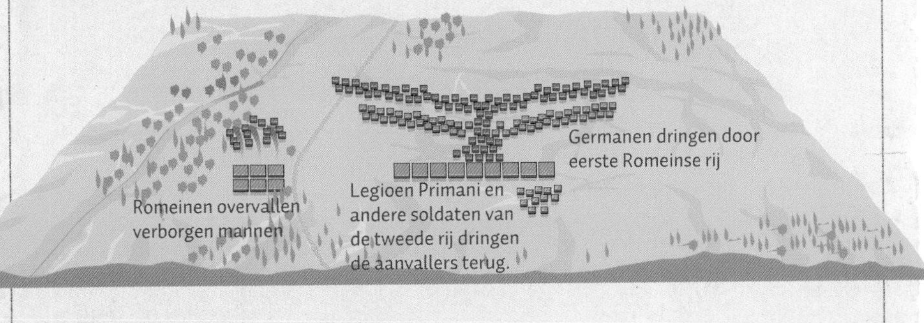

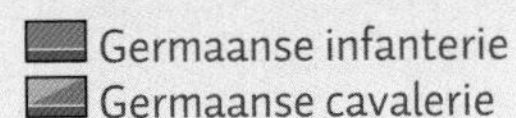

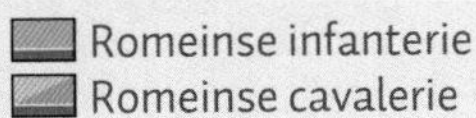

De Notitia Dignitatum – uit de vierde eeuw. Voor het westelijke en oostelijke deel van het Romeinse Rijk somt het alle rangen en functies op, waaronder alle militaire titels en de verblijfplaatsen van de regimenten.

Een medaillon met het portret van keizer Septimius Severus, zijn vrouw Julia Domna en zijn twee zoons Caracalla en Geta. Severus kwam aan de macht door een burgeroorlog en hij erkende openlijk dat zijn positie gebaseerd was op militaire steun. Als onderdeel van de propagandacampagne die gericht was op de loyaliteit van zijn soldaten, stond zijn vrouw bekend als 'Moeder van het kamp'.

niets blijkt dat deze man niet had mogen trouwen. Ook komen vrouwen van decurio's voor in inscripties, bijvoorbeeld in het geval van Aelia Comindus, die blijkens haar grafschrift in Carrawburgh bij de Muur van Hadrianus op tweeëndertigjarige leeftijd stierf, aldus haar man Nobilianus. Een andere decurio, Tiberius Claudius Valerius, die stierf toen hij vijftig was na dertig jaar dienst te hebben gedaan bij Ala II Hispanorum et Aravacorum, wordt herdacht met een grafsteen die zijn vrouw en dochter hebben opgericht in Teutoburgium in Pannonia.

Senatoren en veel ruiterofficieren brachten slechts een deel van hun loopbaan door in het leger. Dat ze hun vrouw en kinderen bij zich hadden tijdens hun diensttijd schijnt normaal te zijn geweest, al komt hun aanwezigheid niet in de stukken voor, alleen als de man overleed en herdacht werd. Rufinus, die achtereenvolgens prefect was geweest van Cohors I Augustae Lusitanorum en Cohors I Breucorum, stierf in High Rochester toen hij achtenveertig jaar oud was. Julia Lucilla richtte een gedenksteen op voor haar 'waardige man'. Zelf was ze afkomstig uit een senatorenfamilie. Uit een altaar dat buiten de vesting gevonden werd, blijkt dat het echtpaar hun hele huishouden meegenomen had naar het front. Dit altaar was opgericht door Eutychus, een van hun bevrijde slaven, en zijn gezin, als inlossing van een eed die hij had afgelegd aan de god Silvanus Pantheus, die hij om het welzijn van zijn meester en meesteres had gebeden. Van de tabletten van Vindolanda komen we iets te weten over het sociaal verkeer van de vrouwen van garnizoenscommandanten. Bekend is de uitnodiging voor haar verjaardag die de vrouw van een *auxilia*-prefect stuurt aan de vrouw van Flavius Ceraelis, de commandant in Vindolanda:

Aan Sulpicia Lepidina, de vrouw van Cerealis, van Severa.

Claudia Severa groet Lepidina. Zuster, op 11 september, de dag dat ik mijn verjaardag vier, nodig ik je van harte uit om er zeker van te zijn dat je ons met een bezoek zult vereren als je kunt. Je komst zal de dag nog aangenamer voor mij maken. (...) Groet Cearealis van mij. Ook mijn Aelius en mijn zoontje groeten hem. Ik verwacht je, zuster. Tot ziens, mijn liefste zuster, hopelijk in goede gezondheid, gegroet.'

De brief is duidelijk geschreven door een (bevrijde) slaaf, maar de laatste zin is van de hand van Severa zelf. In een andere brief schrijft Severa dat ze toestemming aan haar man moet vragen om Lepidina te mogen bezoeken, wat erop duidt dat reizen langs de onbeschutte noordgrens gevaarlijk was.

Het was officieren uit de senatoren- en ruiterstand wél uitdrukkelijk verboden te trouwen met vrouwen uit de provincie waar ze dienden, maar dat gold niet voor de centurio's, van wie er veel een lokale bruid zochten. De groep officiersvrouwen in een garnizoen kon enorm groot of klein zijn, afhankelijk van de bezetting. In een *auxilia*-fort was alleen de vrouw van de commandant van de ruiterstand. De overige vrouwen van de centurio's, een stuk of zes, waren duidelijk van lagere rang. In een legioensvesting was zowel de legaat als de hoogste tribuun een senator, en als ze waren getrouwd was dat met een vrouw uit dezelfde klasse. Verder bevonden zich in het legerkamp ook ruitertribunen en hun gezinnen, de kampprefect, de hogergeplaatste centurio's die tijdens hun loopbaan tot status van *eques* waren opgeklommen en een groot aantal overige centurio's, die eveneens vaak getrouwd waren. Soms deden de provinciegouverneur en zijn gezin, of zelfs de keizer en zijn vrouw, een militaire basis aan of brachten een bezoek aan een van de steden in de buurt. Ze brachten bijvoorbeeld inspectiebezoeken of hielden toezicht op een veldtocht. Julia Domna bijvoorbeeld, de vrouw van Septimius Severus, begeleidde in 195 n.C. haar man naar Syria, waar ze de titel 'moeder van het kamp' (*mater castrorum*) ontving. Van 14 tot 16 n.C. verbleven Agrippina en haar kinderen in legerkampen toen haar man Germanicus, de aangenomen zoon van keizer Tiberius, oorlog voerde langs de Rijn. Het echtpaar kleedde hun zoontje Gaius graag in een miniatuurversie van het soldatenuniform, wat hem de bijnaam Caligula, 'soldatenschoentjes' opleverde. Agrippina nam haar taak serieus. Ze bezocht zieken en gewonden in het veldhospitaal en is vooral bekend geworden doordat ze verhinderde dat soldaten die valse geruchten over een ophanden zijnde ramp geloofden de brug over de Rijn vernielden.

Maar gouverneursvrouwen gedroegen zich niet altijd zo voorbeeldig. Enkele jaren na dit voorval treedt Plancina op, de vrouw van de Syrische gouverneur Lucius Calpurnius Piso, die door Germanicus was ontslagen en later vermoedelijk achter diens dood zat. Zij leidde militaire exercities en probeerde het verzet tegen de legerofficieren te mobiliseren. Toch kreeg een senator weinig medestanders toen hij wilde laten verbieden dat gouverneursvrouwen hun mannen naar hun provincies volgden.

Naast de legerleiding met hun huishoudens was er op elke legerbasis, heel groot of juist klein en geïsoleerd, ook nog de besloten wereld van de andere vrouwen en kinderen. Het was een wereldje dat af en toe door schandalen werd opgeschud. Tijdens het bewind van Caligula kreeg de vrouw van legaat Calvisius Sabinus een verhouding met de *tribunus laticlavius*, de beruchte losbol Titus Vinius. Op een keer gaat ze vermomd in een soldatenuniform met de tribuun mee als hij de wacht gaat inspecteren. Wanneer ze later die avond de liefde bedrijven in de *principia* worden ze betrapt. Caligula laat Vinius arresteren, maar als de keizer wordt vermoord ontvangt hij gratie. Ook Plinius de Jongere krijgt te maken met een dergelijk schandaal als aanklager in een proces. De vrouw van een tribuun, Gallitta, had een verhouding met een van zijn centurio's. De centurio kreeg ontslag uit het leger en werd verbannen. De echtgenoot, van wie Plinius zegt dat hij 'blijkbaar tevreden was toen hij zijn rivaal kwijt was', wilde niet van zijn vrouw scheiden.

Canabae en *vici*

Rond een Romeinse basis ontstonden al snel nederzettingen van burgers. In zijn verslag van een verrassingsaanval op een van de winterkampen van zijn legioen in 53 v.C. vermeldt Caesar terloops dat er handelaren buiten het kamp bivakkeren. De vondst van kleine stenen hutjes rond de Romeinse belegeringskampen in Massada (Judea) zouden kunnen betekenen dat verkopers en anderen gedurende het beleg in 74 n.C. in de buurt van het leger bleven, zelfs in de dorre woestijn. Dergelijke tijdelijke nederzettingen werden *canabae* genoemd. Of de gezinnen van de soldaten hier ook woonden weten we niet, al lijkt dat aannemelijk dat er meer permanente barakken opgericht werden. Zeker is dat de mensen die het leger volgden en in de buurt van de kampen verbleven, de troepen van allerlei diensten voorzagen. Bij de verkopers konden ze terecht voor eten en drinken, om hun rantsoenen aan te vullen, en voor allerhande luxegoederen die het soldatenleven wat konden veraangenamen. Een garnizoen militairen, die regelmatig soldij kregen, vormde een aantrekkelijke afzetmarkt voor allerlei producten en diensten. In de *canabae* was ook allerlei vermaak te vinden, zoals muziek, kroegen en bordelen. Zo liet een veteraan uit Legio II Augusta in Asciburgium (Germania) een monument oprichten voor een zekere Polla Matidia, ook bekend onder de naam Olympia, een danseres of artieste. We kennen ook een musicus, Titus Aelius Iustus uit Legio II Aduitrix, die bedreven was in het bespelen van het waterorgel en getrouwd met Aelia Sabina, zelf ook zangeres en muzikante, die nog beter speelde dan hij.

De eerste nederzettingen rond de kampen lijken meer op sloppenwijken, een tijdelijke behuizing aan het front. Onder de vloer van een van de huizen bij de zuidpoort van fort Housesteads werden de skeletten van een man en een vrouw aangetroffen, iets wat alleen de bouwer kan hebben gedaan. In de loop van de tijd werden de *canabae* formelere nederzettingen en ontstonden er *vici*, 'wijken' of dorpen. De indeling van veel *vici* wijst erop dat het leger invloed had op de aanleg, ten minste tijdens enkele stadia ervan. De nederzettingen zijn meestal lintdorpen, met rijen huizen langs een weg in de buurt van een legerkamp, of die ernaartoe voert of omheen loopt. Bij enkele vindplaatsen loopt de weg uit op een soort plein, waarschijnlijk een marktplaats. De percelen langs de weg waren duur, vandaar dat de huizen lange pijpenladen zijn, iets wat ook in Romeinse steden gebruikelijk was. De huizen waren aan de voorkant vaak deels open, waarschijnlijk vanwege hun functie van winkel of kroeg.

Een *vicus* en een fort waren op elkaar afgestemd en profiteerden van elkaars aanwezigheid, maar de *vicus* was duidelijk een zelfstandige nederzetting. Waarschijnlijk hadden ze een eigen bestuur. Het was een kosmopolitisch geheel, waar (voormalige) soldaten, mensen uit de buurt en handelaren uit alle delen van het Romeinse Rijk met elkaar samenleefden. Een van hen was Barates, afkomstig uit Palmyra, de grote oasestad langs de Zijderoute in de verre oosthoek van het rijk. Hij richtte een monument op voor zijn vrouw buiten de vesting bij South Shields

Luchtfoto van fort Vindolanda met de burgerlijke *vicus* op de voorgrond. De schrijftabletten van deze plek hebben meer inzicht gegeven in het sociale leven van de echtgenotes van hoofdofficieren.

aan de noordgrens in Britannia. Zijn vrouw was Brits, al woonde haar stam in het zuiden. Ze was zijn slavin geweest tot ze de vrijheid kreeg en met hem trouwde. Barates zou dezelfde man kunnen zijn die op de grafsteen wordt vermeld die iets verder langs de Muur van Hadrianus bij Corbridge staat. Daarop staat dat hij een vaandeldrager was of, minder aannemelijk, verkoper van vlaggen. Of hij nu soldaat of koopman was, dit gezin maakt duidelijk hoe mobiel sommige inwoners van het Romeinse rijk waren.

Ontspanning

Buiten elke legioensvesting bevond zich in de regel een amfitheater, en soms zelfs bij de veel kleinere forten van de hulptroepen. Het leger bouwde ze in eerste instantie voor eigen gebruik. Soms wordt naast een stenen arena ook een oudere houten voorloper aangetroffen, wat erop kan wijzen dat ze al in een vroeg stadium van de aanleg van een basis werden gebouwd. Uit opgravingen van het amfitheater bij de basis van Legio II Augusta in Caerleon werden centuriestenen gevonden, waarop staat welke bouwwerken door een bepaalde centurie werden aangelegd. Een daarvan gedenkt de 'centurie van Rufinus' en is bijzonder sierlijk gegraveerd en duidelijk bedoeld om tentoongesteld te worden. Bij grote bouwprojecten werden de taken vaak op deze manier verdeeld over de eenheden, vooral bij de bouw van de Muur van Hadrianus. Het amfitheater in Caerleon meet op het langste stuk 81,40 meter en is 67,70 meter breed. Een dikke, zwaar verstevigde buitenmuur van 1,70 meter dikte stut de aarden wal waar de rijen van de tribune tegen leunen. Schattingen die gemaakt zijn op basis van de oorspronkelijke hoogte van de rijen zitbanken wijzen uit dat er ten minste plaats voor zesduizend man was, dus meer dan een heel legioen op volle sterkte. Er zijn zelfs nog grotere amfitheaters geweest bij legioensvestingen, bijvoorbeeld die in Chester en vooral die van Carnuntum aan de Donau.

De amfitheaters werden vooral gebruikt als toneel voor de vele spectaculaire en bloederige sporten waar de Romeinen zo van hielden. Grootschalige evenementen zoals in Rome waren vast niet mogelijk in een provinciegarnizoen, sterker nog, buiten de stad mocht er niet zo veel geld aan dergelijke zaken besteed worden. Toch zal voor de soldaten in de arena's ongetwijfeld geregeld een gladiatoren- of dierengevecht zijn georganiseerd. Een amfitheater was ook de plaats waar de legioenen zelf activiteiten konden organiseren, zoals officiële parades, exercities en wapeninstructies.

Baden en badhuizen

Een badhuis bezat meer faciliteiten dan nodig om je te wassen. Baden was een belangrijk ritueel bij de Romeinen, het bestond uit een reeks baden van verschillende temperaturen. Er was een ruimte met een koud dompelbad (*frigidarium*), een hete

Het badhuis bij Chesters fort op de Muur van Hadrianus ligt vlakbij de rivier. Het brandgevaar zorgde ervoor dat de baden in krappe auxilia-forten buiten de muren gebouwd werden.

badruimte (*laconium*), een ruimte met warme stoom (*tepidarium*) en een met hete (*caldarium*). De temperatuur werd geregeld door een combinatie van vloerverwarming en verwarmingspijpen in de wanden. Bij opgravingen in Vindolanda zijn houten sandalen gevonden, die voorkwámen dat iemand zijn voeten verbrandde in de hete baden. De baders smeerden zich in met olie en schraapten dat samen met het vuil af met een soort krabber, de *strigil*. Baden deed je niet gehaast, maar zelfs daarna kon een soldaat nog langer in het badhuis blijven. De grotere hadden nog andere faciliteiten, in ieder geval was er altijd gelegenheid om in rust met elkaar te converseren. De mannen konden er wat drinken, maar ook allerlei gokspellen doen. Vooral dobbelen was heel populair bij de Romeinen.

Naast de badhuizen die bij de legerplaats hoorden, waren er vaak openbare baden in de *vici*. In Caerleon werd een badhuis vlakbij het amfitheater ontdekt. Of deze badhuizen alleen door de lokale bevolking werden gebruikt of ook door de soldaten valt niet te zeggen. Voorwerpen die in verschillende baden van legerplaatsen zijn aangetroffen wijzen erop dat ook vrouwen ze bezochten, maar de diverse groepen kunnen aparte tijden hebben aangehouden. De Romeinen waren ook zeer betrokken bij de bouw van baden bij bronnen, zoals het Britse Bath (Aquae Sulis). Dat complex werd vrij snel na de verovering van het gebied aangelegd, en het is aannemelijk dat garnizoenen uit Exeter en Gloucester eraan hebben meegebouwd. De Romeinen hechtten veel waarde aan geneeskrachtige warmwaterbronnen, die zeker zijn gebruikt bij het herstel van zieken en gewonden. Op een altaar uit Bath wordt de bouw van een 'heiligdom' (*locus religiosus*) gememoreerd door Gaius Severius Emeritus, een centurio die het beheer over de streek voerde.

Een reconstructie van het badhuis bij Vindolanda laat diverse ruimtes zien, elk met hun eigen watertemperatuur. Baden was voor de Romeinen een sociaal gebeuren.

GODSDIENST

Publieke godsdienst

Al eerder kwam de *Feriale Duranum* ter sprake, de kalender van Cohors XX Palmyrenorum milliaria sagittariorium equitata, een tekst die in Dura Europus werd gevonden en hoogstwaarschijnlijk stamt uit 225-227 n.C. De volgende citaten uit deze tekst geven een beeld van de uiteenlopende festivals die deze eenheid vierde:

3 januari. Ter ere van geloften gedaan en vervuld voor het welzijn van onze heer Marcus Aurelius Severus Alexander Augustus en voor het eeuwige voortbestaan van het rijk van het volk van Rome: aan Jupiter Optimus Maximus een os, aan koningin Juno een koe, aan Minerva een koe, aan Jupiter Victor een os, aan Juno Sospes een koe (...) aan vader Mars een stier, aan Mars Victor een stier, aan Victoria een koe (...)

19 maart. Ter ere van het festival van Quinquatria, een supplicatie; vergelijkbare supplicaties tot 23 maart (...)

Twee van de zeventien altaren gewijd aan Jupiter Optimus Maximus (bijna altijd afgekort tot IOM), gevonden buiten de auxilia-vesting bij Maryport aan de Cumbrische kust. Het altaar links was opgericht door de commandant van Cohors I Baetasiorum civium Romanorum, terwijl het altaar rechts was opgericht door Cohors I Hispanorum equitata.

4 april. Ter ere van de verjaardag van de verheven Antoninus de Grote, aan de verheven Antoninus een os (...)

9 april. Ter ere van de keizerlijke macht van de verheven Pius Severus, aan de verheven Pius Severus een os (...)

21 april. Ter ere van de stichting van de eeuwige stad Rome, aan de eeuwige stad Rome een koe (...)

De Quinquatria was een ceremonie die gewijd was aan Minerva en de andere twee belangrijke Romeinse goden van het Capitool, Jupiter en Juno. Ze komen vaak voor op de kalender. Veel jaarlijkse ceremoniën, zoals deze en de viering van de stichting van Rome, waren niet speciaal voor het leger bestemd, maar golden voor alle Romeinen. De tekst noemt verder geen plaatselijke goden of iets wat specifiek voor Cohors XX opgaat. Doorgaans wordt aangenomen dat alle legereenheden in het rijk door het jaar heen dezelfde offerfeesten, supplicaties en festivals hielden. Afgezien van de data die met de keizers te maken hebben, vooral met de zittende dynastie, bevat de kalender weinig wat niet ten tijde van Augustus was ingevoerd.

Of de *Feriale Duranum* in de vorm waarin hij is overgeleverd door alle legereenheden werd toegepast of niet, veel feesten die erin vermeld worden werden ook elders gevierd. Buiten het fort bij Maryport in Cumbria in noordwest-Engeland werden altaren gevonden bij wat vermoedelijk de paradeplaats was. Maar liefst zeventien waren er gewijd aan IOM: Jupiter Optimus Maximus, of de beste en grootste Jupiter. De inscripties vertonen grote overeenkomsten, bijvoorbeeld: 'Aan Jupiter Optimus Maximus, de eerste cohort van de Spanjaarden (Cohors I Hispanorum), opgericht in opdracht van Marcus Maenius Agrippa, tribuun' of: 'Aan Jupiter Optimus Maximus, voor het welzijn van Antoninus Augustus Pius, opgericht door Postumius Acilianus, prefect van de eerste cohort van de Dalmatiërs (Cohors I Delmatarum). Maenius Agrippa wordt op drie altaren als leider genoemd, Postumius Acilianus op twee. De andere aanvoerders komen slechts één keer voor, terwijl de tribuun Gaius Cabillius Priscus vier altaren heeft opgericht. Het lijkt erop dat deze altaren jaarlijks aan Jupiter werden gewijd vanwege het welzijn van de keizer, misschien wel op 3 januari, net als in Dura Europus. Een bijkomstigheid is dat we zo iets te weten komen over de duur van zo'n standplaats van een ruiterofficier bij een eenheid hulptroepen.

De bevelhebber vertegenwoordigde zijn eenheid bij dergelijke ceremoniën en alleen zijn naam werd op het altaar vermeld, maar het is duidelijk dat hij optrad namens de hele cohort. Een van de muurschilderingen in Dura Europos zou zo'n ceremonie kunnen afbeelden. Een stoet soldaten kijkt toe hoe hun tribuun Julius Terentius offers brengt voor drie beelden. Sommigen menen dat deze drie beelden plaatselijke goden voorstellen, maar het is aannemelijker dat het leden van de keizerlijke familie zijn. De uitgebeelde plechtigheid lijkt wel op een meer hedendaagse militaire kerkparade; zowel een godsdienstoefening als een manier om de gemeenschapszin onder de soldaten te versterken. De dag waarop de standaard van de eenheid officieel werd ingewijd was ook belangrijk voor het groepsgevoel. De vroegchristelijke Tertullianus meende dat de eerbied van de soldaten voor hun standaard beslist religieuze trekken had.

Ook de reguliere viering van gedenkdagen rond de keizerlijke familie en de nauwe banden van die familie met de traditionele Romeinse goden en godinnen was duidelijk bedoeld om zich van de loyaliteit van de soldaten te verzekeren. In de eerste helft van de tweede eeuw v.C. werd de legerdiscipline (*Disciplina*) voorwerp van verering, wellicht ingevoerd door Hadrianus tijdens zijn inspectieronde langs de legers in de provincies. Dergelijke abstracties werden wel vaker onderdeel van de officiële Romeinse godsdienst; in dit geval was het doel duidelijk niet alleen loyaliteit verkrijgen, maar ook het verhogen van de efficiency in het leger. De eed die de soldaten aflegden (*sacramentum*) had duidelijk een religieuze lading, zelfs de geest van de eed (*genius sacramenti*) werd soms vereerd.

Persoonlijke godsdienst

Het leven van de Romeinen was doortrokken van religie, zodanig dat het vanuit een hedendaags perspectief moeilijk voor te stellen is. Allerlei dagelijkse activiteiten gingen gepaard met de een of andere vorm van godsdienst of ritueel. De Romeinen kenden niet alleen allerlei goden en godinnen, waaronder ook de godheden die abstracties verpersoonlijkten, bijvoorbeeld geluk en gezondheid, maar ook nog vagere geesten, zoals de *genii*, de beschermgeesten van een plaats, beroep of bij het leger de eenheid of een rang. Over het algemeen bestaan de beschikbare bronnen voor dit belangrijke deel van het leven uit bewaard gebleven objecten: tempels, altaren met inscripties en gewijde artefacten. Deze voorwerpen vertellen ons veel over de verschillende godheden die de soldaten vereerden, maar veel minder over het belang van zo'n cultus voor de deelnemers. Duidelijk is ook dat alleen de rijkere soldaten zich deelname aan dergelijke rituelen konden veroorloven; het is daarom helemaal moeilijk sporen te ontdekken van cultussen die geen objecten hebben nagelaten.

De soldaten namen deel aan de officiële godsdienstoefeningen van hun eenheden, maar genoten daarnaast behoorlijk wat vrijheid om hun eigen rituelen uit te voeren. Rome was een polytheïstische samenleving, waar ruimte was voor de meeste cultussen, vaak ook voor de religies van veroverde volken. Er kwamen ook combinaties van godheden voor; zo is een altaar van een detachement van Legio II Augusta gewijd aan 'Jupiter Optimus Maximus, de god Cocidius en de genius van deze plaats'. Cocidius wordt regelmatig vereerd langs de Muur van Hadrianus. Waarschijnlijk was het een Keltische oorlogsgod en hij wordt soms in verband gebracht met Mars. Soms nemen soldaten op persoonlijke titel deel aan wat wij een officiële cultus zouden noemen, waarbij ze zich nauw betrokken betonen bij Rome, het bestuur en de beschermgeesten van het leger. Uit de tweede eeuw n.C. stammen de vier bijzondere altaren uit Schotland, die door dezelfde centurio werden opgericht:

'Voor Jupiter Optimus Maximus, en de zegevierende Victorius, voor het welzijn van onze keizer en dat van hemzelf en zijn gezin, [opgericht door] Marcus Cocceius Firmus, centurio van Legio II Augusta.'

'Voor Diana en Apollo, [opgericht door] Marcus Cocceius Firmus, centurio van Legio II Augusta.'

'Voor de genius van het land van Britannia, [opgericht door] Marcus Cocceius Firmus, centurio van Legio II Augusta.'

'Voor Mars, Minerva, de godinnen van de paradeplaats, Hercules, Epona en Victorius, [opgericht door] Marcus Cocceius Firmus, centurio van Legio II Augusta.'

De soldaten wijden altaren aan een zeer groot aantal godheden. Sommigen die-

Een altaar gewijd aan de godin Covventina ter ere van een eed van Coscianus, de prefect van Cohors I Batavorum.

nen alleen de van oorsprong Romeinse goden, terwijl anderen ook de goden uit de streek waar ze gelegerd zijn vereren, of de goden uit hun thuisland. Allerlei aspecten van de oorlogsgod Mars worden vereerd, maar ook lokale goden die met krijgseer te maken hebben. In de derde eeuw n.C. was vooral Hercules bijzonder populair, maar hij werd altijd al vereerd in diverse verschijningsvormen als personificatie van mannelijke eigenschappen als kracht en moed. In de Bataafse tempel van Hercules Magusanus Empel zijn aan deze god gewijde teksten gevonden die Romeinse soldaten, zowel uit de legioenen als hulptroepen, hebben nagelaten. Maar soldaten vereerden soms ook goden en godinnen die geen duidelijke band met het leger hadden. De godin Covventina werd door veel soldaten uit de garnizoenen in Noord-Britannia vereerd. Haar cultus concentreerde zich rond haar heilige bron. Het leger lijkt weinig of geen pogingen te hebben ondernomen om dergelijke religieuze activiteiten te ontmoedigen. Zolang de soldaten maar meededen aan de gezamenlijke vereringen van hun eenheid waren ze vrij om daarnaast hun eigen goden te dienen. Bepaalde riten uit de pre-Romeinse ijzertijd bleven in zwang, en ook soldaten beoefenden die. Men offerde bijvoorbeeld metalen voorwerpen, vaak van de militaire uitrusting, zoals helmen, door ze in een rivier of meer te werpen. Uit archeologische vindplaatsen van voor de Romeinse tijd, de walburcht bij het Engelse Danebury bijvoorbeeld, weten we dat er ook rituele objecten werden begraven, vaak in in onbruik geraakte graankuilen. Dat dit gebruik in zwang bleef, bewijzen vondsten in Romeinse legerbases, zoals Newstead. Kortom, de Romeinen kenden een grote religieuze verscheidenheid.

Het kwam ook voor dat soldaten met dezelfde afkomst binnen een eenheid samen hun goden vereerden. Onder de altaren die werden opgericht door Cohors II Tungrorum in fort Birrens in Zuidwest-Schotland bevond zich ook een die was gewijd aan 'Mars en de overwinning van de keizer' door 'Stamgenoten uit Raetia', een andere aan de godin Ricagambeda door de 'mannen uit het district Vellavia' en een aan de godin Viradecthis door de soldaten uit het 'district Condructia'. Zowel Ricagambeda als Viradecthis waren Germaanse godheden, die de beide groepen in hun thuisland vereerden. In Carrawburgh in Noord-Engeland werd een altaar opgericht 'Voor de genius van deze plaats [door] de Texandri en de Suvevae, uit een detachement van cohors II Nerviorum'. Interessant is dat binnen één cohort hulptroepen verschillende subgroepen zijn met een gedeelde afkomst. Bij Housesteads werd een altaar gevonden uit het begin van de derde eeuw v.C. dat was opgericht door mannen van de Germaanse stam Tvihanti: 'Aan de god Mars Thincsus en de twee Alaisiagae, Beda en Fimmilena, en aan de godheid van de keizer.'

Religies uit het oosten en mysteriecultussen

Een aantal cultussen in het oostelijke Middellandse Zeegebied kende een opvallend brede verspreiding over het Romeinse rijk. De stormgod Dolichenus, die aanvankelijk werd vereerd door de Hettieten in het cultuscentrum Doliche in Commagene (in het huidige Turkije), was vergroeid met de Romeinse god Jupiter. In de tweede en derde eeuw werden veel inscripties aan deze god gewijd, door eenheden, maar vooral door afzonderlijke soldaten. Onder het bewind van de Severi was deze cultus het populairst. Het is moeilijk te zeggen hoe deze verering begon en zich aanvankelijk verspreidde. Duidelijk is wel dat de verering van Jupiter niet beperkt bleef tot de troepen die in Commagene gerekruteerd waren.

De aanhangers van enkele uit het oosten afkomstige cultussen moesten initiatieriten doorlopen en plechtig zweren nooit over de geheimen van het geloof te spreken. Dergelijke 'mysteriecultussen', zoals de Egyptische Isis- en Serapiscultus, kregen veel aanhangers in het hele rijk. Onder soldaten was vooral die van Mithras in trek. Evenals veel andere mysteriecultussen kende het mithraïsme de belofte van een hiernamaals en was een persoonlijke band met de godheid belangrijk. Vanwege gelofte van geheimhouding is het heel moeilijk om de theologie van deze en ander mysteriecultussen te reconstrueren, maar veel onderzoekers hebben toch een poging gewaagd. Mithras is mogelijk gebaseerd op de

Het Mithraeum (een tempel gewijd aan de oosterse god Mithras) in Carrawburgh bij de Muur van Hadrianus, ligt op een steenworp afstand van de vestingmuur van het fort. De drie altaren werden opgericht door de ruiterofficieren van het garnizoen.

Deze reconstructie van een Mithraeum geeft enigszins een indruk van het grotachtige interieur van deze gebouwen. De aanbidding van Mithras was een mysteriecultus. De aanhangers waren er door een plechtige eed aan gebonden zijn praktijken niet te onthullen. Hierdoor hebben we slechts een oppervlakkig idee van de leer en de rituelen.

Perzische god Mithra, een zonnegod die vaak wordt afgebeeld met een Frygische muts. Bijgestaan door diverse wezens, die later de verschillende rangen onder de volgelingen zijn gaan aanduiden, doodde Mithras een stier, wat waarschijnlijk een scheppingsmythe voorstelt. Bij Romeinse forten zijn mythrastempels aangetroffen; schemerige, smalle gebouwen die op grotten leken. Bij de riten ging het om kracht, moed en uithoudingsvermogen, wat de soldaten ongetwijfeld zal hebben aangesproken. Veel van de bewaard gebleven altaren werden opgericht door officieren, vooral door de *equites* bij de hulptroepen. Het is dan ook zeer aannemelijk dat het mithraïsme was voorbehouden aan de hogere rangen. De cultus zal niet alleen van religieus belang zijn geweest, maar leverde ook vriendschappen op en nuttige connecties voor iemands carrière.

UIT HET LEGER

Ontslag uit het Romeinse leger kon op drie manieren. Wie door ziekte of verwondingen niet langer kon dienen, werd vervroegd ontslag (*missio causaria*) verleend, maar pas na een grondige medische keuring waaruit bleek dat het zeer onwaarschijnlijk was dat iemand voldoende zou herstellen om weer in dienst te kunnen. Na een ernstig vergrijp kon iemand oneervol ontslag (*missio ignominiosa*) krijgen.

Na hun diensttijd kregen auxilia-soldaten het Romeinse burgerschap. Als bewijsstuk daarvoor ontvingen ze een *diploma*, een bronzen kopie van het document dat hun burgerschap in Rome registreerde. De afbeelding toont het diploma van een Spaanse cavalerist.

Wie dat overkwam mocht niet meer in de stad Rome wonen en geen enkel ambt in rijksdienst bekleden. In bepaalde perioden kon daar ook nog een brandmerk of tatoeage bij komen als teken van zijn schande. Bovendien werd natuurlijk geen van de privileges verleend die golden bij een eervol ontslag (*honesta missio*) aan het einde van de diensttijd. Meestal gold een ontslag op medische gronden als eervol, alleen werden bepaalde uitkeringen niet volledig uitgekeerd, maar naar rato van het aantal dienstjaren.

De militaire loopbaan van een soldaat werd bijgehouden vanaf zijn indiensttreding tot aan zijn definitieve terugkeer naar het burgerleven. Als hij werd uitgeschreven uit het dienstrooster werd het ontslag en de grond waarop bij zijn naam in het document vermeld. Waarschijnlijk kreeg de soldaat een schriftelijk bewijs van ontslag uit het leger mee, iets dergelijks als de verklaring uit Egypte, 4 januari 122 n.C., waarin staat dat Lucius Valerius Noster, cavalerist in de *turma* van Gavius in Ala Vocontiorum ontslag verleend werd. Soms richtte een hele groep soldaten die op hetzelfde moment ontslag kreeg een gezamenlijk monument op. Er zijn inscripties gevonden met lijsten namen, van honderd tot zo'n driehonderdzeventig. Op basis van deze bronnen is wel geprobeerd in te schatten hoe hoog het percentage legionairs was dat lang genoeg in leven bleef om de hele diensttijd uit te zitten. Helaas is het materiaal maar schaars, bovendien waren er zo veel redenen waarom iemand in een bepaald jaar uit dienst kon gaan dat een algemene conclusie eigenlijk niet mogelijk is.

Zowel leden van de Praetoriaanse garde als manschappen bij de *auxilia* kregen een bronzen diploma waarop hun nieuwe status als veteraan vermeld stond. Legionairs kregen niet zo'n tablet, maar het was wel van belang dat iedereen die uit dienst ging bewijs had dat hij eervol ontslag had gekregen van zijn eenheid, zodat ze aanspraak konden maken op de status en privileges waar ze voortaan recht op hadden. In het Judese Caesarea werd een petitie uit 150 n.C. gevonden van 22 Egyptische veteranen. Ze waren aanvankelijk aangemonsterd bij de vloot, maar werden op een gegeven moment overgeplaatst naar Legio X Fretensis, misschien wel omdat die extra mankracht nodig had vanwege de Joodse Opstand, tijdens het bewind van Hadrianus. Het verzoek van deze mannen om een schriftelijke verklaring van hun dienst bij deze hogere krijgsmacht werd ingewilligd. Dat was van belang, want legionairs hadden veel meer status dan mariniers.

In bepaalde perioden werden zij die ontslagen waren, in het bijzonder legioenssoldaten, gezamenlijk ondergebracht in militaire kolonies met landerijen. In zijn *Res Gestae*, een lange tekst over zijn grote verdiensten bij zijn mausoleum, meldt Augustus dat hij zo'n driehonderdduizend veteranen in kolonies heeft ondergebracht of heeft teruggestuurd naar hun eigen regio. Met dergelijke massale kolonisatieprogramma's was hij ervan verzekerd dat de vele manschappen die tijdens de burgeroorlogen waren opgeroepen weer werden opgenomen in de

De grafsteen van Longinus van Ala Sulpicia civium Romanorum toont een soldaat rustend op een bank op de Romeinse wijze. Eronder zien we het tafereel van een soldaat lopend achter zijn paard. Hij draagt twee speren. Het hoogste deel van zijn helm lijkt op een gestileerde haardos, iets wat we op veel bewaard gebleven cavaleriehelmen zien. Het zadel en het harnas van het paard zijn goed zichtbaar op dit reliëf.

burgermaatschappij en geen bedreiging vormden voor de stabiliteit van zijn bewind. Er zijn weinig archeologische vondsten uit deze kolonisatieperiode. Waarschijnlijk bestond de huisvesting voor de veteraan en zijn gezin uit een klein appartement in een flat (*insulae*), vergelijkbaar met die in de Romeinse steden veel voorkwamen. In veel gevallen bewoonde een veteraan echter een eigen boerderij. In sommige pas veroverde gebieden dienden de kolonies een strategisch doel. In de begintijd van de verovering van Britannia onder Claudius richtte het leger zich vooral op de Keltische hoofdstad Camulodunon, het Romeinse Camulodunum. Toen die was ingenomen werd een legerkamp gebouwd, maar toen de eenheid, Legio XX, eind jaren 40 n.C. werd verplaatst om mee te vechten met de veldlegers in het westen, werd hun plaats ingenomen door een kolonie veteranen. Het lijkt erop dat sommige barakken werden herbouwd tot woningen voor deze veteranen. Iets dergelijks kan ook gebeurd zijn in Gloucester, waar ook een kolonie neerstreek op de plaats van een legioensbasis, al is niet duidelijk wanneer en hoe de relatie precies in elkaar stak. Landmeters deelden het areaal op in grote vierkante percelen voor de veteranen, een Romeinse gewoonte, de *centuriatio*. Een van de klachten van de muitende soldaten in de legioenen van Pannonia in 14 n.C. was dat zij na ontslag uit het leger een onbewerkbaar stuk moeras- of bergland kregen toebedeeld. Doorgaans ging het om onteigend gebied van overwonnen volken en bij de keuze was niet altijd doorslaggevend of de bodem voor landbouw geschikt was. De plaatselijke bewoners, die waren verslagen en vervolgens hun grond kwijtraakten, waren de veteranen uiteraard niet altijd goedgezind. Toen de Britse stammen onder leiding van Boudicca in 60 n.C. in opstand kwamen, was de kolonie in Camulodunum dan ook het eerste doelwit van de Trinovantes. De stad werd tot de grond toe afgebrand en de bewoners afgeslacht.

Voor de meeste soldaten betekende een diensttijd van vijfentwintig jaar ruim een half mensenleven. De zestien jaar bij de Praetoriaanse garde was wel minder, maar nog steeds een groot deel van het leven. Zo'n lange tijd in het leger met zijn strikte hiërarchie en zeer ordelijke dagelijkse routine zal iemand beslist voor de rest van z'n leven hebben beïnvloed. Veteranen beschouwden zich dan ook nog steeds als leden van hun oude eenheid, ook al waren ze al tientallen jaren uit dienst. Flink wat veteranen bleven in de buurt van hun oude basis en gingen in de *vicus* wonen, bijvoorbeeld omdat ze met een vrouw uit de regio waren getrouwd. Vaak kozen hun zoons ook voor het leger, of hun dochters trouwden met een soldaat of veteraan. Toch kwam het ook voor dat iemand na de diensttijd terugkeerde naar zijn land van herkomst. Dit blijkt vooral uit Egyptische teksten, omdat er in de dorpen daar veel correspondentie en administratie bewaard is gebleven. Uiteraard lag zo'n terugkeer meer voor de hand als iemand tijdens dienst naar zijn familie schreef. Veteranen genoten bepaalde privileges. Zo waren ze gevrijwaard van bepaalde straffen en restricties op publieke functies, en ze kregen het burgerrecht. Ze vormden in zekere opzicht een elitegroepje binnen de samenleving, al waren ze meestal niet de enige bevoorrechte kring. De Romeinse gemeenschap was veel complexer en gelaagder dan veel moderne commentatoren doen geloven.

Veteranen van de hulptroepen

Veel van wat in het voorgaande over de legionairs is gezegd gaat ook op voor de *auxilia*-soldaten. Na het vervullen van hun diensttijd kregen zij het Romeinse burgerrecht. Doorgaans werden ze gerekruteerd in de meer rurale en minder ontwikkelde delen van het Romeinse rijk en soms waren ze afkomstig van stammen van buiten de formele provincies. Het leger zal vast een heel nieuwe ervaring voor hen zijn geweest, vandaar dat wetenschappers zich vaak afvragen in hoeverre ze daardoor 'geromaniseerd' werden. Wanneer ze na hun ontslag terugkeerden naar hun thuisland, zoals velen en wellicht de meesten van hen deden, waren ze Romeins staatsburger, wat hen een bijzondere status zal hebben gegeven. Het inschakelen van hulptroepen kan worden opgevat als een manier om de Romeinse cultuur en het gedachtegoed te verspreiden over de provincies en zo Romes macht te consolideren. Het is mogelijk dat het dit effect heeft gehad, of dat nu bewust werd nagejaagd of niet, maar voldoende harde bewijzen daarvoor zijn niet te vinden en het zou dwaas zijn hierin de hoofdtaak van de *auxilia* te zien. Uiteindelijk waren ze nodig om het leger te versterken. De Romeinen waren er wel van overtuigd dat een diensttijd bij de hulptroepen een soldaat in één opzicht veranderde, namelijk dat hij ervaring en kennis opdeed in Romeinse oorlogsvoering. Een bekende grap was dat Romes gevaarlijkste vijanden degenen waren die in hun eigen legers hadden gediend. Arminius en Gannascus in Germania, Tacfarinas en Jugurtha in Noord-Afrika en volgens een bron zelfs de leider van de slavenopstand, Spartacus, leerden het vak bij de *auxilia*.

Overlijden en begraven

Van het salaris van een soldaat werd standaard een bijdrage ingehouden voor het begrafenisfonds van de centurie. Dit was een belangrijk ritueel voor de meeste volken van het Romeinse Rijk. Wanneer de soldaat tijdens zijn diensttijd kwam te overlijden werd uit dit potje een eenvoudige begrafenis bekostigd. Na een grote slag werden de vele doden doorgaans gecremeerd, maar in vredestijd werd de uitvaart verzorgd met meer plechtigheid. Het lichaam werd door een lijkstoet op een baar het fort of kamp uitgedragen; net als in veel moderne samenlevingen vond de uitvaart bij de Romeinen buiten de poort plaats. Eenmaal buiten de nederzetting werd het lichaam met de baar op een brandstapel gelegd, vaak op een locatie langs de hoofdweg die naar het fort liep. De as van het lichaam én van de baar werd in een urn gedaan, die soms van marmer of metaal was vervaardigd, maar meestal van glas of aardewerk. Die urn werd vervolgens begraven en er werd een rouwmaaltijd gehouden in de buurt van de begraafplaats.

Deze ceremonie was gebruikelijk ten tijde van het principaat, maar er dienden ook soldaten uit andere culturen en met allerlei verschillende godsdienstige overtuigingen, wat zich vertaalde in verschillende begrafenisrituelen. Zo bleef in Egypte het mummificeren in gebruik tijdens deze periode, terwijl in de late oudheid begraven veel gangbaarder werd dan cremeren. Aanvankelijk werd de uitvaart vooral bijgewoond door de kameraden van de dode. Later, toen in het leger steeds vaker onofficieel getrouwd werd, waren dat vrouw en gezin. Of uit het begrafenisfonds meer dan een heel simpele grafmarkering werd betaald is dubieus, wel zetten veel soldaten geld opzij voor een duur monument van steen. Op veel grafstenen staat dat de erfgenamen deze hebben opgericht in overeenstemming met de wens van de overledene. Soms bevatten ze een eenvoudige inscriptie, vaak met leeftijd, rang, eenheid en dienstjaren – details die zelfs veteranen nog het vermelden waard vinden. De meest gedetailleerde grafstenen bevatten een portret van de overleden soldaat. Deze afbeeldingen zijn heel gevarieerd; sommige legionairs laten zich portretteren met minimale uitrusting, terwijl *auxilia*-soldaten, en dan vooral de cavaleristen onder hen, graag in vol ornaat en gevechtshouding worden afgebeeld. Een bekend beeld op grafstenen van de cavalerie is dat van de zittende overledene met geheven zwaard op een steigerend paard, terwijl een of meer halfnaakte barbaren onder de hoeven vertrapt worden. Op sommige grafstenen staan ook de (bevrijde) slaven van de soldaat afgebeeld.

Bepaalde zaken komen zelden op grafmonumenten voor. De doodsoorzaak, gevallen in de strijd of geveld door een ziekte, wordt meestal niet vermeld, waar-

Een derde-eeuws monument uit de provincie Dacia met daarop een gepensioneerd soldaat rustend op een bank tijdens een feest. De vlekken op het kledingstuk dat om hem heen gedrapeerd is, zijn mogelijk bedoeld om een soort dierlijk bont weer te geven.

door het bijzonder interessant is wanneer dat wel gebeurt. Een zekere hoge centurio, Marcus Caelius Rufus in het leger van Varus, overleed in het Teutoburgerwoud in 9 n.C. Zijn broer richtte een overdadig monument op, en voegde de inscriptie toe dat 'mochten zijn beenderen ooit worden gevonden, ze hier begraven dienen te worden'. Een latere grafsteen, uit de eerste eeuw n.C., memoreert de dood van Aulus Sentius, veteraan van Legio XI, die stierf in het gebied van de Varvarini in Dalmatia. Helaas is niet duidelijk of hij nog aan zijn vijf dienstjaren bij het legioen bezig was of al uit het leger was. Lucius Flaminius van Legio III Augusta sneuvelde in de strijd in Noord-Afrika toen hij veertig jaar oud was. Een fragment van een grafsteen uit Chester gedenkt een *optio* die in aanmerking kwam voor de rang van centurio (*optio ad spem ordinis*) maar was omgekomen bij een schipbreuk. Op een andere Engelse grafsteen staat de raadselachtige vermelding dat een soldaat is omgekomen door een vijand in het kamp, wat kan betekenen dat het tegenstanders was gelukt het fort binnen te dringen, maar ook dat een kameraad hem vermoord heeft. Dergelijke details zijn echter zo zeldzaam dat we onmogelijk kunnen bepalen hoe groot de kans was dat iemand sneuvelde in de strijd of als gevolg van ziekte of een ongeval tijdens zijn diensttijd. Behalve tijdens grote conflicten zal het laatste waarschijnlijk veel vaker het geval zijn geweest, net als bij alle legers tot op de dag van vandaag.

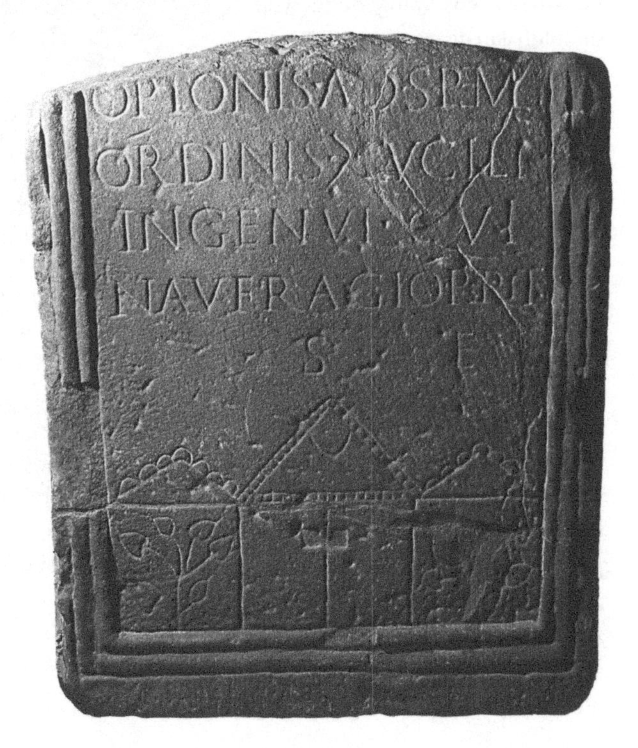

Militaire grafstenen geven zelden weer hoe de man stierf, maar dit fragment van een grafsteen uit Chester voor een *optio* uit Legio XX Valeria Victrix vertelt ons dat hij stierf tijdens een schipbreuk. Deze gebeurtenis maakte een eind aan een veelbelovende carrière, want de man had de functie van centurio in het vooruitzicht (*optio ad spem ordinis*). Hoewel de naam van de man niet bekend is, kunnen we uit dit fragment opmaken dat hij van de centurie Lucilius Ingenuus was.

UITRUSTING

Uitrusting van de legioenen

Kleding

De tunica: het basiskledingstuk voor mannelijke burgers in de Grieks-Romeinse wereld was een tunica met korte mouwen die tot op de knie viel. Een broek vond men een barbaarse dracht. De soldaten in het militieleger moesten voor hun eigen kleding en wapenrusting zorgen; de legioenen uit deze periode zullen dan ook weinig eenheid in uniform of uitrusting hebben vertoond. Toen er geleidelijk een beroepsleger ontstond, begon de staat kleding, uitrusting en wapens te verstrekken, en vanaf de begindagen van het principaat werd een bijdrage in de kosten hiervoor ingehouden op de soldij van de troepen. Uit Egypte is een document bewaard gebleven met een bestelling door het leger van grote partijen kleren bij leveranciers, waarbij wordt aangedrongen op een standaarduitvoering en gelijke kwaliteit. Tot het begin van de derde eeuw n.C. gebruikten de Romeinse soldaten een variant van de tunica die burgers droegen.

Zoals op veel militaire grafstenen is deze man, Marcus Julius Sabinianus, afgebeeld zonder uniform, helm of kuras, maar hij heeft wel een speer en een schild. Hij was matroos bij de Italiaanse vloot, die in Misenum gestationeerd was.

De soldatentunica was iets langer dan de gewone versie, en reikte tot halverwege de kuit. Het kleed werd met een riem gedragen zodat het op de knie viel. Het schijnt een poos mode te zijn geweest om de zijkanten iets hoger op te sjorren, zodat de tunica aan de voor- en achterkant een boog vormde. De uitvoering was eenvoudig, meestal waren het twee vierkante lappen stof – wol of linnen – die bij de zijnaden en schouders waren gestikt, met openingen bij de hals en armen. Er waren ook tunica's met mouwen, meestal vrij korte, maar uit afbeeldingen blijkt dat ze bij de cavalerie lange mouwen hadden. Ten minste enkele tunica's van de infanteristen konden zo gedragen worden dat de rechterschouder en -arm onbedekt bleven, wat beter zat als er zwaar werk moest worden gedaan. Deze soort tunica's hadden een split op de rug vanaf de hals, die normaal werd dichtgeknoopt met een leren riempje of soms met een speld bijeengehouden, maar kon worden losgemaakt wanneer de soldaat zijn rechterarm vrij wilde bewegen. Volgens re-enactors zit een tunica met zo'n sluiting niet prettig onder een pantser. Op basis van het schaarse materiaal is het moeilijk te zeggen, maar het zou kunnen dat er verschillende soorten tunica's voor verschillende activiteiten waren.

Mantels en capes: Voor gewone soldaten waren er twee standaardmantels. De *sagum* was een eenvoudige rechthoek van dikke wol, soms met versiering langs de zoom. De mantel werd op de rechterschouder bevestigd met een broche, zodat de rechterzij en de arm die het zwaard hanteerde werden vrijgelaten. Naast de *sagum* was er de *paenula*, meer een soort poncho. De *paenula* was waarschijnlijk

In dit tafereel op de Zuil van Trajanus zien we de keizer en twee hoofdofficieren op campagne, met mantels over hun versierde kurassen. De mantel was de *sagum*, een eenvoudige rechthoek van stof die op één schouder werd bevestigd met een broche. De mantel kon op verschillende manieren worden gedragen.

ovaal met een opening erin voor het hoofd, soms ook met capuchon. De voorkant van de cape bevatte een rij knopen of een houtje-touwtjesluiting en kon deels worden opengelaten. De halsopening was meestal ruim, dus bij koud of nat weer moest er een sjaal bij gedragen worden. Er zijn afbeeldingen waarop hoge officieren een *sagum* dragen, keizer Trajanus bijvoorbeeld, al zullen die van luxere stoffen zijn gemaakt dan de gewone soldatenjas. Op andere voorstellingen staan centurio's en hogere officieren die de formelere *paludamentum* dragen, die over de arm werd gedrapeerd, zoals de burgers een formele toga dragen.

Riemen: Zonder een riem kon de soldatentunica niet goed worden gedragen. Vandaar dat Augustus zijn centurio's soms een symbolische straf oplegde door ze in tunica zonder riem voor zijn tent op wacht te laten staan. De soldatenriem, waaraan het zwaard en in sommige perioden ook een dolk werden gegord, was dan ook een belangrijk kenteken van de soldaat. Zelfs in klein tenue, zonder pantser of helm, was aan de omgorde tunica te zien dat iemand soldaat was. Dit werd nog onderstreept door de bewerkte plaatjes en gespen waarmee de leren riem versierd kon worden. Aan het begin van de eerste eeuw werden ten minste twee riemen gedragen, een voor het zwaard, waarvan de schede met koorden aan vier ringen werd bevestigd, en een voor de dolk, waarvan de schede werd vastgehaakt in een hanger op een van de riemplaten. Deze riemen werden kruiselings over elkaar gedragen, net als veel cowboys in westernfilms hun pistoolholsters. Aan het einde van de eerste eeuw veranderde deze gewoonte en droeg men voortaan meestal een enkele riem die een stuk breder was en waar plaats was voor zowel zwaard als dolk. Het bleef wel in zwang om meer riemen te dragen. Op de Zuil van Trajanus staat een soldaat die er wel vier om heeft.

In de eerste en tweede eeuw n.C. droeg men vaak ook een schoot of gordel die aan de soldatenriem bevestigd werd. Die bestond uit maximaal negen leren repen, versierd met metalen knoppen en uiteinden. De meeste gordels hadden vier à zes repen, die wellicht de functie hadden het onderlichaam te beschermen, al zal dat vooral voor het idee zijn geweest. Hedendaagse re-enactors vinden dat de gordel hinderlijk zwiept tijdens het rennen. In ieder geval zag een soldaat er met zo'n riem mooi uit en het rinkelde stoer als hij bewoog.

Schoeisel: Niet alleen de gordel en andere metalen delen van de wapenrusting rinkelden, ook de zool van de soldatenlaars (*caliga*) had flinke noppen. Bij Josephus lezen we dat de centurio Julianus in 70 n.C. een vijand najoeg over het tempelplein in Jeruzalem, tot hij met de metalen noppen onder zijn laarzen uitgleed over de tegelvloer, waarna zijn tegenstanders hem direct omsingelden en doodden. Dat risico liep men, maar op een minder gladde ondergrond boden de laarzen meestal goede grip. De noppen sleten wel, en moesten dan vervangen worden. Vespasianus kreeg eens het verzoek om een hogere schoenentoelage (*calciarium*) voor soldaten bij de Italiaanse vloot toe te kennen omdat hun schoeisel sleet tijdens de vele lange marsen van Puteoli of Ostia naar Rome. De keizer antwoordde dat ze dan maar blootsvoets moeten lopen, wat ten minste tot het einde van de eeuw gebruikelijk schijnt te zijn geweest.

De open *caligae* zien eruit als sandalen, maar ze waren veel steviger. Ze bestonden uit drie delen, de zool, binnenzool en bovendeel, en de pasvorm kon met riempjes worden aangepast. Dat ze alleen geschikt waren voor mooi weer klopt niet, want de soldaten droegen meestal kousen in hun *caligae*. Op een monument waarop leden van de Praetoriaanse garde tijdens een parade worden afgebeeld zijn kousen met open teen en hiel zichtbaar. Tijdens de tweede eeuw n.C. wordt schoeisel met een dichte bovenkant gebruikelijk en heeft dit de *caligae* misschien wel helemaal vervangen. Het lijkt erop dat in het leger meestal of altijd laarzen met spijkerzolen werden gedragen.

Overige kleding: In een van de bekendste brieven uit Vindolanda schrijft een soldaat dat hij enkele 'paren kousen (*udones*) uit Sattua, twee paar sandalen

De grafsteen uit Mainz van Publius Flavoleius Cordus, soldaat in Legio XIV Gemina. Ook hij draagt alleen een tuniek. Wel zijn duidelijk zijn zwaard aan zijn rechterkant en zijn dolk aan zijn linkerkant te zien, terwijl hij een *pilum* in zijn rechterhand heeft en een ovaal schild op zijn rug. Hij heeft een rol in zijn linkerhand, wat aan kan geven dat hij een klerikale post bekleedde. Na 23 jaar dienst, vlak voor zijn ontslag uit het leger, stierf Cordus op 43-jarige leeftijd, aan het begin van de eerste eeuw na Christus.

of slippers (*soleae*) en twee paar onderbroeken (*subligares*)' had ontvangen. Naar aanleiding van deze en vele andere bronnen begint geleidelijk het hardnekkige beeld te verdwijnen dat de Romeinse soldaten in Noord-Engeland rondliepen in kleren die beter geschikt waren voor een mediterraan klimaat. De troepen pasten zich wel degelijk aan het plaatselijke klimaat aan, hoezeer het ook afweek van wat ze gewend waren. Onder de tunica droegen ze lang ondergoed, en zeker bij de cavalerie ook wat langere broeken, kousen en soms verschillende vormen van beenbekleding.

Veranderingen in de loop van de tijd: In de derde eeuw n.C. veranderde de kledingstijl van burgers en militairen. Vanaf die tijd werd de tunica met lange mouwen gebruikelijk. Muurschilderingen en mozaïeken laten zien dat deze vaak waren afgezet met een rand in een andere kleur, soms versierd met ronde of ruitvormige patronen. De mouwen zaten vaak strak bij de polsen. In Dura Europus werden enkele van deze wollen mantels aangetroffen, waaruit blijkt dat ze uit één stuk werden geweven met een uitsparing voor het hoofd en soms ook op beide heupen. Het werd ook gebruikelijk om broeken te dragen, meestal strakke. Deze kledingstijl bleef grotendeels in zwang tot de ondergang van het West-Romeinse Rijk, en nog veel langer in het oostelijke deel.

De kleurkwestie

Materialen als wol, linnen en leer zijn slechts in zeer bijzondere omstandigheden bewaard gebleven. Veel van wat we weten over de dracht van de soldaten is afkomstig van omvangrijke monumenten zoals de Zuil van Trajanus en van soldatengraven. Oorspronkelijk bezaten deze reliëfs heldere kleuren, waarmee ook details werden aangegeven die lastig te graveren waren, zoals maliënkolders of kousen. Helaas is er amper kleur in bruikbare staat bewaard gebleven. Bij sommige opgravingen zijn wel gekleurde mozaïeken of wandschilderingen aangetroffen, maar meestal niet met grotere taferelen waar soldaten in het uniform van die tijd op staan. In schriftelijke bronnen gaat het ook bijna nooit over de details van kleding en wapenrusting, en in die zeldzame gevallen dat een kleur vermeld wordt weten we nog niets over de exacte schakering. Kortom, we weten wel met enige zekerheid hoe de Romeinse soldaten eruit gezien hebben, maar hebben geen antwoord op de vraag welke kleuren ze droegen. Bij moderne illustraties of historische opvoeringen komt het dus vaak op speculeren aan.

Men gaat er vaak van uit dat alle soldaten tunica's droegen in een standaardkleur. Er zijn echter geen concrete aanwijzingen dat dat zo was; het is goed mogelijk dat er variatie in kleuren en patronen bestond voor de verschillende tenues. Het zou ook kunnen – maar ook hier is geen concreet bewijs van – dat bepaalde eenheden in sommige perioden tunica's in een opvallende kleur droegen, uit

vrije keus of vanwege de beschikbaarheid. Er zijn wel indicaties dat de soldaten witte of gebroken witte tunica's droegen, en in mindere mate ook wel rood. Een papyrustekst uit Egypte bevat een bestelling hagelwitte tunica's voor een eenheid, bovendien dragen de meeste afgebeelde soldaten op mozaïeken wit. Burgers droegen waarschijnlijk meestal ongeverfde tunica's, dus in schakeringen van wit tot lichtgrijs of lichtbruin. Het zou kunnen dat soldaten duurdere witte tunica's droegen die de gewone man niet kon betalen. In zijn beschrijving van een leger dat een zegetocht door Rome maakt na de dood van Nero, heeft Tacitus het over kampprefecten, tribunen en hogere centurio's in oogverblindend witte uniformen, wat lijkt in te houden dat de hogere rangen tunica's droegen van betere kwaliteit dan de gewone soldaten. Dit doet denken aan wat in de negentiende eeuw in het Britse leger gewoon was.
Daar droegen de soldaten een rode uniformjas die een stuk lichter van kleur was dan die van de sergeant, die op zijn beurt weer fletser en anders van snit was dan de officiersjas. Het zou ook kunnen dat centurio's ter onderscheiding van de gewone legionairs een rode tunica droegen in plaats van een witte. Het zou kunnen, maar het strookt niet helemaal met wat we bij Tacitus lazen.

Mantels zijn op schilderingen meestal licht geelbruin van kleur. Dit waren vooral praktische kledingstukken die bescherming boden tegen kou en wind; een minder opvallende kleur is dus niet zo verrassend. Er zijn echter enkele portretten in Egypte, waarschijnlijk uit de tweede eeuw n.C., waarop mannen met baarden staan afgebeeld die een riem voor hun zwaard dragen. Dit waren wellicht veteranen, voormalige officieren waarschijnlijk, gezien hun kostbare graven. Ze dragen allemaal een witte tunica, maar hun mantels hebben allerlei kleuren, van donkerblauw tot diep olijfgroen. Hieruit kan worden geconcludeerd dat bepaalde personen of rangen wel degelijk gekleurde mantels bezaten en dat de geelbruine versie die we overal aantreffen niet standaard hoeft te zijn geweest. Bovendien weten we dat Romeinse generaals meestal een rode mantel droegen ten teken van hun rang, en dat Crassus voor opschudding zorgde in de eerste eeuw v.C. toen hij eens verscheen in een zwarte mantel, de kleur van het ongeluk.

Legioenshelmen

Het onderzoek naar de Romeinse helm ondervindt, evenals bij overige onderdelen van de wapenrusting, wat hinder van een eenzijdige nadruk op externe toevoegingen, die vaak vooral een decoratieve functie hadden en niet zo veel met ontwerp, productie of gebruik te maken hadden. De meeste Britse wetenschappers volgen de indeling naar type en patroon van Russell Robinson, in de rest van Europa wordt meestal een heel ander systeem gebruikt, gebaseerd op vindplaatsen. Eenzelfde helm kan dus worden gerubriceerd als 'Imperial Gallic Type A' in het systeem van Robinson, maar ook als Weisnau/Nijmegen-type volgens de

Europese indeling. Over het algemeen is er verder wel consensus tussen de twee scholen over de ontwikkeling van de helm van de Romeinse infanterie.

In de laatste eeuw van de republiek werden helmtypen gebruikt die alle teruggingen op Gallische ontwerpen. Aanvankelijk was de Montefortinohelm het meest voorkomende type, dat in ieder geval vanaf de derde eeuw v.C. in gebruik was. Na verloop van tijd werd de nekplaat steeds groter. De Coolushelm leek hier veel op, en tegen het einde van de eerste eeuw v.C. verdrong deze de Montefortinohelm. De meeste, maar zeker niet alle Coolushelmen hadden een knop of piek bovenop de bol. Bij dit type was de nekplaat vaak iets breder dan bij de Montefortino en vanaf het midden van de eerste eeuw v.C. bezaten de meeste ook een uítstekende rand aan de voorkant van de bol, ter versterking. Inmiddels waren de wangplaten bij beide typen een stuk groter zodat het gezicht beter beschermd was. Dit was afgekeken van de Gallische ijzeren helmen zoals het Agentype.

Bij zowel de Montefortino- als de Coolushelm, en ook bij de latere imperiale typen, waren bol en nekplaat van hetzelfde stuk metaal gemaakt. Er waren in principe twee manieren om een helm te maken: smeden, waarbij het metaal over een mal in vorm werd geslagen, en draaien, waarbij een draaiende mal werd gebruikt, meestal een geslepen stuk hout of steen. IJzeren helmen konden alleen in vorm geslagen worden, omdat het ijzer dat de Romeinen gebruikten niet zuiver genoeg was en op een draaibank zou breken. Er bestond echter ook een legering – koper met ongeveer een kwart zink – waarmee bronzen helmen wél gedraaid konden worden. Dit werd de gebruikelijke methode voor de Montefortino- en Coolushelmen in de eerste eeuw n.C. De metalen bol van een gedraaide helm was minder hard dan een die was gesmeed. Exemplaren die bewaard gebleven zijn vertonen dan ook beschadigingen op deze plek. De piek op de Coolushelm zou daarom een vroege poging kunnen zijn om deze broze bol te versterken, al past deze versiering ook bij de ontwerpen uit die tijd.

De latere Coolushelmen kregen steeds bredere wang- en nekplaten. Uit deze ontwikkelingen, samen met andere wijzigingen aan de ijzeren Gallische helm, ontstonden de imperiaal-Gallische en imperiaal-Italische helm, die voornamelijk van ijzer waren gemaakt. De vroegste imperiale helmen bezaten uitsnedes voor de bovenkant van het oor van de soldaat, al snel vervangen door oorplaten. De recht uitstekende nekplaten maakten snel plaats voor bredere en lagere versies, terwijl de plaat zelf steeds breder werd. Na verloop van tijd beschermde deze plaat niet alleen de nek, maar ook de schouders. De achterkant van de helm werd meestal verstevigd met rijen ribbels. Aan de voorkant bevond zich een rand, als bij het Coolustype, die steeds dikker werd gemaakt. Imperiale helmen waren van brons of ijzer; de Gallische versie vooral van ijzer. Het verschil tussen beide typen zit vooral in de stijl, al was bij de Italische de afwerking meestal verfijnder. Opvallende kenmerken van de imperiaal-Gallische helm zijn de gestileerde opgetrokken wenkbrauwen op

De Montefortinohelm (een late versie uit de eerste eeuw v.C.) met bredere wang- en nekplaat dan de vroegere typen. Hij bood enige bescherming tegen een slag op het hoofd.

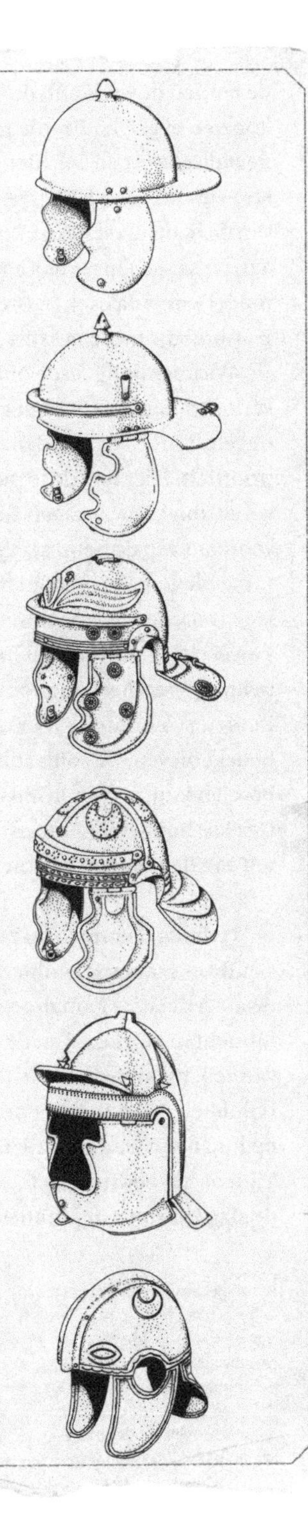

De Coolushelm (begin eerste eeuw n.C.) leek in veel opzichten op de Montefortino, maar had doorgaans nog bredere wangplaten en nekplaat. Extra was de versterkende voorrand die aanvallen van die kant kon opvangen.

De imperiaal-Gallische helm (midden tot eind eerste eeuw n.C.) borduurt voort op de elementen van Montefortino- en Coolushelm. De nekplaat is niet alleen langer, maar ook breder, is verstevigd met ribbels en gebogen om een slag af te weren.

De imperiaal-Italische helm (begin tweede eeuw n.C.) wijkt op details af van de andere Gallische modellen, maar heeft vaak minder versieringen. Veel latere typen hebben kruisbanden op de bol voor extra stevigheid.

Deze ijzeren helm, gevonden in Duitsland in Heddernheim, is waarschijnlijk van een ruiter geweest, maar vertoont veel elementen van de infanteriehelmen.

De Intercisahelm is heel anders dan eerdere helmtypen. De bol bestond uit twee helften met een naad in het midden, een kleine nekplaat en had geen verstevigingen aan de voor- en bovenkant.

de bol aan de voorkant; de koperen sierrand vrijwel helemaal rond de helm en de koperen of geëmailleerde reliëfversieringen. Deze helmen hadden geen knoppen, de Italische versie ook niet, maar houders voor een kam. Aan het einde van de eerste eeuw n.C. werd er op verschillende manieren geprobeerd de voor- en bovenkant van de helm te versterken. Ter versteviging werden twee banden bevestigd, soms aan bestaande maar ook aan nieuwe exemplaren, die elkaar bovenop kruisten. Dit model wordt daarom in Groot-Brittannië wel eens vergeleken met het traditionele paasbroodje met een kruis erop.

Waarschijnlijk is de ontwikkeling van de Romeinse helm niet gelijkmatig verlopen, maar als we het geheel overzien wordt wel duidelijk welke problemen opgelost moesten worden. Bescherming aan de bovenkant had altijd de hoogste prioriteit. Hier had de tegenstander vrij spel, zeker wanneer hij van boven of van voren kon houwen, zoals met een zwaard. Zowel de uitstekende randen aan de voorkant van de helm als de kruisbanden over de bol moesten hiertegen bescherming bieden. Een andere interessante ontwikkeling is die van de nekplaten, die steeds breder en langer werden. Als iemand zich vlak voor de soldaat bevond, kon een slag die voor het hoofd bedoeld was veel lager uitkomen. Dan bood een nekplaat bescherming voor nek en schouders. Opvallend bij alle helmen van de Romeinse infanterie voor de derde eeuw n.C. was dat het gezicht en de oren onbedekt bleven. De soldaat moest nu eenmaal kunnen zien wat er gebeurde en de bevelen kunnen horen, en dat ging moeilijk bij volledig gesloten vormen als de Griekse hoplietenhelm en de middeleeuwse pothelm. De grote wang- en oorplaten aan de Romeinse helm zorgden voor zoveel mogelijk bescherming.

Helmen, kammen en rangen

Centurio's onderscheidden zich van gewone soldaten doordat ze een hoge, dwarsgeplaatste kam droegen, volgens Vegetius. Dit wordt op slechts twee monumenten afgebeeld en de eerste helm die dit bevestigt moet nog gevonden worden, maar toch wordt algemeen aangenomen dat dit het geval was van de late republiek tot en met het principaat. De vaandeldragers droegen een dierenhuid op hun helm, een gebruik dat sommige hulptroepen wellicht hebben nagevolgd. Tijdens het bewind van Caesar was het zeker gebruikelijk dat soldaten tijdens de slag kammen of pluimen op hun helmen droegen, want hij schrijft over een

In de tijd van Caesar was het normaal om kammen en pluimen te dragen tijdens de strijd, maar in het leger van het principaat lijkt dit fenomeen nog maar zelden voor te komen. Toch konden veel helmen nog voorzien worden van kammen, een dergelijke versiering was nog steeds gebruikelijk bij parades en ceremoniën. Een groep re-enactors toont meerdere versieringen op hun imperiaal-Gallische helmen. In het midden zien we de dwarse kam van de centurio (die waarschijnlijk zelfs in de strijd werd gedragen). Dit geeft aan dat hij een officier is. Het is niet bekend of andere rangen, zoals de *optiones*, zich ook onderscheidden door kammen en pluimen of specifieke kleuren of vormen, zoals hier wordt gesuggereerd. Maar het is alleszins aannemelijk dat die verschillen er wel waren.

verrassingsaanval die zijn leger zo overviel dat ze geen tijd hadden om de helmen te versieren en de leren hoezen van hun schilden te halen. Tot aan het einde van de eerste eeuw n.C. was op veel helmen een houder bevestigd. Sommige types, vooral de Coolushelm, hebben ook nog twee buisjes aan weerszijden van de kom, waar vermoedelijk hoge pluimen in gestoken konden worden. Het is niet duidelijk of dit tekenen van een bepaalde rang waren, bijvoorbeeld voor de *optiones*, of dat het insignes van een of meer specifieke legioenen waren, of zelfs een eenheid daarvan. Een leuk, maar ongefundeerd voorbeeld hiervan is het legioen dat Caesar had samengesteld uit Gallische rekruten, die hij vervolgens het Romeinse burgerrecht verleende. Dit Legio V Alaudae, 'de leeuweriken', droeg veren van een leeuwerik aan weerszijden van de helm. Op de Zuil van Trajanus en andere monumenten uit die tijd komen zelden kammen of pluimen voor, en dan alleen in parades. Vanwege de helmversteviging met kruisbanden was zo'n traditionele kam misschien niet mogelijk, maar of dit de reden was of dat de kam uit de mode raakte is niet duidelijk.

Voering en hoofdbedekking

Enkele vondsten van Romeinse helmen, bijvoorbeeld de imperiaal-Gallische helm uit Brigeto, hebben sporen van een voering aan de binnenkant van de bol. Dat gaf een betere pasvorm. Ze bezaten waarschijnlijk ook een soort opvulsel, dat een klap die de helm niet spleet opving, zodat die minder hard aankwam en iemand niet bewusteloos raakte of nog erger. Soldaten die een helm droegen zonder zo'n voering hadden er vast en zeker een andere vorm van hoofdbedekking onder.

Latere helmvormen

Tijdens de derde eeuw veranderde de uitrusting van het Romeinse leger in allerlei opzichten drastisch. Sommige helmen van het imperiale type bleven nog enkele decennia in gebruik, maar daarna kwam er een nieuwe infanteriehelm, in grote mate beïnvloed door de vorm van de cavaleriehelm. Een mooi voorbeeld van deze helm is de Duitse Heddernheimhelm. In tegenstelling tot eerdere infanteriehelmen zijn hierbij de oren vrijwel geheel bedekt en is de nekplaat vrij steil en lang. Enkele eerdere kenmerken blijven behouden, zoals de bol en nekplaat uit hetzelfde stuk metaal, maar daar komt snel een einde aan wanneer er later in de derde eeuw enkele nieuwe typen worden geïntroduceerd die uit verschillende delen bestaan. Eenvoudige typen, zoals de 'kamhelm' die in het Hongaarse Intercisa werd gevonden, hebben twee halve bollen die met een rand dwars op het hoofd aan elkaar worden bevestigd. Bij sommige vondsten zijn voeringresten aangetroffen, en soms ook ooggaten. Veel helmen van het Heddernheimtype waren rijkelijk versierd, een trend die doorzet. Twee mooie voorbeelden zijn de helmen uit Berkasovo. De goedkopere Intercisa-kamhelmen en de even simpele spangenhelmen, waarbij de bol uit vier stukken ijzer bestaat, zullen ongetwijfeld veel gangbaarder zijn geweest, zeker onder gewone soldaten. De spangenhelm is wellicht beïnvloed door een type dat nomadenstammen langs de Donau gebruikten, zoals de Sarmatianen en de Alanen. Dit soort simpele helmen waren van mindere kwaliteit dan die van hun voorgangers. Toch zal het feit dat de Romeinen alle of vrijwel alle soldaten in het leger zo'n uitrusting verstrekten een groot voordeel hebben betekend op de barbaarse volken, waar alleen de rijkste krijgers zich een helm konden veroorloven.

Lichaamsbescherming

Maliën (lorica hamata): In het hele tijdvak dat dit boek bestrijkt behoorde de maliënkolder tot de Romeinse militaire uitrusting. In de eerste eeuw v.C. droegen de meeste legionairs een maliënkuras, wat ze zeker nog enige tijd bleven doen nadat het beroemde pantser van metalen plaatjes in gebruik kwam. Sommige kurassen werden gemaakt van een koperlegering, maar de meeste bestonden uit ijzeren ringetjes van gemiddeld 1 mm dik en 7 mm in doorsnee. Doorgaans was een ringetje verbonden aan vier andere. Ze werden óf aan elkaar geklonken óf gelast. Maliënkolders bij de legioenen hadden vaak een dubbele laag op de schouders en reikten tot aan de heup. Een maliënkuras was flexibel en vrijwel niet gevormd, zodat het veel makkelijker paste dan de andere soorten lichaamspantsers. Wat dat betreft was het comfortabel, zeker met een riem erbij om het aanzienlijke gewicht (tien tot vijftien kilo) te verdelen, zodat het niet alleen op de schouders rustte. Een maliënkolder bood redelijk wat bescherming, maar hield een felle stoot of een pijl vanaf een goede afstand niet tegen.

Schubbenpantsers (lorica squamata): Het schubbenpantser is enige tijd in gebruik geweest bij de legioenen, wat ook blijkt uit afbeeldingen op de metopen in Adamklissi in Roemenië. In tegenstelling tot maliënkolders, die relatief gemakkelijk onderhouden en gerepareerd konden worden, was het schubbenpantser kwetsbaar. Vandaar dat op archeologische vindplaatsen vaak losse schubben worden gevonden. De schubben waren meestal van een koperlegering, maar soms van ijzer. In het eerste geval werden ze ook wel vertind, zodat ze blonken; deze lichaamspantsers konden glimmend worden opgepoetst. De schubben konden per geval in grootte verschillen, maar waren meestal klein, slechts een paar centimeter lang en iets langwerpig. Ze werden in rijen aan elkaar genaaid en dan op een ondergrond van stof bevestigd. De schubben waren op zich niet dik, maar de kracht van het geheel school in het overlappen van de plaatjes. Daardoor werd de impact van een klap opgevangen of de slag schampte af op het gladde oppervlak.

Platen (lorica segmentata): Het uit platen bestaande kuras is het type borstpantser waar de meesten bij de Romeinen aan denken, al lijkt het erop dat het slechts tijdens het principaat in gebruik is geweest. Stukken van een vroege vorm zijn opgegraven bij Kalkriese, de plaats waar Varus waarschijnlijk zijn grote nederlaag geleden heeft in 9 n.C., wat betekent dat de datering van de ingebruikname een halve eeuw naar achteren geschoven kan worden. In de derde eeuw n.C. werd het steeds minder vaak gebruikt, waarna het snel helemaal werd afgeschaft. Er is een afbeelding van op de Zuil van Trajanus, maar hoe het in elkaar zat weten we pas sinds Russell Robinson erin slaagde er een samen te stellen uit fragmenten van drie kurassen uit de militaire bewaarplaats van Corbridge, ten zuiden van de Muur van Hadrianus. Het kuras bestaat uit ijzeren platen die hun vorm krijgen door de leren riemen waarop ze bevestigd zijn. De schouderpartij was extra beschermd. De ijzeren platen schijnen niet te zijn

Een close-up van een auxilia-soldaat op de Zuil van Trajanus. Hij draagt een maliënkolder, helm, tuniek en broek. De tuniek is enigszins ongebruikelijk omdat de onderste zoom versierd is, terwijl de mouwen bedekt zijn met rijen leren stroken. Zoals alle auxilia-soldaten op de Zuil, draagt hij een plat, ovaal schild.

uitgehard door ze te smeden, maar bleven relatief zacht, zodat het metaal een klap kon opvangen. Uit moderne tests is gebleken dat uit segmenten bestaande lichaamspantsers goed werkten doordat speren of pijlen erop afketsten. Ze wegen wel zo'n negen kilo, iets lichter dan een maliënkolder, maar door de vorm droegen ze niet prettig en diep ademhalen was niet altijd mogelijk. Door de ingewikkelde samenstelling, met al die verschillende platen en gespen van een koperlegering, scharnieren, haken en het leren pantser eronder was het zeer bewerkelijk in het onderhoud. Waar de bronzen stukken de ijzeren platen raakten begon het te roesten, verbindingsstukken braken en raakten soms kwijt. Die losse stukjes worden dan ook vaak aangetroffen op vindplaatsen van Romeinse legerbases. Deze problemen konden niet helemaal opgelost worden, ook al werden er eenvoudiger versies ontwikkeld, zoals het Newstead-patroon, genoemd naar de vindplaats van zo'n pantser in Zuid-Schotland. Bovendien was er sowieso veel kennis voor nodig om de *lorica segmentata* te vervaardigen. Wellicht droegen deze factoren ertoe bij dat het pantser in onbruik raakte in de moeilijke omstandigheden van de derde eeuw n.C.

Lichaamspantsers van alle typen en uit elke periode werden ongetwijfeld gedragen op een soort gewatteerd onderkleed, nooit rechtstreeks op een tunica. Over dat onderkleed is niet veel bekend, want het zal ongetwijfeld zijn gemaakt van een vergankelijke stof en we hebben geen exemplaar of betrouwbare afbeelding ervan. Naast draagcomfort zal dit kledingstuk extra bescherming hebben geboden en hebben gewerkt als een schokdemper die klappen op het pantser opnam.

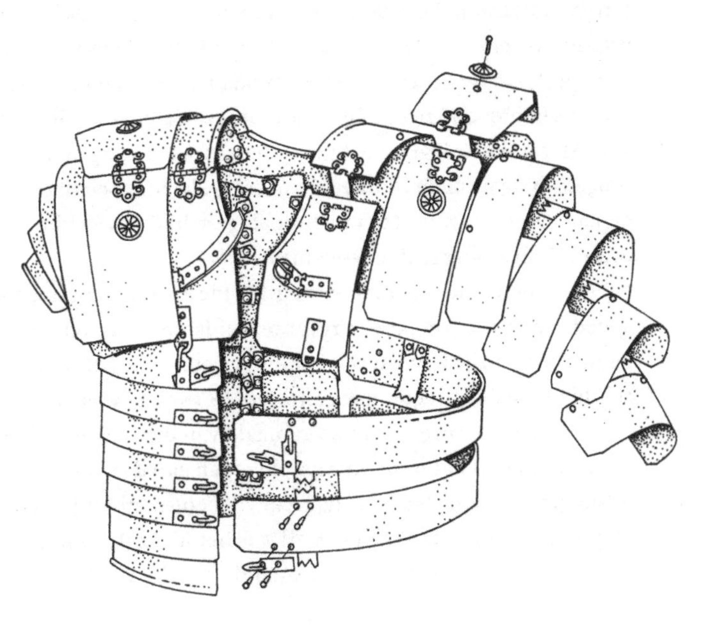

Een schematische voorstelling van de *lorica segmentata*, gebaseerd op vondsten in Corbridge, ten zuiden van de Muur van Hadrianus. De gebogen ijzeren platen werden door leren banden aan elkaar verbonden. De bronzen verbindingsstukken braken snel af en worden daardoor nog vaak gevonden.

Sommige van deze wambuizen hadden wellicht een franje van leren repen die bijna tot de zoom van de tunica reikte en zo het onderlichaam en de dijen nog wat bescherming bood. Een late en doorgaans onbetrouwbare bron noemt een dergelijk onderkleed een *thoramachus*; in een andere geschiedschrijving wordt de term *subarmalis* gebruikt. Die tweede term komt voor in een tekst uit Vindolanda en lijkt op linnengoed te duiden, maar in een ander document rond diezelfde tijd, uit Carlisle, wordt met *subarmalis* verwarrend genoeg een soort werpspeer bedoeld. Soms werd ook nog een waterdicht kleed gedragen tegen de regen, hoogstwaarschijnlijk van leer, óf tussen de *thoramachus* en het kuras, óf over het pantser.

Het legioensschild (*scutum*)

In veel opzichten veranderde er van de midden-republiek tot begin derde eeuw n.C. niet veel aan het schild van de legionairs. Het was altijd een lang schild in een halve cilinder dat het lichaam beschermde, gemaakt van enkele lagen hout. Voor de Marianische hervormingen droegen de legionairs een ovaal schild, met ronde hoeken, zoals het exemplaar dat gevonden is in Kasr el-Harit in Egypte. Ovale schilden met ongeveer eenzelfde vorm werden tot ver in het principaat gebruikt, zowel door de legionairs als (misschien juist vooral) door de Praetoriaanse garde. Maar begin eerste eeuw n.C. waren de legioensschilden grotendeels rechthoekig. Ze waren iets korter, maar even breed als hun voorlopers. De meeste hadden een vlakke bovenkant met gewelfde of rechte zijkanten, al is er een leren hoes gevonden in Caerlon met een ronde bovenkant en rechte zijkanten, er waren dus varianten. Vóór de periode van de late republiek zijn er weinig bronnen waaruit we iets over de vorm van het schild kunnen putten, dus we weten niet wanneer deze verandering zich voltrokken heeft. Het korte, rechthoekige schild was iets lichter dan het oude ovale type. Wellicht gaven de beroepssoldaten in het post-Marianische leger, die hun wapens en uitrusting op lange marsen moesten dragen, er daarom de voorkeur aan. Dit is slechts speculatie, maar ook voor de algemene opvatting dat het rechthoekige schild pas aan het einde van de eerste eeuw v.C. in zwang raakte is weinig bewijs.

Er is geen enkel *scutum* bewaard gebleven uit de periode van de eerste en tweede eeuw n.C. (maar een recente vondst in Massada zou er een uit de eerste eeuw kunnen zijn). In Dura Europus is wel een rechthoekig, half-cilindrisch schild uit de derde eeuw aangetroffen. Dat schild was 102 centimeter lang en 83 centimeter breed en was gemaakt van drie lagen verlijmde houtrepen; rechte banen in het midden waar de repen aan de voor- en achterkant haaks op gelijmd waren. Het was ongeveer vijf centimeter dik, maar in tegenstelling tot het schild uit Kasr el-Harit was het niet dikker in het midden. In het midden zat een rechthoekig gat waar de middenversiering had moeten zitten,

Boven:
(Links) Een gebogen ovaal *scutum* gebaseerd op het schild uit Kasr el-Harit. De afbeelding is overgenomen van de Triomfboog van Orange in Zuid-Frankrijk (ten minste gebruikt tot de derde eeuw v.C.).

(Midden) Een gebogen rechthoekig *scutum* gebaseerd op een vondst uit Dura Europus aan de Eufraat (eerste tot derde eeuw n.C.).

(Rechts) Een schild met rechte zijden en afgeronde hoeken, gebaseerd op enkele bewaard gebleven hoezen. Of zo'n schild gebogen was valt niet te zeggen (eerste tot tweede eeuw n.C.).

Onder:
(Links) De verhoudingen van dit platte, ovale schild zijn gebaseerd op een hoes die werd opgegraven in Valkenburg. De decoratie is overgenomen van een *auxilia*-schild op de Zuil van Trajanus (eerste tot derde eeuw n.C.).

(Midden) Een plat schild gebaseerd op een vondst uit Doncaster (Noord-Engeland). In afwijking van de meeste Romeinse schilden is de handgreep verticaal geplaatst (eerste eeuw n.C.).

(Rechts) Een ovaal schild, gebaseerd op vondsten in Dura Europus. Op het origineel ontbreekt de rechterhand van de afgebeelde figuur; de aanvulling is een gissing (derde tot vierde eeuw n.C.).

maar die ontbrak. Het schild was aan de achterkant verstevigd met een raamwerk van houten repen die met lijm of pinnen bevestigd waren en het had een horizontaal handvat. Voor- en achterkant waren met dun leer overtrokken, op de hoeken waren verstevigingsstukken genaaid en een zoom moest de randen rondom beschermen. Dit lijkt een latere en goedkopere versie te zijn van het koperen beslag dat normaal gebruikt werd. Stukken metalen beslag worden vaak aangetroffen, waaruit kan worden afgeleid dat het snel beschadigde. Een reconstructie van het schild uit Dura Europus, met een ijzeren sierstuk en bronzen rand, woog zo'n vijfenhalve kilo. Een even grote versie waarbij het hout naar het midden toe verdikt werd, zal zo'n zevenenhalve kilo hebben gewogen, nog steeds lichter dan de tien kilo die de reconstructie van het schild uit Kasr el-Harit woog.

Wanneer ze niet in gebruik waren, werden de schilden in een leren hoes beschermd tegen weersinvloeden. We bezitten fragmenten van zulke hoezen uit verschillende vindplaatsen. Op de voorkant was vaak het insigne van de eenheid afgebeeld, meestal geverfd, soms zelfs heel verfijnd. De beeldhouwers die de Zuil van Trajanus maakten, hebben die schildversieringen zorgvuldig uitgesneden. Helaas weten we niet bij welke eenheden ze hoorden, en ook op grafmonumenten zijn maar enkele symbolen duidelijk zichtbaar. Of een schildinsigne voor een heel legioen gold of dat elk cohort een eigen teken of onderscheidende kleur had is niet bekend, maar dat er een soort systeem was is duidelijk. Zo beschrijft Tacitus een incident tijdens de burgeroorlog die volgde op de dood van Nero. Twee soldaten vermomden zich door de schilden van twee vijandelijke slachtoffers te dragen en wisten zo een grote katapult onklaar te maken. Het schild uit Dura Europus was aan beide zijden rozerood geschilderd en had een decoratie van geometrische patronen, een leeuw, een adelaar en twee victoria's. Dit was waarschijnlijk een van de insignes van een legioen dat er garnizoen hield. Dergelijke detailleringen zullen snel gesleten zijn, zeker als het schild op het slagveld gebruikt werd. Het is goed mogelijk dat beschadigde schilden tijdens een veldtocht werden vervangen door exemplaren met een eenvoudiger afbeelding. Overigens waren de insignes van de eenheid wel belangrijk, wat blijkt uit het feit dat zelfs de leren beschermhoezen die tijdens een campagne meegingen zo'n afbeelding hadden. Een rechthoekig schild dat in Nederland werd gevonden en had toebehoord aan een lid van Cohors XV Voluntariorum civium Romanorum, was versierd met twee steenbokken, de symbolen van Augustus die de eenheid oorspronkelijk had opgericht. Zelfs als het niet intensief gebruikt werd, ging een schild niet een hele diensttijd van vijfentwintig jaar mee, in tegenstelling tot metalen uitrustingsstukken. Vooral bij helmen kun je soms zien dat ze meer dan één eigenaar hebben gehad.

Overige uitrusting

Er zijn afbeeldingen van hogere legerofficieren die verschillende typen kurassen dragen, meestal van metaal, maar er is geen enkel exemplaar uit deze periode gevonden dat bevestigt dat ze werkelijk hebben bestaan en niet alleen een conventie in de Romeinse kunst waren. Of ze ook leren wapenrustingen hadden is evenmin met zekerheid te zeggen.

Van de metopen uit Adamklissi weten we dat Romeinse legionairs rond eind eerste, begin tweede eeuw n.C. kozen voor extra bescherming boven die van schild, helm en kuras. Op alle taferelen waar legionairs in het gevecht worden afgebeeld, dragen ze scheenbeschermers en een gesegmenteerde wapenhandschoen of onderarmpijp aan de rechterhand. Veel barbaarse tegenstanders dragen *falces*, lange tweehanders die op een soort zeis lijken waarmee ze om een schild heen kunnen steken, gericht op de rechterarm of onderbenen; juist

Veel legionairs op de metopen uit Adamklissi zijn afgebeeld met *pila*, met een rond voorwerp vlak achter de bovenkant van de staf. Dit is waarschijnlijk een gewicht om de stootkracht bij het werpen te vergroten.

daarom dragen de Romeinen extra uitrustingsstukken. De armbescherming bestond uit scharnierende ijzeren platen die op een leren pantser bevestigd waren en het leek daarin veel op het borstpantser met verschillende platen, de *lorica segmentata*. Hoewel niemand op de metopen van Adamklissi zo'n pantser draagt, alle legionairs dragen schubbenpantsers of maliënkolders, is een dergelijk kuras met een armstuk eraan gevonden in Colonia Sarmizegethusa Ulpia, de hoofdstad van het Romeinse Dacia. Uit vondsten in Newstead en meer recent nog in Carlisle in Noord-Engeland blijkt dat deze extra wapenrusting niet alleen in het Donaugebied werd gebruikt, maar ook in andere streken. Er zijn geen exemplaren van beenkappen uit deze tijd gevonden, maar het is aannemelijk dat deze evenals vroegere Romeinse modellen, met leer werden bekleed en werden vastgebonden en niet om het been geschoven, zoals bij de Griekse hoplieten.

Aanvalswapens

De pilum – De *pilum* of werpspeer werd tot in de derde eeuw n.C. door de legionairs gebruikt, waarna hij in onbruik raakte. Er veranderden in de loop van de tijd slechts enkele details aan het ontwerp dat dateert uit de midden-republiek. Bij een flink aantal vindplaatsen werden speerpunten aangetroffen, en in Oberaden in Duitsland zelfs enkele speren met een stuk houten schacht eraan. De punten werden op twee manieren bevestigd. Sommige ijzeren punten liepen uit op een houder die op de houten schacht kon worden geschoven en met een ijzeren ring vastgezet, maar de meeste hadden een brede, rechthoekige angel die in een gleuf gestoken kon worden, waarna de punt met twee klinknagels werd bevestigd. Op één reliëf is duidelijk een *pilum* te zien met een punt aan de onderkant, maar of alle speren dat hadden is niet bekend. Op andere beelden, met name het Cancellaria-reliëf met de pretoriaanse gardisten en op de metopen in Adamklissi, zie je speren met een soort bal net achter de brede bovenkant van de schacht. Dit zal een extra gewicht zijn geweest, misschien van lood, dat de *pilum* vlak achter de kleine punt nog meer stootkracht moest geven. Op een reliëf uit de derde eeuw staan twee van deze gewichten. Een *pilum* had een bereik van vijftien meter, maar bij dergelijke aanpassingen zal dat iets minder zijn geweest. Dit wapen was in eerste instantie bedoeld om een dodelijke slag of verwonding toe te brengen door wapenrusting en schild van de vijand te doorboren. Dat vroeg om veel discipline, want de soldaten moesten wachten tot de vijand dichtbij genoeg was. Op één vroege grafsteen staat een legioenssoldaat die twee *pila* draagt. Het is mogelijk dat ze er twee bij zich hadden op veldtocht, maar een soldaat die er meerdere meenam naar het slagveld lijkt onwaarschijnlijk.

Speren en werpsperen: De legionairs kunnen ook over andere stokwapens hebben beschikt. Arrianus, een Romeinse aanvoerder uit begin tweede eeuw n.C., heeft een verslag nagelaten over zijn leger, dat zich voorbereidde op een slag met de Alanen, een nomadenvolk dat voornamelijk uit een zwaar bewapende cavalerie bestond. Hij stelde zijn legionairs rijendik op om de aanval op te kunnen vangen. De eerste vier rijen droegen *pila*, maar rij vijf tot en met acht schijnen uitgerust te zijn geweest met *lancea*, een soort werpsperen, en kregen het bevel die over de hoofden van de soldaten vóór hen te lanceren als de vijand dicht genoeg genaderd was. Veel extra oefening met verschillende werpsperen was waarschijnlijk niet nodig, zeker niet zoveel als een moderne infanterist die een nieuw type geweer krijgt. Het is dus goed mogelijk dat de legionairs soms een extra speer kregen naast hun *pilum* als de situatie daarom vroeg. Uit een reeks grafstenen van legionairs in Apamea, Syrië, uit de derde eeuw blijkt dat Legio II Parthica getraind was in allerlei wapens, waaronder ook lichte werpsperen (*lancea*). Of deze specialisten altijd zoveel uitrusting droegen of alleen als het nodig was valt niet te zeggen.

Op Romeinse militiare vindplaatsen worden regelmatig speerpunten aangetroffen, in allerlei maten en vormen. Er zijn enkele pogingen gedaan om ze te classificeren, maar nooit op basis van goede criteria. Het is meestal niet mogelijk een schatting te maken van de lengte van de schachten van deze verschillende wapens. De typen die in een gevecht werden gebruikt waren beslist lang, misschien net iets korter dan drie meter; waren ze alleen bedoeld om te werpen dan zullen ze ongeveer een meter lang zijn geweest.

De gladius: Er is weinig materiaal dat betrekking heeft op het zwaard ten tijde van de republiek, maar zoveel te meer over de handwapens uit de keizertijd. In de eerste eeuw n.C. was het Mainz-type dominant. Dit zwaard liep enigszins taps toe en had een zeer lange punt. Bewaard gebleven exemplaren hadden een kling tussen de 400 en 550 millimeter lang en 54 tot 74 millimeter breed bij de kling en 48 tot 60 millimeter voor de punt. De gewelfde benen handgreep werd verstevigd met een knop en pareerschijf, die meestal van hout waren. De knop diende ook als tegengewicht om het wapen te balanceren. Het Mainz-type was bedoeld als steekwapen, maar vanwege de lange punt, die soms wel 200 millimeter lang was, kon er ook goed mee worden gehouwen. In de loop van de eerste eeuw n.C. werd het Mainz-type grotendeels vervangen door het Pompeïtype. Dit zwaard had een rechte kling en een veel kortere punt. De lengte van de kling varieerde tussen de 420 en 500 millimeter en de breedte tussen 42 en 45 millimeter. De *gladius* van het Pompeï-type was een zeer uitgebalanceerd en effectief steek- en slagwapen, meer nog dan de Mainz. Aan het einde van de tweede eeuw deed een zwaard met een vergelijkbare vorm zijn intrede, dat vooral bij de greep en het gevest detailverschillen vertoont. In plaats van de bekende knop liep de angel uit in een ijzeren ring.
Welk type ook, een *gladius* werd altijd op de rechterheup gedragen, behalve door

de centurio's en misschien nog meer officieren, die droegen hun zwaard links. Dat lijkt heel onhandig, maar uit experimenten is gebleken dat het zwaard snel getrokken kan worden door het naar rechts te draaien, waardoor ook het schild niet zo in de weg zit. Uit analyse van Romeinse zwaarden weten we dat ze van zeer goede kwaliteit waren en zowel koolstofarm ijzer als gehard staal bevatten. Het metaal van de beste wapens werd geblust om het te harden en vervolgens getemperd. Andere vondsten waren niet zo geavanceerd, maar over het algemeen waren de wapens van goede kwaliteit.

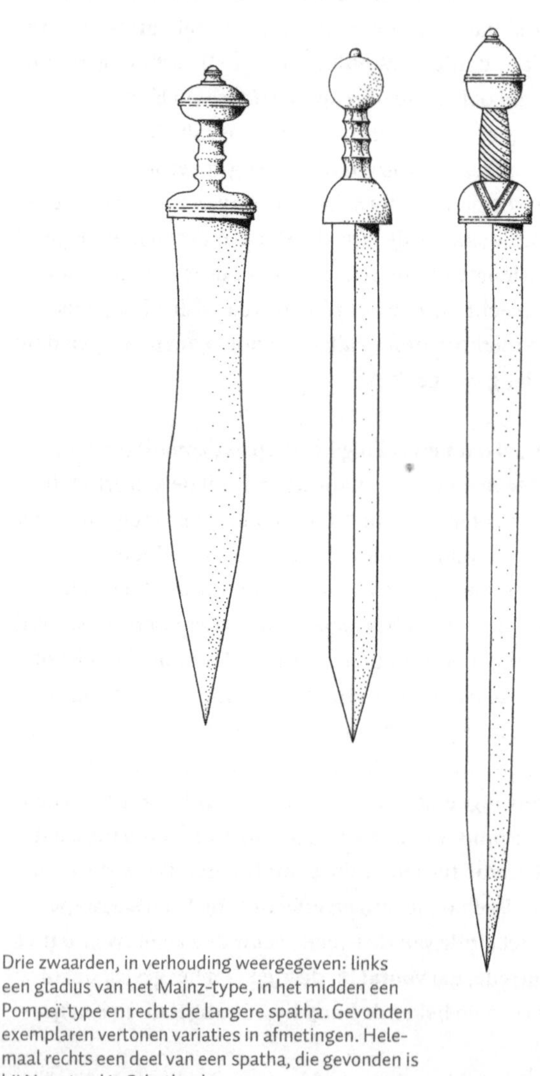

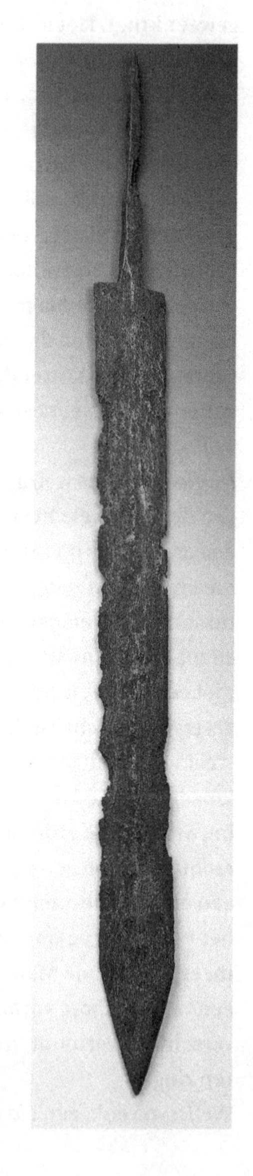

Drie zwaarden, in verhouding weergegeven: links een gladius van het Mainz-type, in het midden een Pompeï-type en rechts de langere spatha. Gevonden exemplaren vertonen variaties in afmetingen. Helemaal rechts een deel van een spatha, die gevonden is bij Newstead in Schotland.

De pugio: De soldatendolk had een kling van 250 tot 350 millimeter lang en vormde een stevig wapen naast het zwaard, zowel bij de legioenen als de hulptroepen. De schede werd vaak rijk versierd, een extra verfraaiing aan de wapenriemen. Gedurende vrijwel de hele periode van het principaat bleef de *pugio* in gebruik, al lijkt hij veel minder vaak voor te komen tegen de tweede eeuw n.C. en komen ze niet voor op de Zuil van Trajanus. De dolk werd aan de andere zijde gedragen dan het zwaard, dus links voor gewone soldaten en rechts voor de centurio's.

Standaarden

De adelaar (aquila): Het leger had enorm veel ontzag voor de adelaarsstandaard. Omdat hij zo belangrijk was hoeft het ons niet te verbazen dat er geen archeologische vondsten van zijn en dat we voor een reconstructie van het uiterlijk op afbeeldingen moeten afgaan. Marius zou elk legioen een zilveren standaard hebben gegeven, maar tijdens het principaat werden de adelaars van goud gemaakt of verguld. Ze waren meestal niet uitbundig versierd en de staf was vrijwel onbewerkt. Er is wel een figuur op het borstschild van de Augustus van Prima Porta, met een rij medaillons die je doorgaans bij *signa* aantreft.

Het signum (mv. signa): Gedurende het hele principaat bleef het traditie dat elke centurie in een legioen een eigen standaard (*signum*) had. Iedere centurie had ook een standaarddrager (*signifer*), een van de *principes*. Naar aangenomen wordt droeg hij ook echt een standaard. Boven aan de standaard bevond zich óf een decoratieve speerpunt óf een opgeheven open hand. De schachten bevatten allerlei versieringen zoals dwarsstukken, kransen en ten minste twee tot wel zes grote medaillons. Wat deze decoraties precies betekenden is niet bekend; het zou kunnen dat de combinatie van onderdelen een merkteken van een bepaalde centurie is geweest. De geheven hand zou het symbool van een manipel kunnen zijn, want het woord is afgeleid van het Latijnse *manus*, hand, en kan dus duiden op een kleine groep of 'handvol' mannen.

Veel legioenen hadden een bijzonder symbool of symbolen die vaak voorkomen op gebeeldhouwde stenen of tegels. Hier zien we een beer (mannetjesvarken), het symbool van Legio XX Valeria Victrix.

Een detail van een grafsteen waarop twee vaandels te zien zijn: de vierkante vlag of *vexillum*, en een zwaar versierd centurievaandel of *signum*. De vaandels van de pretoriaanse cohorten waren soms zo zwaar door de versieringen dat keizer Caligula zijn garde toestemming gaf om hun signa tijdens een lange mars door lastdieren te laten dragen.

De vexillum (mv. vexilla): Verschillende legeronderdelen hadden allerlei vlaggen. Vóór de strijd en op het slagveld markeerde een opvallende *vexillum* of vlag, meestal een rode, de plaats waar de aanvoerder zich bevond. Deze *vexilla* functioneerden ook als standaard wanneer een groep soldaten bij hun eenheid vandaan was, zodat dergelijke detachementen in de loop van de tijd *vexillationes* werden genoemd. Romeinse vlaggen hingen aan een dwarsbalkje voor de schacht langs. Zo'n banier is aangetroffen in Egypte met een afbeelding van de godin Victoria op een rood fond.

De imagines: Tijdens het principaat stond bij alle eenheden naast de standaard ook een aantal stokken met daarop afbeeldingen van de keizer en zijn naaste familie. Deze dienden als herinnering aan wie de soldaten trouw hadden gezworen. Wanneer er een muiterij uitbrak en soldaten bijvoorbeeld hun eigen aanvoerder steunden bij zijn greep naar de macht, moesten de *imagines* er vaak als eerste aan geloven.

De draco: De hulptroepen hadden over het algemeen dezelfde typen standaarden, maar aan het begin van de tweede eeuw n.C. kwam daar bij sommige cavalerie-eenheden tijdens parades en wellicht ook bij andere gelegenheden nog een vorm bij: de *draco* of draak. Dit was een bronzen dierenkop met opengesperde bek. Aan de hals was een veelkleurige koker van een bepaald materiaal bevestigd. Wanneer de standaarddrager snel bewoog, vulde hij zich met lucht als een windzak en wapperde de koker fluitend achter de kop aan. Deze standaarden waren waarschijnlijk geïnspireerd door vijandelijke stammen aan de grens bij de Donau, vooral de Sarmatianen, een nomadenstam. Je ziet de draken op de Zuil van Trajanus boven de vijandige legers wapperen.

Gereedschap

Op een veldtocht moest een Romeinse legionair meer meenemen dan alleen zijn wapens, uitrusting, persoonlijke eigendommen en voedsel. Josephus haalt mogelijk de oude grap van Marius met zijn muilezels aan als hij de legionairs vergelijkt met pakezels, die allemaal een zaag, mand, houweel en een bijl bij zich hadden, en ook nog touw, kapmes en ketting. Waarschijnlijk had niet iedereen die hele gereedschapskist bij zich, maar het geeft wel inzicht in wat een *contubernium* van acht man zoal nodig had. Volgens een moderne commentator was een beroepslegionair dan ook vaak zowel geniesoldaat als infanterist. Gnaeus Domitius Corbulo, een van de bekendste generaals uit de eerste eeuw n.C., schijnt te hebben gezegd dat de strijd wordt gewonnen met de pikhouweel. Die Romeinse pikhouweel, de *dolabra*, was een handig stuk gereedschap met een zaagblad en een scherpe punt waarmee de grond kon worden losgehakt, of een verdedigingsmuur van de vijand ondermijnd. Een ander instrument met een blad lijkt erg op een moderne turfsteker, en meestal wordt aangenomen dat het er ook een was, al schijnt dat niet zo goed te werken. Er bestaat ook verschil van mening over wat er precies met de 'palissadepaal' gebeurde. Vroeger dacht men dat dit hetzelfde was als de twee palen die elke soldaat bovenop een verdedigingswal pootte, zodat een palissade ontstond. Onlangs opperde een wetenschapper dat drie van deze palen aan elkaar verbonden werden en als afzonderlijke barrière fungeerden. Het zou allebei waar kunnen zijn, maar we moeten toegeven dat we aanvankelijk dachten dat deze objecten iets anders waren. Naast deze instrumenten en werktuigen die in grotere hoeveelheden werden gebruikt, waren er ook bijzondere gereedschappen. De belangrijkste was de *groma*, een landmeetkundig instrument dat bestond uit een staf waar twee latten kruiselings bovenop werden geplaatst, met aan elk uiteinde een touw met gewicht.

Uitrusting van de auxilia

Het komt vrijwel nooit voor dat een stuk wapenrusting dat bij een opgraving wordt gevonden aan een bepaalde eenheid of legeronderdeel kan worden toegeschreven omdat dat slechts bij een fractie van de vondsten op het voorwerp vermeld staat. De opvatting dat er een verschil in wapenrusting was tussen legioenen en hulptroepen is dan ook voornamelijk gebaseerd op de afbeeldingen van soldaten op monumenten en grafstenen. De Zuil van Trajanus maakt consequent onderscheid tussen burgerlegionairs en *auxilia* uit de provincies. De legionairs dragen een borstpantser van platen en een gebogen rechthoekig schild, terwijl de *auxilia*-soldaten langere maliënkolders en vaak ook broeken droegen en platte, ovale schilden. Zulke afbeeldingen zijn duidelijk gestileerd. Uit de metopen

De grafsteen van Maris, een boogschutter te paard, gevonden bij Mainz. Let op de dienstknecht die achter hem staat en een schede met pijlen draagt. Dienstknechten komen vaker voor op grafstenen van cavaleristen.

van Adamklissi, die uit dezelfde tijd stammen, blijkt dat veel legionairs ook maliën- of plaatpantsers droegen. Er zijn diverse pogingen gedaan om aan te tonen dat er geen onderscheid was tussen de uitrusting van de twee delen van het leger, maar toch kunnen we een paar verschilpunten met zekerheid aanwijzen. Zo is er geen enkel bewijs dat soldaten bij de *auxilia* ooit *lorica segmentata* droegen, een *pilum* hadden en halfcilindrische schilden droegen, met uitzondering van enkele eenheden, de *scutata*. In plaats daarvan schijnen ze te zijn uitgerust met speren of werpsperen, maliënkolders en misschien ook plaatpantsers en platte schilden. Die laatste waren rechthoekig of zeshoekig en niet ovaal. Stukken in eenvoudiger stijl, van mindere kwaliteit en minder fraai gedecoreerd, vooral helmen, worden vaak aan *auxilia*-soldaten toegeschreven. Hoe aannemelijk ook, echt hard bewijs hiervoor ontbreekt.

De meeste infanteristen bij de *auxilia* droegen een helm, pantser en schild en waren bewapend met één of meer (werp)speren en een *gladius*. In moderne literatuur worden zij vaak 'lichte infanterie' genoemd, die er een minder strikte vechtstijl op na zou hebben gehouden dan de legioenen, een opvatting waarmee we voorzichtig moeten zijn. Afgezien van het schild, dat misschien wat lichter was dan het *scutum* van de legionairs, was de uitrusting van de hulptroepen even zwaar als die bij de legioenen. Historische bronnen vermelden wel lichtbewapende eenheden die patrouilles uitvoeren, maar verder vocht de infanterie bij de *auxilia* net als bij de legioenen. We weten niet of de lichte infanterie daadwerkelijk was ondergebracht in kleine eenheden of dat ze onderafdelingen van de gewone cohorten waren. Ook over de uitrusting is weinig met zekerheid te zeggen. Op de Zuil van Trajanus staan mannen met katapulten, maar we kennen geen eenheid van slingeraars (*funditores*). In zijn toespraak in het Noord-Afrikaanse Lambaesis prees Hadrianus de cavalerie van een van de cohorten vanwege hun bedrevenheid met de slinger. Het was dus goed mogelijk dat sommige eenheden bepaalde manschappen, of iedereen, trainden in het hanteren van dit wapen. Op veel vindplaatsen zijn loden kogels voor de slinger aangetroffen, soms met obscene teksten erop, vooral uit de tijd van de burgeroorlogen tijdens de late republiek. Ook kiezels werden als projectiel gebruikt.

Op de Zuil van Trajanus staan ook boogschutters, sommigen gekleed in karikaturale oosterse kledij, met lange, golvende mantels en aparte helmen. Bepaalde cavaleristen en infanteristen bij de hulptroepen waren speciaal aangesteld als boogschutters (*sagitarii*), bovendien is het bronnenmateriaal ook hier niet eenduidig. Zo dragen de boogschutters van sommige eenheden nog andere wapens, en zijn er eenheden die niet de naam, maar wel pijl en boog dragen. De Romeinse boog was een geavanceerde composietboog (dus vervaardigd van verschillende houtsoorten) in recurvevorm. Houten voorwerpen zijn amper bewaard gebleven, vandaar dat we geen historisch exemplaar bezitten. Op militaire vindplaatsen zijn wel met enige regelmaat benen verbindingsstukken voor de greep en 'oren' of eindstukken van de booglat gevonden, evenals pijlpunten. De meeste Romeinse boogschutters pasten de zogenoemde mediterrane methode toe, waarbij de pees met twee vingers tegen de kin aan werd gespannen. Met een leren armbeschermer beschermde de schutter de binnenkant van de linkerarm onder de elleboog tegen de langsflitsende pees. Er zijn aanwijzingen dat sommige eenheden in de derde eeuw n.C. de alternatieve, Mongoolse techniek gebruikten, waarbij de pees met een duimring wordt gespannen.

Uitrusting voor de cavalerie

Helmen en wapenrusting

De cavaleriehelm verschilt in een aantal belangrijke opzichten van die van de infanteristen. Om te beginnen bedekte de wangplaat ook de oren. Dat zal het gehoor van de ruiter niet ten goede zijn gekomen, en bij sommige helmen zijn er dan ook een paar gaatjes in de platen geboord. Bij een treffen tussen beide legers kon een ruiter in het strijdgewoel gemakkelijk van opzij of in de rug worden aangevallen, dus voor wat extra gezichtsbeveiliging leverde men graag wat van het gehoor in. Het tweede opvallende verschil met de helm van de voetsoldaten is de

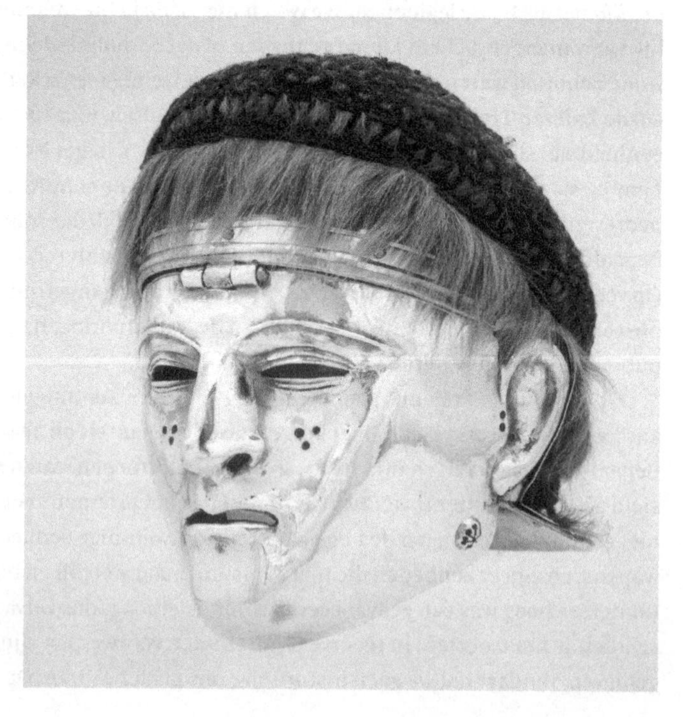

Een 'paradehelm' van de cavalerie, gevonden bij Nijmegen in Nederland. Hierop is een variant te zien op de gebruikelijke stijl om de bovenkant van de helm te laten lijken op een haardos. In dit geval is er in plaats daarvan echt dierlijk haar op de helm bevestigd. Dit kan gewoonte zijn geweest bij Bataafse eenheden.

De Bridgeness steen van de Antoninische muur toont een afbeelding van een auxilia-cavalerist in een pose die doet denken aan veel grafstenen van cavaleristen, omdat hij naakte barbaren vertrapt.

langere en smallere nekplaat. Als een ruiter achterover van zijn paard viel, kon hij met zo'n brede plaat gemakkelijk zijn nek breken. Verder vertoonden de helmen veel overeenkomsten, bijvoorbeeld in de manier van vervaardigen. Bovendien zagen we hiervoor al dat de beide stijlen gedurende de derde eeuw n.C. steeds meer op elkaar waren gaan lijken. Bepaalde decoraties schenen aan de cavalerie te zijn voorbehouden, zoals de gestileerde afbeelding van haar op de helmbol. In een enkel geval werd zelfs een soort pruik van echt dieren- of mensenhaar op de helm bevestigd.

De *auxilia*-cavalerie had platte schilden in dezelfde varianten als de infanteristen. De meeste waren ovaal, maar er waren ook eenheden die rechthoekige schilden droegen. Verder waren er eenheden, waaronder de cavaleristen die de Praetoriaanse garde steunden, met zeshoekige vormen. In het Romeinse fort uit de eerste eeuw n.C. bij het Engelse Doncaster is een plat schild gevonden dat waarschijnlijk van een *auxilia*-soldaat was, mogelijk een ruiter. Het is behoorlijk groot, 125 centimeter lang en 64 centimeter breed met rechte zijden en een ronde boven- en onderkant. Verder lijkt het op de legioensschilden die in het voorgaande beschreven zijn: gemaakt van drie lagen verlijmd hout en overtrokken met dun leer. In tegenstelling tot andere Romeinse schilden is de handgreep verticaal geplaatst. Uit een reconstructie bleek dat het met negen kilo bijna even zwaar was als het schild uit Kasr el-Harit, maar het was goed uitgebalanceerd. De sierknop was iets boven het midden aangebracht, zodat het onderste deel richting de benen kantelde, wat misschien praktisch was voor een ruiter te paard. In Dura zijn ovale schilden aangetroffen van eenvoudiger makelij, uit één laag verlijmde stukken hout. De *auxilia* hebben deze schilden wellicht ook al vóór de derde eeuw v.C. gebruikt.

De Romeinse cavaleristen droegen maliën- of plaatpantsers. Een ruiter op een Belgisch reliëf lijkt een combinatie te dragen van het schouderstuk van de *lorica segmentata* en een maliënpantser, maar dit is de enige keer dat we zo'n mengvorm aantreffen. In de tweede eeuw v.C. roept Hadrianus de eerste *ala* met Romeinse katafrakten die wij kennen in het leven, Ala I Gallorum et Pannoniorum cataphracta. Zowel ruiter als paard waren zwaar gepantserd. Onder de uitrustingen die in Dura Europus werden gevonden, bevond zich ook een plaatpantser voor een paard.

De *spatha*

De Romeinse cavaleristen hadden een zwaard dat langer en dunner was dan de *gladius*, de *spatha*. Dit was nodig omdat een ruiter te paard meer reikwijdte nodig had, zeker als hij met een voetsoldaat in gevecht was. De kling van de *spatha* varieert in lengte van ongeveer 65 tot 91,50 centimeter bij een breedte van maximaal 4,40 centimeter. De knop, greep en pareerschijf waren vergelijkbaar met die van de *gladius*, en het zwaard werd eveneens meestal rechts gedragen.

Speren en werpsperen

De cavalerie beschikte over diverse stokwapens. De langste was de *contus*, een speer van ongeveer 3,65 meter lang die met twee handen werd gehanteerd door een ruiter zonder schild. Hij lijkt in de tweede eeuw n.C. in gebruik te zijn genomen. Slechts enkele gespecialiseerde *alae* werden ermee uitgerust. Het wapen was bedoeld voor een verrassingsaanval en zal als werpspeer niet veel hebben uitgericht. De meeste cavaleristen droegen kortere vechtsperen die ze met één hand konden gebruiken, en doorgaans ook nog een paar werpsperen. In een verslag van een wapeninspectie bij een cavalerie-*ala* in Noord-Britannia aan het einde van de eerste eeuw n.C. worden vechtsperen genoemd (*lancias pugnatorias*) en de kleinere werpsperen (*minores subarmales*). Alle manschappen behoorden uitgerust te zijn met een vechtspeer, twee *subarmales* en een zwaard. Het zou kunnen dat deze instructie alleen voor deze specifieke *ala* gold, want bij Josephus lezen we dat de Romeinse *auxilia*-cavalerie één lange speer bezat, plus drie of meer korte werpsperen in een koker.

Het zadel en paardenpantser

In oudere boeken over oorlogvoering in de oudheid lees je vaak dat de cavalerie, doordat ze geen stijgbeugels had niet goed een charge kon uitvoeren en alleen in staat was tot korte provocaties. Het bronnenmateriaal ondersteunt deze opvatting echter niet, maar die bronnen werden genegeerd omdat men niet geloofde dat een ruiter zonder stijgbeugels stabiel te paard zat. Niet zo lang geleden heeft de Britse historicus Peter Connolloy door een reconstructie van het Romeinse zadel aangetoond dat dit gewoon niet klopte.

Het zadel met vier hoorns werd gebruikt door de Romeinen, maar ook door de Galliërs, Parthen, Perzische Sassaniden, Sarmatianen, en misschien nog wel meer stammen. Het is niet duidelijk wie het bedacht heeft, maar dat het een uit-

Deze tekening laat de vorm en werking zien van het hoornzadel van de Romeinen.

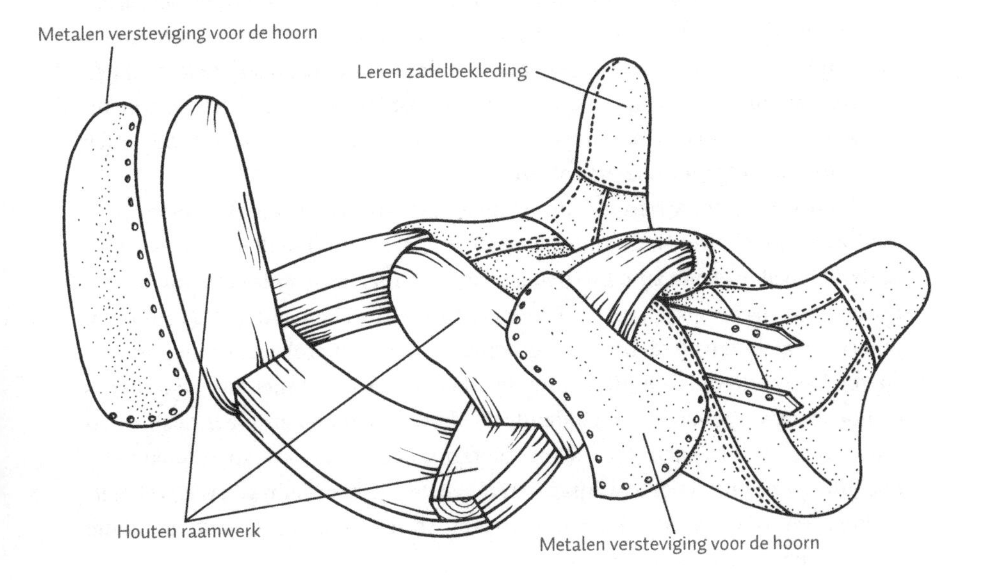

vinding van de Galliërs was ligt het meest voor de hand. De Romeinen namen het ontwerp vast over van hun verslagen vijanden, wat ze ook met andere militaire vindingen deden. De ruiter drukt door zijn lichaamsgewicht de vier hoorns van het zadel tegen zich aan, die zo zijn dijen omklemmen. Dit biedt zoveel steun dat hij goed een speer kan werpen of een zwaard hanteren en zelfs zijwaarts kan uitwijken en weer terugveren.

Parade-uitrusting en ruiterspelen

Het leeuwendeel van de Romeinse cavalerie bestond uit niet-burgers, maar toch genoten deze hulptroepen veel aanzien. De cavalerie-*alae*, en zeker de enkele *alae milliaria*, waren kostbare en prestigieuze eenheden die er op het slagveld en tijdens een parade imposant uitzagen. Ten tijde van het principaat groeiden de ruiterspelen uit tot spectaculaire schouwspelen met pracht en praal waar de cavaleristen hun behendigheid vertoonden. Zowel paard als ruiter waren voor die gelegenheden weelderig uitgedost. Onder de archeologische vondsten zijn de zogenoemde paradehelmen het opvallendst. Ze hebben dezelfde vorm als de gewone ruiterhelmen, maar dan schitterend versierd en vaak ook verzilverd, met een gemodelleerd gezichtsmasker waar ooggaten in waren uitgespaard. Bij paradehelmen kwam gestileerd haar nog vaker voor dan bij gewone helmen, bovendien zijn er exemplaren gevonden met vrouwelijke gelaatstrekken, waarschijnlijk werden zo amazones uitgebeeld. De enige bron die in detail over deze ceremoniën schrijft is Arrianus. Volgens hem werd op de helm een wapperende gele kam bevestigd, al vinden we nergens iets waaraan die bevestigd zou kunnen worden. De paarden droegen een leren chamfron (een versierd hoofdmasker) met sierbeslag. In Vindolanda is een goed geconserveerd exemplaar van zo'n masker gevonden, met ronde sierroosters die de ogen beschermden zonder het paard helemaal het zicht te ontnemen. De paarden droegen lichaamspantsers en zadelkleden die net als de uitrusting van de ruiter felgekleurd waren; verder werden veel standaarden en de *dracones* of luchtbuizen vervoerd.

Het lijkt erop dat Arrianus een gestandaardiseerde versie van de spelen beschrijft, door keizer Hadrianus vastgesteld, maar hij vermeldt erbij dat veel onderdelen al heel oud zijn. De spelen begonnen met een combinatie van manoeuvreren en chargeren, gevolgd door exercities, zowel individueel als gezamenlijk. De cavaleristen werden in twee groepen verdeeld en probeerden met botte speren het schild van de andere ruiter te raken. Ook werd er met diverse wapens op doelen geworpen, met verschillende snelheden en uit meerdere invalshoeken. Tijdens een rechte charge over het paradeterrein kon een bekwaam soldaat het doel met zo'n vijftien lichte werpsperen raken en wie heel bedreven was wel met twintig. Het waren gestileerde spelen, maar toch zeggen ze iets over de vaardigheden die voor de strijd werden vereist.

De helmen die door archeologen tot de 'paradehelmen' worden gerekend komen bijna even vaak voor als gewone exemplaren waarvan men aanneemt dat ze op het slagveld zijn gebruikt. De ruiterspelen zijn goed gedocumenteerd en waren duidelijk van groot belang. Toch moeten we oppassen dat we niet te snel alles wat rijk gedecoreerd was aan deze spelen toeschrijven. Het is niet ongebruikelijk in het Romeinse leger om het ornamentele met het praktische te combineren; sommige helmen met gezichtsmaskers werden mogelijk ook in de strijd gedragen. Een dergelijke helm bevond zich onder de uitrustingsstukken waarvan men aanneemt dat een Romeinse colonne van het leger van Varus ze bij de nederlaag in 9 n.C. heeft achtergelaten, of die ze in ieder geval bij zich hadden op campagne. In Duitsland is een grafsteen aangetroffen, helaas in slechte staat, waarop een *signifer* van een legioen een helm met masker draagt, dus ze waren niet uitsluitend voor de cavalerie bestemd. De strakke gelaatstrekken van zo'n masker zullen angstaanjagend zijn geweest, terwijl er toch een gewone soldaat achter schuilging. Welllicht was dit, in combinatie met meer bescherming, in bepaalde omstandigheden belangrijker dan goed zicht.

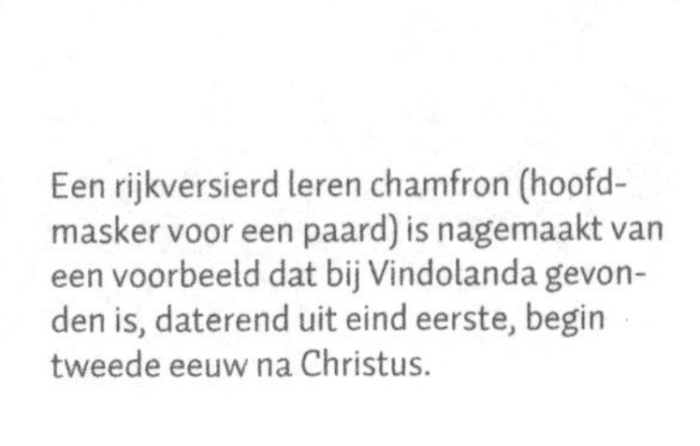

Een rijkversierd leren chamfron (hoofdmasker voor een paard) is nagemaakt van een voorbeeld dat bij Vindolanda gevonden is, daterend uit eind eerste, begin tweede eeuw na Christus.

TAKEN IN VREDESTIJD

Verspreiding

Schriftelijke bronnen vermelden zelden gegevens over de verblijfplaats van bepaalde legereenheden in een gegeven periode. Als het al gebeurt, dan gaat het doorgaans over de legioenen. Over de garnizoenen van de hulptroepen zijn ze bijzonder vaag. Voor een beeld van de activiteiten van het leger tijdens het principaat zijn we dus vooral aangewezen op archeologisch bronnenmateriaal. Er zijn veel militaire bases ontdekt, en bij een redelijk aantal zijn ook opgravingen verricht. We moeten er wel rekening mee houden dat dat in bepaalde streken, onder meer Groot-Brittannië en Duitsland, intensiever is gebeurd, zodat daarover meer bekend is. De grootte van een militaire basis zegt iets over de eenheid waarvoor deze oorspronkelijk bedoeld was. Soms zit het mee en wordt er op een locatie ook een inscriptie aangetroffen waaruit blijkt welke eenheid erbij hoorde, of zelfs schrijftabletten of papyrusteksten. Als het mogelijk is om dergelijke teksten te dateren, kunnen we reconstrueren wanneer bepaalde eenheden garnizoen hebben gehouden op de basis. De verplaatsing van de legioenen is relatief gemakkelijk na te gaan, simpelweg doordat ze groter waren, meer status bezaten en vaker voorkomen

De ruïnes van de stad Apamea in Syrië geven een indruk van de grootsheid van de vele steden in het Romeinse Rijk op het toppunt van haar macht. Die bloei was uiteindelijk alleen mogelijk door de effectieve wijze waarop het leger de provincies bestuurde en beschermde.

op inscripties. Maar ook hier weten we vaak niet onder welke omstandigheden bepaalde eenheden zijn verdwenen. De activiteiten van hulptroepen zijn moeilijker op te sporen, maar hier zijn de *diplomata* weer nuttig: de documenten die soldaten bij hun ontslag meekregen en waarin meestal naast iemands naam en eenheid ook de andere cohorten en *alae* werden genoemd die in hetzelfde jaar in die provincie werden ontbonden. Met behulp van deze gegevens kan in kaart worden gebracht welke eenheden in een bepaalde periode waar gelegerd waren.

Over het algemeen, en dan vooral in Europa, was het Romeinse leger verspreid over de grensprovincies. In het centrum van de provincies bevonden de grote legioensvestingen zich meestal langs de belangrijkste communicatieroutes; de forten van de hulptroepen en kleine voorposten lagen verspreid langs de grenzen.

Veel militaire garnizoenen in de oostelijke provincies werden in of bij grote steden gebouwd. De twee Egyptische legioenen waren ten tijde van het principaat grotendeels gelegerd in Nikopolis, net buiten Alexandrië; belangrijke regimenten van de Syrische legioenen waren gestationeerd in of bij Antiochië. Naast Rome waren Alexandrië en Antiochië de grootste steden in het rijk. Het waren belangrijke politieke centra met een roerige bevolking. Het was dan ook niet ongebruikelijk dat soldaten werden ingezet om opstandjes in de steden te bedwingen. Over het algemeen was het leven in een basis die bij een stad gelegen was zeer aangenaam. De soldaten genoten van de weelde die het stadsleven te bieden had, vandaar ook dat er vaak werd geschreven over het gebrek aan discipline bij de verwende militairen. Maar niet alleen legioenen waren gelegerd in de steden. Het garnizoen van Dura Europus in de derde eeuw n.C. was grotendeels gehuisvest in een kazerne binnen de stad, al waren er waarschijnlijk ook soldaten bij burgers ingekwartierd. Tijdens de opstand in 66 n.C. werd het garnizoen van de kleine provincie Judea voornamelijk gelegerd in de steden. De cohort die permanent was gestationeerd in Jeruzalem schijnt ingekwartierd te zijn geweest in de drie grote torens die Herodes de Grote bij zijn paleis had laten bouwen (de huidige citadel). Wanneer de gouverneur de stad bezocht, meestal tijdens feestdagen zoals het Pascha, als de spanning in de stad steeg, nam hij een extra cohort met zich mee dat werd ondergebracht in de burcht Antonia naast de Grote Tempel. Toen Pontius Pilatus voor het eerst een dergelijk bezoek aan Jeruzalem bracht, ontstond er meteen groot tumult omdat zijn escorte zijn standaarden had meegenomen de tempel in, met *imagines* erop, waarmee ze het Joodse gebod op 'gesneden beelden' schonden. Pilatus koos eieren voor zijn geld en liet de standaarden verwijderen uit de burcht en uit de stad. Er worden steeds meer aanwijzingen gevonden dat ook in de westelijke provincies garnizoenen bij belangrijke steden werden gevestigd, bijvoorbeeld een fort van flinke afmetingen in de buurt van het Romeinse Londen. Waarschijnlijk klopt de opvatting dat de middengebieden van de provincies geen militairen herbergden dan ook niet.

In het garnizoen

We weten waar zich veel resten van legerbases bevinden, maar waarom de Romeinen destijds voor een locatie kozen, hoe groot de bezetting was en welke activiteiten er werden ontplooid is moeilijker te bepalen. Zowel forten als vestingen konden veel manschappen huisvesten, maar alleen moderne wetenschappers met al te rigide opvattingen gaan ervan uit dat deze altijd door een eenheid van één bepaald type of bepaalde omvang moeten zijn gebruikt. In de basis van Legio II Augusta in Caerleon werd een kookpot van Ala I Thracum aangetroffen, dus er zijn daar ooit *auxilia*-soldaten van de cavalerie geweest. Ook in Vindolanda zijn aanwijzingen gevonden van legionairs die in het fort verbleven hebben. Aan de andere kant kan het vóórkomen dat uit een inscriptie de aanwezigheid van een eenheid blijkt, en enkele tientallen jaren op dezelfde plaats nog eens, maar dat betekent niet automatisch dat deze eenheid er onafgebroken gelegerd was. Sterker nog, hielden ze er garnizoen, dan nog kon het merendeel van de manschappen ergens anders dienstdoen.

Het aanwezigheidsverslag van Cohors I Tungrorum dat zich bij de tabletten van Vindolanda bevond, noemt als totale effectieve sterkte 752 man plus zes centurio's. Maar liefst 456 soldaten en vijf centurio's waren niet in Vindolanda maar naar elders uitgezonden. Een grote groep van 337 manschappen, waarschijnlijk onder leiding van twee centurio's, bevond zich niet ver daarvandaan in Coria (Corbridge), enkele anderen dienden een stuk verderop in Londen. In Egypte werd een nog vollediger aanwezigheidsverslag aangetroffen, dat van een eenheid hulptroepen die in Moesia aan de Donau diende, waarschijnlijk in het jaar 105. Sommige stukken ontbreken of zijn erg vaag, vooral de cijfers, maar toch biedt het inzicht in de vele taken die het leger vervulde. Deze cohort bestond deels uit ruiters (*equitata*), al staat dat er niet bij, en stond eveneens bekend als *veterana*, waarschijnlijk om het te onderscheiden van een ander, nieuwer Cohors I Hispanorum uit dezelfde provincie.

De manschappen van deze cohort waren verspreid over kleine eenheden in de provincie en daarbuiten. Slechts een van de zes centurio's diende elders, anders dan in Vindolanda met vijf van de zes, maar er waren wel drie van de vier decurio's afwezig. Uit bronnen blijkt dat dit een gebruikelijk patroon was bij legereenheden tijdens het principaat. Plinius de Jongere, die begin tweede eeuw werd uitgezonden als keizerlijke *legatus* om het bestuur op zich te nemen van de provincies Bithynia en Pontus (in het noorden van Klein-Azië), schreef tijdens zijn ambtstermijn met keizer Trajanus. Deze correspondentie is bewaard gebleven. Normaal gesproken werd deze provincie bestuurd door een senatoriale proconsul en het militaire garnizoen was er miniem. Toch heeft Plinius het geregeld over groepjes soldaten die allerlei taken vervullen, van logistiek tot het begeleiden van hoge functionarissen en het bewaken van gevangenen. Telkens

AANWEZIGHEIDSVERSLAG

Aanwezigheidsverslag (*pridianum*) van Cohors I Hispanorum Veterana quingenaria, onder aanvoering van Arruntianus, prefect. We kunnen het niet met zekerheid zeggen, maar vermoedelijk uit 105 n.C.

Totaal aantal soldaten op 31 december	546
Inclusief 6 centurio's, 4 decurio's, 119 cavaleristen; plus duplicarii, 3 sesquiplicarii, infanterie-duplicarius, _ infanterie-sesquiplicarii.	
Toevoegingen na 1 januari	
_ Faustinus de legaat	2
___	30
___ de achterblijvers	_
Totaal toevoegingen	50
Totaal	596
Inclusief 6 centurio's, 4 decurio's, _ cavaleristen; plus 2 duplicarii, 3 sesquiplicarii, infanterie-duplicarius_ ___.	
Verliezen:	
Geplaatst bij de vloot in opdracht van Faustinus de legaat _	
_ in opdracht van Iustus de legaat, inclusief 1 cavalerist	-
Teruggezonden naar herennius Sturninus	1+
Overgeplaatst naar leger Pannonia	1+
Verdronken	1+
Gedood door rovers, 1 cavalerist	1
Gedood	_
Totaal verliezen, waaronder teruggekeerd met achterblijvers	1
Saldo	_
Inclusief 6 centurio's, 4 decurio's, 110+ cavaleristen; plus 2 duplicarii, 3 sesquiplicarii, _ infanterie-duplicarii, 6 infanterie-sesquiplicarii	

Afwezigen	
In Gallië om kleding te kopen _	-
Idem voor graan	-
Over de rivier de Erar (?) om paarden te kopen, inclusief _ cavaleristen	-
In Castra in garnizoen, inclusief 2 cavaleristen	-
In Dardania in de mijnen	-
Totaal afwezigen buiten de provincie, inclusief _ cavaleristen	-
Binnen de provincie	
Adjudanten van Fabius Iustus de legaat, onder wie Carus, decurio	-
In het kantoor van Latinianus, procurator van de keizer	-
In Piroboridava in garnizoen	-
In Buridava in garnizoen	-
Over de Donau op verkenning, inclusief _ sesquiplicarii, 23 cavaleristen, 2 infanterie-sesquiplicarii	-
Idem om de graantoevoer veilig te stellen	-
Idem op verkenning met de centurio A_uinus, inclusief _ cavaleristen	-
Bij de graanschepen, inclusief 1 decurio	-
In het hoofdkwartier met de klerken	-
Naar het Haemusgebergte met vee	-
Op wacht bij trekdieren dieren, inclusief _ sesquiplicarii	-
Idem op wacht bij _ _	-
Totaal afwezig uit beide categorieën	-
Inclusief 1 centurio, 3 decurio's, _ cavaleristen; 2 infanterie-sesquiplicarii	-

weer haalt Plinius de wens van de keizer aan de manschappen zoveel mogelijk bij de eenheid te laten blijven. In zijn antwoorden hamert Trajanus daar steeds weer op en hij beveelt Plinius de detachementen er niet op uit te sturen. De Romeinse keizers regeerden het rijk met een zo klein mogelijke ambtenarij en moesten voor bepaalde bestuurstaken daarom veelvuldig een beroep doen op functionarissen van het leger.

Soldaten als ambtenaar

Tijdens de republiek hadden de bestuurders naar het schijnt niet meer dan een handjevol ambtenaren, maar gedurende het principaat kwam daar verbetering in; de legaat van een rijksprovincie had veel meer assistenten. Hij beschikte over een hoofdkwartier of *praetorium*, dat vooral militair van aard was en doorgaans onder leiding stond van een centurio met een naaste medewerker. Daarnaast had hij een lijfwacht te paard en te voet, de zogenoemde *singulares*, bestaand uit de beste manschappen van de *auxilia*. Een *officium* van enkele honderden ambtenaren zorgde voor administratieve ondersteuning. Deze stonden onder supervisie van enkele klerken of *cornicularii*. Deze beambten werden aangesteld door het leger en gedetacheerd uit de eenheden zelf. In het *officium* werkten *commentarienses*, beambten die de akten voor de provincie bijhielden, secretarissen (*exceptores* en *notarii*), boekhouders en archivarissen (*librarii* en *exacti*) en assistenten (*adiutores*), maar ook hogere functionarissen met de rang van *principales*, zoals de *beneficiarii*, *frumentarii* en *speculatores*. Een van de hoofdtaken van het *officium* was het beheren van de legeradministratie, maar het kon ook worden ingeschakeld voor allerlei opdrachten die de gouverneur gaf. De legaat deed alle benoemingen, maar het is onwaarschijnlijk dat iedere nieuwe gouverneur alle zittende functionarissen ontsloeg en voor hen in de plaats zijn eigen mannen aanstelde. Het ambtelijk bestuur zal in de militaire provincies ongetwijfeld veel continuïteit hebben gekend.

Soldaten waren onmiskenbare vertegenwoordigers van de macht van het Romeinse Rijk, in sommige landelijke gebieden soms de enigen onder de bevolking met die positie. Vandaar dat veel officieren, met name centurio's van legioenen en aanvoerders van de ruiter-*auxilia*, administratieve taken namens de provinciegouverneur uitvoerden. Tussen de Dode Zeerollen – de boekrollen die werden gevonden in grotten bij Kirbet Qumran in Israël – bevond zich ook een archief uit begin tweede eeuw v.C. van een vrouw uit de streek, Babatha. Het archief bevat een afschrift van een officiële akte met betrekking tot grondgebied in haar bezit bij de stad Maoza in Arabia. Het origineel was gericht aan een zekere Priscus, aanvoerder van de cavalerie, waarschijnlijk een *ala*-prefect, wiens Latijnse ontvangstbewijs in het Grieks was vertaald in overeenstemming met de rest van het document. Deze verklaring was verstrekt in het kader van een census die de provinciegouverneur had gehouden. Priscus trad op als zijn vertegenwoordiger rond Maoza. Er bestaat nog een papyrusfragment met een vergelijkbare verklaring voor Priscus te Maoza, afgegeven door iemand anders. We kunnen daaruit opmaken dat hij geregeld dergelijke administratieve taken op zich nam.

Soldaten als bouwlieden

In het Romeinse leger, vooral in de legioenen, dienden veel vaklieden en specialisten, zoals architecten en technici. De soldaten bouwden zelf hun legerbases, of dat nu tijdelijke kampementen waren die na iedere dagmars tijdens een veldtocht werden opgezet of grote forten en vestingen van steen. Er zijn vele inscrip-

De Romeinse legionairs op de Zuil van Trajanus worden vaak afgebeeld terwijl ze bezig zijn aan grote bouwwerken, zoals in dit tafereel waar een groep een kamp bouwt. Op campagne moesten soldaten steeds hun wapenrusting dragen in geval van een plotselinge aanval. In vredestijd waren zulke voorzorgen onnodig, maar het leger werd wel opgeroepen om mee te werken aan allerlei bouwwerken, van amfitheaters tot aquaducten en wegen.

ties bewaard gebleven waarop melding wordt gemaakt van de bouw of het herstel van vestingwerken en andere gebouwen in en rond de permanente legerbases. De eenheid die er garnizoen hield verrichtte dergelijke klussen doorgaans zelf; hoe dat bij de *auxilia* ging is minder duidelijk. Deze eenheden waren veel kleiner dan de legioenen; er zullen dus minder technici zijn geweest. Toch weten we uit bronnen dat er hulptroepen waren die bouwwerkzaamheden verrichtten, maar misschien gebeurde dat onder supervisie van de technici bij de legioenen.

Voor grote bouwprojecten werd mankracht ingeschakeld uit de verschillende eenheden. De bouw van de Muur van Hadrianus was een klus waarvoor alle drie in Britannia gestationeerde legioenen werden ingeschakeld: II Augusta, VI Victrix en XX Valeria Victrix. Elk legioen kreeg een stuk toegewezen waar de muur moest komen, en verdeelde dat zelf weer onder de diverse centuriën. De centuriestenen, die werden geplaatst als merkteken dat een centurie een stuk klaar had, worden veelvuldig aangetroffen. Het lijkt de normale praktijk te zijn geweest dat

Het aquaduct van Caesarea in het huidige Israël loopt evenwijdig aan de zeekust en was bedoeld om de nederzetting van voldoende water te voorzien. Het werd gebouwd en onderhouden door het leger.

bouwwerken onder onderafdelingen van het leger werden verdeeld. Het leger van Titus trok zo de verdedingswerken op voor de belegering van Jeruzalem in 70 n.C. De Romeinen geloofden dat een beetje gezonde wedijver tussen de verschillende eenheden ervoor zorgde dat zij het werk sneller en efficiënter deden dan anderen. Bij de Muur van Hadrianus valt verder op dat elke eenheid kleine varianten aanbracht op het basisontwerp; de mijlforten en belegeringstorens zijn bijvoorbeeld anders.

Het leger legde ook wegen aan. De plaatselijke bevolking in de provincies profiteerde van deze bouwprojecten, terwijl het leger gemakkelijker troepen en materieel kon verplaatsen. Eerder zagen we al dat de meeste legioenen en sommige hulptroepen amfitheaters bij hun forten bouwden. Uit allerlei bronnen weten we dat het leger ook bouwprojecten voor de bevolking ter hand nam. Het aquaduct dat zich nog steeds bevindt op de plaats van de kolonie bij Caesarea Maritima aan de Israëlische kust, werd opgeknapt door een *vexillatio* van Legio X Fretensis, die een inscriptie heeft achtergelaten die op de oorspronkelijke plaats bewaard is gebleven. Ook andere legioenen hebben aan dit aquaduct gewerkt en eveneens inscripties nagelaten. Vier legioenen en twintig *auxilia*-cohorten groeven in 75 n.C. een vijf kilometer lang kanaal met bruggen bij Antiochië. Plinius stelde tijdens zijn gouverneurschap in Bithynia allerlei bouwwerken voor aan Trajanus en wees hem op andere projecten waaraan de plaatselijke bewoners waren begonnen, maar die mislukt of niet afgemaakt waren. Hij verzocht de keizer verschillende malen of hij de gouverneur van Moesia Minor, de dichtstbij gelegen provincie met een legioensgarnizoen, opdracht wilde geven hem een ingenieur uit diens leger te sturen om de werkzaamheden te begeleiden. Trajanus weigerde vrijwel elke keer, met als argument dat er vast wel competente ingenieurs en bouwmeesters in Bythinia te vinden waren. Het leger had nu eenmaal de beste ingenieurs, zo dacht men in die tijd, wat ook blijkt uit het verzoek van Plinius. Een inscriptie in Lambaesis, Noord-Afrika, lijkt die opvatting te staven. De tekst vermeldt dat een veteraan bij Legio III Augusta, een zekere Nonius Datus, assisteerde bij het graven van een tunnel door een berg waarbij een waterloop werd omgelegd naar de nabijgelegen provincie Mauretania. De plaatselijke autoriteiten riepen Datus telkens weer terug, waarvoor hij steeds toestemming moest vragen aan de legaat van het legioen, waarschijnlijk omdat hij elders aan het werk was. Bij een van zijn inspectiebezoeken liet hij de twee tunnelbuizen meten die elk van de groepen arbeiders vanaf een kant van de berg aan het graven waren. Hij constateerde dat de tunnelbuizen bij elkaar opgeteld langer waren dan de doorsnee van de berg zelf. Zo'n fout kon grote gevolgen hebben. Aan dit project werkten soms ook soldaten uit de vloot en de hulptroepen mee. Datus wakkerde de rivaliteit tussen beide groepen aan, zodat het werk vlotter verliep.

Soldaten als ambachtslieden

Claudius verleende een zekere Curtius Rufus eens een lauwerkrans, de hoogst mogelijke onderscheiding voor een generaal die niet tot de keizerlijke familie behoorde. Rufus was gouverneur van Germania Superior en had zijn manschappen in de zilvermijnen in het gebied van de Mattiaci-stam tewerkgesteld. Dit leverde Cynische commentaar op van Tacitus, die zei dat enorm veel werk was verzet met zeer weinig resultaat. De soldaten konden volgens hem beter aan de keizer vragen of deze niet elke nieuwe gouverneur automatisch wilde onderscheiden, dan hoefde hij ze niet zoveel zwaar maar zinloos werk te laten verrichten om een onderscheiding in de wacht te slepen. Dit was natuurlijk een uitzonderlijk geval; soldaten waren vaak betrokken bij industrie en nijverheid in de provincies. Legio II Augusta had het toezicht over de loodmijnen in de Mendip Hills in het westen van Engeland, en waarschijnlijk ook over andere mijnen dichter bij hun basis in Caerleon. Het leger beheerde steengroeven waar de grondstoffen voor hun bouwwerken vandaan kwamen en ze vervaardigden aardewerk voor kookpotten en dakpannen. Die laatste kregen vaak een merkteken mee van de legereenheid, maar ze duiken soms ook in gebouwen van burgers op, dus ze zullen niet uitsluitend door het leger zijn gebruikt. Af en toe staat er iets in gekrast, net zoals op de wanden van de steengroeven; graffiti van verveelde soldaten.

In grotere legerbases waren vaak allerlei werkplaatsen (*fabricae*). Hier werden wapens en stukken van de wapenrusting en allerlei andere benodigdheden vervaardigd en gerepareerd. Op een van de tabletten van Vindolanda staat een gedeeltelijk leesbare taakverdeling van 343 mannen die aan het werk zijn in het fort. Taken zijn onder meer schoenen maken, een badhuis bouwen en onduidelijke klussen met betrekking tot lood, wagens, het hospitaal, de ovens en waarschijnlijk klei steken, stukadoren, iets met tenten en rommel opruimen.

Soldaten als politieagenten

Zoiets als een politiemacht was er in de Romeinse provincies niet. Slechts in een klein aantal gebieden waren plaatselijke agenten, met beperkt gezag. De soldaten vertegenwoordigden de rijksoverheid, mochten wapens dragen, geweld gebruiken als ze daartoe het bevel kregen en traden vaak op als ordehandhavers. Op het dienstrooster uit Egypte dat eerder werd besproken, staan taken als patrouille lopen in Alexandria en enkele raadselachtige diensten 'in burger'. Langs sommige wegen in Egypte en andere provincies stonden op vrij regelmatige afstand kleine wachttorens met ruimte voor slechts een handjevol soldaten. Ze waren duidelijk niet bedoeld om een grote militaire dreiging het hoofd te bieden, maar waarschijnlijk om de wegen te bewaken. Veel *beneficiarii* van de legioenen werden gestationeerd in wachtposten (*stationes*), waar ze optraden als plaatselijk afgezant van de gouverneur en allerlei taken konden uitoefenen, zoals arrestaties verrichten en straffen uitvoeren die door de rechtbank waren opgelegd. Belangrijker nog waren de regionale centurio's en andere officieren die over de provincie verspreid waren, waar zij de hoogste vertegenwoordigers van het gezag waren.

Egyptische papyrusteksten bevatten veel verzoeken van bewoners uit de provincies, gericht aan legerofficieren, waarin ze compensatie vragen voor overtredingen tegen hen begaan. In 207 schrijft Aurelia Tisais aan centurio Aurelius Julius Marcellinus dat haar vader en broer tijdens de jacht zijn verdwenen en dat ze vreest dat ze niet meer in leven zijn. In dat geval verzoekt Aurelia de officier de daders op te sporen en ze ter verantwoording te roepen. Dergelijke zaken gaan vaak over diefstal, van kleding, graan of dieren en andere zaken. Geregeld worden de verdachten bij naam genoemd, zoals in een brief waarin zes mannen, vele medeplichtigen en de soldaat Titus worden aangeklaagd voor het leegvissen van iemands vijver. In dit geval werd het slachtoffer bedreigd en aangevallen, iets wat veel vaker voorkwam. In 193 ontving de centurio Ammonius Paternus een verzoek van een zekere Syros, 47 jaar oud en herkenbaar aan een litteken op zijn rechterknie. Zelf kan hij niet lezen en schrijven, vandaar dat de brief door een ander is opgesteld. Syros beschuldigt enkele belastinginners ervan hem te veel belasting voor zijn graan te hebben laten betalen en vervolgens zijn moeder te hebben aangevallen en beroofd, waardoor ze nu ziek te bed ligt.

Van de meeste zaken weten we niet hoe het ermee verder ging en of ze ooit wel in behandeling zijn genomen. De teksten zijn vaak formulewerk, dergelijke verzoekschriften zullen regelmatig zijn ingediend en waarschijnlijk ook wel ingewilligd. Er is een brief bewaard gebleven waarin een centurio iemand sommeert die wordt beschuldigd in een zaak rond een oogst. Wanneer het nodig was, kon een centurio gewapende soldaten eropuit sturen om iemand te arresteren. Uit andere documenten blijkt dat mensen borg stonden voor een verdachte. Kwam diegene niet opdagen tijdens de rechtszaak, dan betaalden zij de boete.

Soldaten als bezettingsmacht

Het Romeinse Rijk bracht vrede en welvaart, en zorgde voor bevolkingsaanwas en economische groei in veel streken. De welvaart werd niet overal gelijk verdeeld en sommige groepen profiteerden er zelfs helemaal niet van, maar over het algemeen genoot het merendeel van de bevolking in het rijk een hogere levensstandaard dan voor de komst van de Romeinen. Toch bleef Rome een bezetter die zijn macht uiteindelijk dankte aan militair overwicht. Soms moest deze heerschappij worden versterkt en daarvoor diende het leger. In sommige provincies braken grote opstanden uit tijdens de generatie na de onderwerping, waarna sommige streken het Romeinse bewind accepteerden, hoewel met tegenzin. In andere regio's bleef af en toe, of regelmatig, verzet de kop opsteken. Sterke legerbases bleven gevestigd In Wales en Noord-Engeland, lang nadat deze streken bezet waren en de rijksgrens een eind opgeschoven was. Het lukte nooit om bergland of woestijngebied helemaal te koloniseren, dus ook daar was een grote militaire aanwezigheid nodig. Gewapende opstandelingen binnen het rijk werden vaak 'bandieten' genoemd; vaak waren hun acties gericht tegen de gekoloniseerde bevolking en niet zozeer tegen het leger zelf. Het waarom van deze activiteiten en in hoeverre dit verzet tegen de Romeinse overheersing was, is nu moeilijk te achterhalen. Misschien hebben we te maken met gemeenschappen waar sowieso veel roverij voorkwam, waaraan de komst van de Romeinen weinig veranderde, maar de overheersers kunnen het ook uitgelokt hebben.

We weten veel meer over dergelijke activiteiten in en rond de provincie Judea dan van welk ander rijksdeel ook. De geschiedschrijving, onder meer van Josephus, maar ook uit het Nieuwe Testament en de Talmoed, biedt een ongeëve-

In 66 na Christus brak er in de provincie Judea een opstand uit. Eerste pogingen om deze rebellie te breken leidden alleen maar tot Romeinse nederlagen, en het kostte verscheidene jaren van systematisch oorlog voeren voor de streek weer veroverd was. Het hoogtepunt van de oorlog was het beleg en de inname van Jeruzalem door keizer Vespasianus' zoon Titus, die later dit feit herdacht op de triomfboog in Rome die zijn naam draagt. In dit reliëf zien we mannen die buit meedragen uit de Grote Tempel.

naarde blik op de Romeinse overheersing vanuit het perspectief van de bezette bevolking. We moeten wel heel erg oppassen en niet zomaar aannemen dat iets vergelijkbaars aan de hand was in provincies waarvan we veel minder weten. Het Joodse geloof met zijn voorschriften maakte het lastig, misschien wel onmogelijk, voor de Romeinen om de Joden in het rijk te laten assimileren. Wat ook niet hielp was dat de polytheïstische Romeinen zich moeilijk konden verplaatsen in de godsdienst van de Joden, die zij praktisch als atheïsten beschouwden én dat er een reeks ongeschikte gouverneurs in Judea werd aangesteld. In deze provincie braken grote opstanden uit tijdens het bewind van Nero en van Hadrianus, en ook nog eens één onder de Joodse bevolking in Egypte tijdens Trajanus' regering. Dat waren enkele grote uitbarstingen te midden van een constante onderstroom aan opstandjes en rebellie.

De Romeinen drukten alle vormen van verzet doorgaans met bruut geweld de kop in. In 4 v.C. waren er onlusten na de dood van Herodes de Grote. De Syrische gouverneur Varus arresteerde duizenden vermeende rebellen bij Jeruzalem en liet hen kruisigen. Maar ondanks dergelijke drastische maatregelen vormden overvallen een aanhoudend probleem. Daarvan getuigen de gelijkenis van de Barmhartige Samaritaan en de terloopse opmerking bij Josephus dat de sekte van de Essenen alleen wapens droeg wanneer ze op reis ging. Christus werd gekruisigd op bevel van de prefect van de provincie, Pontius Pilatus, en soldaten onder leiding van een centurio voerden de terechtstelling uit. De man die Pilatus vrijliet in plaats van Jezus, Barabbas, wordt in het evangelie naar Marcus een 'bandiet' genoemd (*lēstēs*), die gevangenzat omdat hij een opstand in Jeruzalem had aangevoerd. Josephus noemt veel andere aanvoerders van opstanden die door de Romeinen worden neergeslagen. Meestal is zijn houding afkeurend, want Josephus is zelf familie van de hogepriesters tegen wie dit verzet zich richtte. Ook in de Talmoed, een verzameling verhalen en onderricht van rabbijnen, wordt geregeld naar groepen rebellen verwezen. Daarin klinkt een meer ambivalente houding door en wordt soms ook positief geoordeeld. Bij diverse vindplaatsen hebben archeologen stelsels van grotten en tunnels aangetroffen van waaruit dergelijke terroristen (of vrijheidsstrijders, of bandieten, het ligt er maar aan wie het zegt) opereerden. Soms vonden ze ook delen van wapenrustingen, zoals helmen, misschien wel buitgemaakt tijdens een overval.

Gewelddadigheden in de provincie waren niet altijd gericht op de Romeinen. In Judea vlogen de Samaritanen en Joden elkaar geregeld in de haren, en soms moesten de niet-Joodse gemeenschappen in de regio het ontgelden. Tussen Joden en niet-Joden braken af en toe rellen uit in steden als Alexandrië en Caesarea. De opstand in Egypte tijdens Trajanus liep bijna op een oorlog uit tussen de Joden en niet-Joden, zodat veel Egyptenaren vrijwillige eenheden optrommelden om ze samen met het Romeinse leger te bestrijden.

Soldaten en burgers

De Romeinse eenheden schijnen geen enkele moeite te hebben gehad om op bevel burgers op te pakken en te executeren of een dorp plat te branden. Het bronnenmateriaal bevat ook veel voorbeelden van gewelddadig optreden door afzonderlijke soldaten. Johannes de Doper maande soldaten aan om tevreden te zijn met hun soldij, dus niet zomaar van burgers te pakken wat ze hebben wilden. Het kan zijn dat hij dit tegen de soldaten van het leger van Herodes zei, maar dat was naar Romeins voorbeeld samengesteld en vervolgens samengevoegd met de reguliere hulptroepen, dus veel verschil zal er niet tussen zijn geweest. In de Romeinse literatuur was de gewelddadige soldaat een gemeenplaats. De hoofdpersoon uit Petronius' *Satyricon* wordt op een avond bedreigd en beroofd door een legionair, en in *Metamorfosen* van Apuleius probeert een soldaat de gouden ezel te stelen, en wanneer hij later in elkaar geslagen wordt gaan zijn kameraden hem wreken. Uit Egyptische papyrusteksten blijkt dat dit niet alleen fictie was. Het was soldaten toegestaan om in bepaalde omstandigheden dieren en andere bezittingen te vorderen, maar ze moesten dan wel een kwitantie afgeven zodat de eigenaar gecompenseerd kon worden. Het is duidelijk dat dit niet altijd gebeurde, en het was lastig voor burgers om hiertegen in beroep te gaan. Uit een in Egypte aangetroffen kasboek blijkt dat soldaten en andere functionarissen smeergeld aannamen. Dat wordt genoteerd naast de officiële inkomsten en uitgaven, zo gewoon was dat blijkbaar.

Op veel grotere schaal hief de staat officiële bijdragen van het volk. In andere Egyptische bronnen staan graanleveringen genoteerd die soldaten inden voor hun eenheden bij de diverse grondbezitters of dorpen. In het jaar 185 bijvoorbeeld werd de *duplicarius* Antonius Justinus van Ala Heracliana, gelegerd in het Egyptische Coptos, door zijn prefect, Valerius Frontinus, uitgezonden om graan in te zamelen. De provinciegouverneur had bepaald dat twintigduizend *artabas* gerst van de oogst van dat jaar bestemd was voor de eenheid. Justinus schreef een kwitantie uit voor honderd *artabas*, het aandeel van het dorp Terton Epa.

Soldaten in de provincie toonden soms het brute gezicht van de Romeinse overheerser. Ze waren bewapend, en maakten soms misbruik van hun positie door de bevolking te bedreigen en af te persen. Het leven in de oudheid was vaak wreed en gewelddadig. Dat neemt niet weg dat soldaten en burgers vaak vreedzaam samenleefden en van elkaars aanwezigheid profiteerden. Een soldaat kon ook echtgenoot en vader zijn, klant of handelaar, iemand die de wet handhaafde en zijn deskundigheid aanwendde voor allerlei nuttige zaken.

RIJKSGRENZEN

Grote concentraties van het Romeinse leger bevonden zich in de buurt van belangrijke politieke centra, zoals de grote steden in het oosten en uiteraard Rome zelf, waar de Praetoriaanse garde en ondersteunende troepen in aantallen steeds groter werden . Sommige rijksgebieden, waar verzetsgroepen en bandieten actief bleven, kregen de Romeinen nooit helemaal onder controle, zodat ook daar grote garnizoenen nodig bleven. Het leeuwendeel van het leger bevond zich echter in de grensprovincies. Tijdens het principaat kregen deze bases een steeds permanenter karakter en de gebouwen van hout en riet werden vervangen door versies uit steen met dakpannen. In de afgelopen eeuw zijn door archeologen veel forten en vestingen ontdekt, en hun locaties wijzen erop dat het leger vooral actief was in de grensgebieden van alle provincies. Veel eenheden waren lange tijd gelegerd

Een stuk gedenksteen op de Antoninische muur van Hutcheson Hill die de voltooiing van een deel van de linie aangeeft. In het midden kroont Victoria de adelaarstandaard van Legio XX Valeria Victrix. Aan weerszijden knielen onderworpen gevangenen met hun handen op hun rug gebonden.

in dezelfde basis, soms wel eeuwenlang; vandaar dat veranderingen in aantal en soort eenheid dat in een provincie gelegerd was en de locatie van de garnizoenen worden gezien als indicatie van een verandering in de militaire situatie.

Eerder zagen we al dat wanneer een eenheid in de administratie en archieven van een basis voorkomt, dat nog niet hoeft te betekenen dat de meeste, of zelfs alle manschappen daar ook echt de hele tijd aanwezig waren, en bovendien zegt dat niets over hun activiteiten. Veel eenheden waren op allerlei locaties bezig met allerlei verschillende taken. Zelfs een fort dat oorspronkelijk was gebouwd voor een *cohors quingenaria* van de hulptroepen, kon best voor allerlei andere doeleinden gebruikt worden. Misschien hield een eenheid van het originele type er wel garnizoen, maar waren sommigen of de meesten elders aan het werk. Er konden ook allerlei afdelingen verblijven van andere eenheden, uit de legioenen of anderszins. Op kortere perioden in tijden van crisis na zal het niet vaak zijn voorgekomen dat een fort meer soldaten herbergde dan waar het 'op papier' op berekend was; dan zou het ook wel heel vol worden. Voor de veel grotere legioensvestingen ging dit helemaal op. Het zal zelden zijn voorgekomen dat een heel legioen op de basis was, zeker niet toen deze niet meer als winterverblijf werd gebruikt in de maanden buiten het campagneseizoen. Het was zinloos om meer dan vijfduizend man duimen te laten draaien tot er een oorlog uitbrak, terwijl er voor de soldaten zo veel te doen was. Vandaar dat legionairs werden ingezet als bestuurders, bouwlieden, technici, politieagenten, ambachtslieden en op patrouille werden gestuurd naar voorposten, of met een heel cohort, of in kleinere eenheden op veldtocht. De legioenen hadden zoveel verschillende specialismes in huis dat er niet snel werd besloten ze in z'n geheel uit een provincie te laten vertrekken als dat niet nodig was. Liever stuurde men dan een sterk detachement.

Het Romeinse leger was dynamisch en vol ijver en de manschappen verrichtten allerlei werkzaamheden, zowel militair als civiel. Onze kennis van de plaatsen waar forten en vestingen zich bevonden brengt ons niet verder als we willen weten wat de dagelijkse bezigheden van een leger in een bepaalde provincie waren. Toch kunnen we uit het feit dat er zo veel bases bij de rijksgrenzen waren concluderen dat in deze regio's het aandachtspunt voor het leger lag, ook al waren er grote groepen ver van hun garnizoen gedetacheerd. Deze bases waren kostbare bouwwerken, en de verdedigingswerken langs de grenzen zeker, zoals de Muur van Hadrianus en die van Antoninus in Noord-Engeland. In schriftelijke bronnen staat weinig over wat er aan de rijksgrenzen gebeurde, zeker niet vanaf de eerste eeuw n.C. Hoe de grenzen precies functioneerden moeten we dus reconstrueren op basis van archeologische vondsten, enkele geschreven fragmenten en logisch redeneren.

Strategie en het grote plan

Geruime tijd woedt er al een bijzonder felle discussie over de precieze aard van de Romeinse rijksgrenzen. De ene groep is van mening dat Rome een verdedigende strategie koos. Het leger was aan de grenzen gestationeerd zodat het de vele dreigingen van buitenaf kon afwenden en zo de Romeinse vrede (*Pax Romana*) in stand kon houden. Dit garandeerde voorspoed voor de gekolonialiseerde en geciviliseerde bewoners van het rijk. Enkele bronnen uit de oudheid ondersteunen deze visie, waaronder de Griekse orator Aelius Aristides, die in de tweede eeuw n.C. het leger vergeleek met een verdedigingsmuur rondom de beschaafde wereld (van de Romeinen uiteraard). De geograaf Strabo beweerde dat de Romeinen het beste deel van de wereld al hadden veroverd en dat verdere expansie niet de moeite loonde en weinig zou opleveren. Vanaf 14 n.C. was expansie steeds minder een gezamenlijk streven, en er werden amper nieuwe provincies toegevoegd, wat de opvatting lijkt te staven dat de toenmalige keizers kozen voor verdediging en consolidatie en niet voor uitbreiding van het rijk. Als het leger tijdens het principaat verdediging als hoofdtaak had, verrichtte het dat zeer goed in de eerste en tweede eeuw n.C., maar een stuk minder in de derde, toen er geregeld vijanden binnenvielen. Historici hebben pogingen gedaan om een omvattende strategie te reconstrueren die zowel de langdurige succesvolle verdediging verklaart als de factoren in kaart brengt die het daaropvolgende falen veroorzaakten. Ze beoordeelden alle opgravingen langs de grens met als uitgangspunt dat er een logische en door de bank genomen efficiënte strategie achter moet hebben gezeten. Op het hoogste niveau van het rijk – en dan spreken we over het grote plan, want hier werden alle beschikbare middelen ingezet voor het rijksbelang – bepaalden de keizer en zijn adviseurs zorgvuldig waar en hoe ze hun troepen zouden inzetten, al naar gelang de noden in de provincies. In veel opzichten is dit een benadering van het Romeinse Rijk alsof het een 'moderne' staat was, met als hoofddoel de bescherming van eigen grondgebied en bezittingen tegen vijandige machten, in feite het streven van huidige democratieën. Zo beschouwd kan de moderne wereld veel leren van de successen van Rome.

Aanhangers van de tegenovergestelde mening leggen meer de nadruk op de 'primitieve' kant van het rijk, zoals het ontbreken van snelle communicatie en een groot ambtelijk apparaat. De Romeinse wereld was in wezen nog niet in kaart gebracht; geografische kennis was nog beperkt en rudimentair, zodat gedetailleerd plannen maken niet goed mogelijk was. Het argument is dan dat de keizers geen omvattende strategie konden uitvoeren, ook al zouden ze die hebben gehad. Hun beslissingen waren daarom altijd een reactie op een gebeurtenis en geen onderdeel van een hoger plan. Op het lagere niveau van de diverse legerbases aan de grens was ook geen sprake van een systeem, maar zij werden lukraak gebouwd. Bovendien zijn er amper aanwijzingen dat het verzet in de grensgebieden georganiseerd was. Zowel de Parthen als hun opvolgers, de Perzische Sassaniden, stuurden zelden aan op een conflict met Rome, en waren bovendien te zeer intern verdeeld om belangrijke gebieden in de oostelijke provincies blijvend onder controle te krijgen. Ook de andere stammen trokken niet eensgezind op en vormden geen werkelijke bedreiging, behalve heel af en toe in de vierde en iets vaker in de vijfde eeuw. Er wordt wel beweerd dat de Romeinse keizers geen defensieve strategie toepasten tot de late oudheid, maar juist bleven hopen op verdere expansie om uiteindelijk de propagandakreet gestalte te kunnen geven en het eeuwige rijk (*imperium sine fine*) te vestigen. Rome was en bleef een aanvalsmacht en het leger verbleef bij de grens om nieuwe gebieden te veroveren.

Tot op heden is er nog geen consensus bereikt, maar de twee opvattingen bevatten beide sterke punten. Bronnen uit de oudheid wijzen erop dat er geen eenduidige strategie was, defensief noch offensief, maar dat er verschillende mogelijkheden waren. Belangrijker is dat daaruit duidelijk blijkt dat de Romeinen veel meer gericht waren op macht dan op het in bezit nemen van grondgebied en zich vooral bezighielden met politieke eenheden, naties, koninkrijken en stammen in plaats van met territoria. Het Romeinse Rijk breidde zich uit tot waar het de Romeinen lukte de volken hun wil op te leggen, of beter gezegd, waar ze erin slaagden ze te weerhouden daartegen in te gaan. In de Romeinse ideologie werd vooral benadrukt dat de macht en reputatie van Rome hooggehouden en beschermd moest worden. Een nederlaag of zwakte ondermijnde dat imago en moest daarom gewroken worden. De veldtochten van de Romeinen waren vaak agressief, al is het maar omdat het leger beter functioneerde als het kon aanvallen dan wanneer het verdedigend opereerde, maar voor een geslaagde oorlog was het niet altijd nodig om telkens nieuwe gebieden te bezetten. Rome was veel sterker dan zijn vijanden. De rijksgrenzen functioneerden zeker ook om vijanden tegen te houden, maar ze markeerden niet de grens van Romes invloed; de Romeinen opereerden zonder problemen ver voorbij die grenzen als ze dat wilden. Het is een gegeven dat grote delen van het Romeinse leger langdurig in de streken langs de grenzen van het rijk gelegerd bleven en oorlog voerden met de volken buiten de provincie. Enkele zaken werden wel centraal aangestuurd, al was het maar over de besluiten hoeveel en waar eenheden en vooral legioenen gestationeerd werden. Of er naar moderne maatstaven ook sprake was van een overkoepelende strategie is de vraag.

Grensgebieden

De Romeinen hadden geen exacte term voor wat wij 'grens' noemen. Het Latijnse woord *limes* dat daarvoor gebruikt werd, behield zijn oorspronkelijke betekenis, 'weg'. Wegen die de militaire bases met elkaar verbonden, waren van groot belang bij een langdurige inzet van het leger. Wegen die bij alle weersomstandigheden begaanbaar waren, maakten snelle troepenverplaatsing en bevoorrading mogelijk. Zoals eerder gezegd waren Romeinse forten en vestingen niet in eerste instantie bedoeld als verdedigingswerken in de zin dat er van daaruit gevochten werd. Het leger was meestal beter getraind en bezat meer discipline en een betere bevelstructuur dan de tegenstanders en was vaak zwaarder bewapend. Dit gaf de Romeinen het voordeel in een open gevecht, wat een tegenwicht vormde wanneer ze, zoals vaak, in de minderheid waren. Zodra ze kans zagen verlieten de eenheden bij een aanval daarom hun vestingen en troffen hun tegenstanders in het open veld. Een goed wegenstelsel hielp de eenheden zich snel te formeren.

Verscheidene grensgebieden waren gelegen bij belangrijke geografische elementen, soms alleen al omdat daar al structuren bestonden. De Afrikaanse grens ontstond toen de Romeinse gebiedsuitbreiding de woestijn bereikte, die schaars bevolkt was en slecht begaanbaar. In Europa vormden de rivier de Donau en de Rijn en in Syrië de Eufraat grotendeels de grens. De Romeinen patrouilleerden per schip op de rivieren, maar ook manschappen en materieel kon vaak sneller over water vervoerd worden. Bovendien vormde een rivier een goede barrière tegen indringers. Het leger besteedde dan ook extra zorg aan de bewaking van bruggen. Een rivier kon de opmars van een groot leger flink vertragen, omdat dat

Kleine wachttorens kwamen veel voor langs de grenzen, en ook in sommige provincies, bijvoorbeeld langs belangrijke wegen. De bezetting bestond slechts uit een handjevol mannen, die duidelijk niet berekend waren op massale aanvallen. In sommige gevallen waren dergelijke torens onderdeel van een systeem van bakens of andere seinmiddelen om eenvoudige boodschappen snel over te brengen. Deze reconstructie van een wachttoren langs de Germaanse grens is gebaseerd op opgravingen en beschrijvingen op de Zuil van Trajanus.

boten moest maken of meenemen om over te kunnen steken. Daardoor kregen de Romeinen meer tijd om een invasie op te merken en troepen te mobiliseren. Slechts in bijzondere gevallen, bijvoorbeeld wanneer de rivier bevroor tijdens een strenge winter, ging dit niet op. Aan de andere kant vormden rivieren voor de Romeinen zelf niet echt een obstakel. Ze hadden de controle over de bruggen en doorwaadbare plaatsen en ze bezaten natuurlijk een vloot. Het Romeinse leger ondervond weinig hinder wanneer het snel een verrassingsaanval wilde uitvoeren en een rivier moest oversteken. Voor hen was een grens in wezen een solide uitvalsbasis van waaruit het leger een offensief of tegenoffensief kon doen, geen barrière die het verkeer in beide richtingen belemmerde.

Auxilia-forten bevonden zich doorgaans in een verdedigingslinie op of bij de weg langs de provinciegrens. Belangrijke locaties, zoals een bergpas, een oase in woestijngebied of een brug of doorwaadbare plaats in een rivier, werden extra beveiligd met een fort. Er waren ook allerlei kleinere militaire posten, van forten en fortjes voor kleine vexillatio's tot wachttorentjes (*turres* en *burgi*), bemand

De meeste grenzen waren niet uit één stuk opgebouwd, zoals de Muur van Trajanus. Een grenslinie zoals op dit kaartje, met forten en vestingen langs de grens in Germania (eind eerste eeuw na Christus), was gebruikelijker. Slechts enkele stukken hebben een aaneengesloten verdedigingslinie.

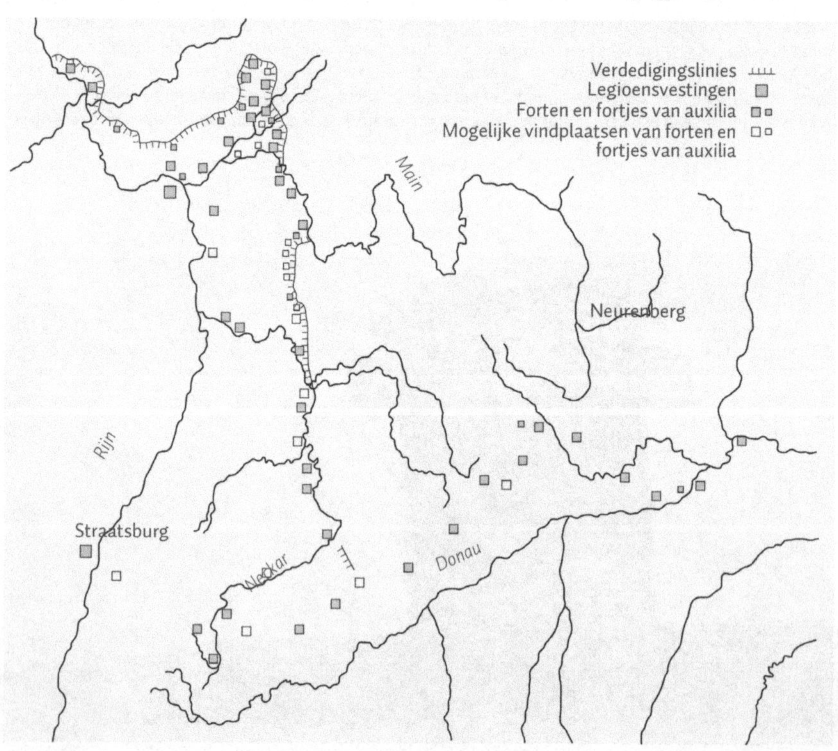

door slechts een handjevol soldaten. Wachttorens stonden langs veel Romeinse grenzen en belangrijke wegen, en worden ook afgebeeld op de Zuil van Trajanus. Soms waren het niet meer dan uitkijkposten met een verhoogd plateau dat uitzicht bood op de omgeving, terwijl ze tegelijk een zichtbaar teken waren van de aanwezigheid van het leger. Een reeks wachttorens zal de inwoners het gevoel hebben gegeven dat het leger alles in de gaten hield. Soms hadden de torens een eenvoudig systeem om elkaar boodschappen te sturen, met rooksignalen of een soort semafoonsysteem. Dergelijke vaste observatiepunten leverden het leger informatie op, maar patrouilleren was nuttiger. Een van de redenen dat er in verhouding tot infanteristen zo veel *cohortes equitatae* waren, was dat zulke kleine gecombineerde eenheden van voetsoldaten en ruiters zeer geschikt waren voor patrouilles en escortes in de grensstreken. In woestijngebieden werden sommige gemengde cohorten aangevuld met een paar kamelenruiters (*dromedarii*), die zeer geschikt waren voor lange patrouilles in de droge hitte. Naast de observaties van de wachtposten leverden diplomatieke kanalen, die zich tot ver buiten de militaire zone uitstrekten, veel informatie op. Bronnen vermelden veelvuldige gezantschappen van en naar Parthia en later naar Perzië, maar we lezen ook dat centurio's deelnamen aan bijeenkomsten van stamhoofden, eind tweede eeuw in Germania. Bevriende heersers kregen vaak betalingen en soms ook militair advies of zelfs hulp.

Grenslinies

De Romeinen bouwden spectaculaire grensafscheidingen, zoals de muren en grachten in het noorden van Britannia, Germania Superior, Raetia en in enkele Afrikaanse provincies. De Romeinen maakten tijdens veldtochten soms gebruik van dergelijke grote verdedigingslinies. Caesar wierp zo een obstakel op bij de Rhône, zodat de Helvetii in 58 v.C. niet verder konden en Crassus probeerde in 71 v.C. het slavenleger van Spartacus de pas af te snijden in de laars van Italië. Helaas komen de meer permanente grensmuren niet vaak in de bronnen voor. De meeste schijnen te dateren uit de tweede eeuw. Uit het feit dat er zulke grote bouwwerken aan de grens verschenen zou je kunnen concluderen dat het leger ervan uit begon te gaan dat ze niet verder zouden optrekken, maar dat was waarschijnlijk niet zo. De Muur van Hadrianus werd enkele tientallen jaren na de bouw al verlaten. Het leger trok verder naar het noorden om de Muur van Antoninus te bouwen en daar garnizoen te houden. Ook hier vertrok men snel om de zuidelijke linie weer te bezetten. Vervolgens zou het leger weer naar het noorden gegaan kunnen zijn, opnieuw naar de Muur van Antoninus. Als dat het geval was, dan zijn ze daar toen niet lang gebleven. De Muur van Hadrianus bleef de daaropvolgende eeuwen in gebruik, wat misschien niet zo was geweest als keizer Septimius Severus niet was gestorven voordat de Caledonianen onderworpen waren.

Of de Romeinen waren anders gaan denken over de manier waarop de 'militaire situatie' in Noord-Britannia moest worden opgelost, óf de omstandigheden zelf waren veranderd en vroegen om een andere aanpak. De muur en gracht van de linie bij Numidia zou zo'n alternatieve oplossing geweest kunnen zijn, of een poging daartoe.

De Muur van Hadrianus

In plaats van alle verschillende grenslinies toe te lichten, is het beter de bekendste, die bovendien het best bewaard is gebleven wat grondiger te bekijken. Hadrianus kwam aan het bewind na de dood van Trajanus in 117, onder verdachte omstandigheden. Aanvankelijk was zijn positie dan ook onzeker. Hij liet de oostelijke expansie van zijn voorganger voor wat die was en besteedde vrijwel zijn hele regering aan het bezoeken van de provincies en vooral aan het inspecteren van de provincielegers, om zich te verzekeren van hun loyaliteit. Het is mogelijk dat er aan het begin van zijn regering een hevige strijd uitbrak in het noorden van Britannia. De keizer bracht in 122 een bezoek aan het eiland en gaf opdracht tot het bouwen van de grote muur, volgens zijn vierde-eeuwse biograaf om 'de barbaren van de Romeinen te scheiden'. De linie kan zijn gebaseerd op de bestaande Stanegate, een reeks forten en wachtposten aan een weg van oost naar west die over hoger gelegen gebied loopt, zoals bij het rotsachtige Whin Sill. De muur volgde zo mogelijk de heuvelruggen en strekte zich uit aan de horizon. Het lijkt erop dat de muur ooit witgekalkt was, wat de zichtbaarheid ten goede zal zijn gekomen.

De Muur van Hadrianus was tachtig Romeinse mijl lang (honderdzeventien kilometer) en liep van Bowness-on-Solway (Maia) in het westen tot Wallsend (Se-

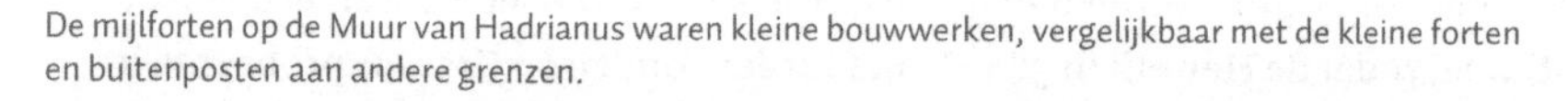
De mijlforten op de Muur van Hadrianus waren kleine bouwwerken, vergelijkbaar met de kleine forten en buitenposten aan andere grenzen.

gedunum) in het oosten. Meer dan de helft bestond uit steen, alleen het meest westelijke deel, zo'n eenendertig Romeinse mijl lang, was oorspronkelijk een verstevigde plaggenwal. Dit gedeelte werd later vervangen door steen, meestal op dezelfde linie, al week de muur op enkele plekken af, zodat we de oorspronkelijke plaggenmuur nog kunnen zien, zoals bij Birdoswald. Dit was slechts een van de vele grote wijzigingen die in de loop van de tijd werden aangebracht. Het was de bedoeling dat de muur tien Romeinse voet breed werd (circa drie meter). Op sommige stukken werd deze dikte ook gerealiseerd. Op andere plaatsen heeft alleen de fundering deze afmetingen en werd er een smallere muur op gebouwd van soms maar 1,80 meter hoog. Op ten minste één plaats werd helemaal geen fundering gebouwd, maar een smallere muur op de heuvelrug. De stenen muur had een basis van keien, evenals sommige stukken van de plaggenwal, met een kern van puinsteen waaromheen een stenen muur werd vastgemetseld met kalksteen. We weten niet hoe hoog de muur is geweest en of hij alleen als verdedigingswal werd gebruikt zoals de Germaanse grens van Hadrianus, of dat er een omgang en kantelen waren voor de wachten.

De 'brede muur' werd gebouwd volgens het oorspronkelijke plan. In dat eerste stadium werden ook bouwwerken aangeduid die bij de linie hoorden, en die zijn wellicht ook gebouwd. Na elke Romeinse mijl (circa anderhalve kilometer) moest een klein fort komen, wat we nu een 'mijlfort' noemen, die zijn genummerd van oost naar west. Op het stuk tussen de twee mijlforten bevonden zich twee torentjes. Op sommige plaatsen werden al mijlforten en torens gebouwd, met aan weerszijden een stukje brede muur, lang voordat ze met de muur zelf verbonden werden, die inmiddels smaller gebouwd werd. Mijlforten hebben meestal een binnenmaat van achttien vierkante meter, maar zoals eerder vermeld werkten er drie legioenen aan de bouw van de muur, die het alle drie net iets anders deden. De mijlforten van Legio II Augusta zijn iets breder dan diep, die van de andere legioenen andersom. Alle mijlforten hadden een poort in de zuidmuur en een andere aan de noordkant met een toren erop, en soms ook een op de zuidpoort. Van mijlfort 48 bij Poltross Burn zijn stenen treden bewaard gebleven, waaruit kan worden afgeleid dat de muren in een fort een omgang hadden en dat ze ongeveer vier meter hoog waren.

De mijlforten in het plaggengedeelte van de muur waren in de basis hetzelfde. Na de bouw werden eenvoudige binnenkamers gemaakt. De bouwers hielden zich zo veel mogelijk aan het plan, met als gevolg dat sommige forten heel ongunstig gesitueerd werden. Soms liep de noordelijke poort uit op een helling of rotswand, of het mijlfort was in z'n geheel in een diep dal gebouwd zodat er amper zicht vanaf de toren was. Ook bij de torens hielden ze zich strak aan het plan. Bij Steel Rigg werd daarom een derde observatietoren tussen de forten toegevoegd, waarschijnlijk om een grote blinde hoek te compenseren.

Een bekend beeld van de Muur van Hadrianus die door het heuvelachtige landschap loopt. Hier bij Peel Gap, ten westen van Housesteads.

Het oorspronkelijke plan was dat de meeste garnizoenen in het grensgebied gelegerd zouden blijven in de bestaande vestingen aan de Stanegate, zo'n anderhalve kilometer naar het zuiden. Al na een paar jaar stapte men van dit plan af en begon de bouw van vestingen bij de muur zelf. Daarvoor moesten sommige bestaande bouwwerken afgebroken worden, bijvoorbeeld bij Housesteads, waar de noordwand bovenop een torentje werd gebouwd dat tenminste gedeeltelijk klaar was. Deze vestingen langs de muur boden het leger extra toegang naar het noorden. Uiteindelijk waren er vijftien forten op of dicht bij de muur gebouwd, en nog meer bases vóór de linies, erachter en aan beide zijkanten. Sommige bases achter de muur hadden duidelijk een ondersteunende functie. Bij de stad Corbridge was een legerkamp dat een flink depot en enkele werkplaatsen bezat. Het fort van South Shields (Arbeia) aan de monding van de rivier de Tyne schijnt in een bepaalde periode als enorme legerdump te hebben gefunctioneerd, met vele graanschuren. Zoals gebruikelijk bevonden zich rond de forten grote *canabae*, burgernederzettingen. Uit bepaalde inscripties kan worden opgemaakt dat het kosmopolitische gemeenschappen waren. Aan de meest zuidelijke grens van het militaire gebied bevond zich de *vallum*, een moderne en niet helemaal precieze term die toch ingeburgerd is. De *vallum* was een brede sloot met vlakke bodem, met een lage wal aan beide zijden. Op twee plaatsen kon je oversteken, die werden beide bewaakt door het leger.

Langs de westkust bij Cumbria bevond zich een verdedigingslinie die in feite een voortzetting van de muur was, met forten, mijlforten en torentjes, maar zonder tussengelegen muur. De meeste van deze plaatsen lijken al lang voor het einde van de tweede eeuw te zijn verlaten, waarschijnlijk omdat de Romeinen toen anders tegen de militaire situatie aankeken.

Hoe werkte de muur?

Wie zich voorstelt dat enorme hordes Caledoniërs of later ook Picten zich op de Muur van Hadrianus stortten terwijl de Romeinen ze vanaf de omgang afweerden, zit ernaast. Zelfs al was er een omgang, dan nog was de muur niet bedoeld als gevechtsterrein. Natuurlijk was het een enorme barrière voor een groot leger, maar niet een onoverkomelijke. De muur kon beklommen worden, maar het duurde dan wel lang voordat alle manschappen eroverheen waren, en met paarden lukte dat niet. Misschien was het beter een poort in te nemen, maar de *vallum* erachter was ook lastig voor de dieren, behalve dan bij de twee oversteekplaatsen. Zo wonnen de Romeinen tijd om een eenheid te formeren en de vijand op te wachten. Zowel bij de Muur als bij andere grenzen was dat het doel. Het leger lokte de vijand uit tot een open veldslag om vervolgens snel en doeltreffend toe te slaan. In de meeste gevallen hadden patrouilles al gemeld dat één of meer stammen zich opmaakten voor de strijd. Bovendien werden de stammen in het noorden evenals elders via diplomatieke kanalen in de gaten gehouden. Ook voorposten hadden een belangrijke taak. Het plaatsje Bewcastle lijkt te zijn gebouwd rond een oud heiligdom, zodat het leger wellicht een oogje in het zeil kon houden op de godsdienstige bijeenkomsten van die stam.

Het mobiliseren van een groot leger zal niet vaak zijn voorgekomen. Veel gebruikelijker waren roofovervallen op heel kleine schaal. Er bestaat een juridische tekst waarin een vrouw een werkstraf krijgt, maar vervolgens in Noord-Britannia gevangengenomen wordt tijdens zo'n strooptocht. Vervolgens wordt ze weer verkocht aan iemand in de provincie, een zekere Cocceius Firmus, misschien wel dezelfde man als van de altaren in Schotland. Andere aanwijzingen zijn de tabletten van Vindolanda, ook al zijn die ouder dan de Muur van Hadrianus, waaruit we weten dat er een aantal gewonden in het hospitaal verbleef, en waarin de plaatselijke 'kleine Britten' (*Brittunculi*) worden gekarakteriseerd als lichte ruiters. Erg moeilijk kan het niet geweest zijn voor een handjevol mannen om de muur over te glippen, maar dat ging alleen te voet en veel buit kon je zo niet mee terugnemen. De bronnen zwijgen over dergelijke kleine overvallen en het was sowieso moeilijk ze te onderscheiden van 'gewone' criminaliteit.

Militaire activiteit zal er altijd op zeer kleine schaal zijn geweest, maar die is toch niet heel anders dan de grotere aanvallen. In de oudheid hoorden strooptochten en oorlog voeren bij het gewone leven, zeker voor krijgslustige stammen. Wie sterker was dan een naburige stam had geen aanleiding nodig om die aan te vallen. En een geslaagde plundertocht bracht iemand buit en aanzien onder zijn stamgenoten. Een krijgshaftige reputatie kon anderen ervan weerhouden jou op hun beurt aan te vallen. Sommige stammen, vooral de Germanen, zorgden voor zoveel mogelijk onbezet terrein buiten hun grensgebied, waarmee ze aangaven hoe vervaarlijk ze waren, wat eventuele vijanden moest afschrikken. Voor dergelijke stammen waren de Romeinen net als andere buurvolken. Leken de Romeinen zwak, dan gingen ze er plunderen, en bij elke geslaagde strooptocht zouden ze hen kwetsbaarder toeschijnen, zodat ze een grotere inval probeerden. Rome leed geen gezichtsverlies wanneer een paar bandieten de rijksgrenzen overstaken en wat vee of inwoners gevangennamen. Gebeurde dit echter te vaak, dan dreigde Rome te zeer getart te worden en liep het uit op een grootschalige invasie.

De Muur van Hadrianus en andere vormen van grensbewaking kunnen het beste in dat licht bezien worden. Deze grote, indrukwekkende bouwwerken moesten aan eventuele vijanden duidelijk maken wat Romeins machtsgebied was. De grenslinies hielpen het leger de logistiek en handel in het gebied te reguleren en maakten het moeilijk, zij het niet onmogelijk, voor vijandige elementen om invallen te doen. Voorbij de rijksgrenzen zorgden diplomatieke activiteiten en observaties ervoor dat de Romeinen wisten wat er gaande was, zodat er tijdig alarm kon worden geslagen als er gevaar dreigde. Maar uiteindelijk werd het rijk beschermd door de reputatie van Rome als krijgsmacht, en dat kon het beste worden gedemonstreerd wanneer het leger ten strijde trok. De grenzen van het Romeinse Rijk waren nooit bedoeld om het leger binnen te houden, strafexpedities waren altijd mogelijk, waar dan ook. Elke overwinning die de Romeinen behaalden droeg bij aan hun reputatie van niet te stoppen en onoverwinnelijke strijdmacht, en vooral dat beschermde het rijk. Een nederlaag, hoe klein ook, zorgde voor een smet op dat blazoen. Dat kon niet ongestraft gelaten worden, want dan volgden er zeker meer aanvallen. Het was dan ook geen toeval dat op een nederlaag in grensgebied vaak meer verliezen volgden, waarna het leger met veel machtsvertoon tijdens een grote campagne het imago van een sterk Rome weer herstelde.

Het mijlfort bij Poltross Burn bevat een van de weinige duidelijke sporen van stenen treden langs de muur. Hierdoor wordt duidelijk dat er een voetpad langs de binnenmuur van het fort liep, hoewel dat niet wil zeggen dat er eenzelfde soort voetpad en borstwering langs de muur zelf liepen.

IV

Het leger voert oorlog

'Caesar gaf het teken zodra de salvo's van de vijand zwakker werden en minder doel troffen, en liet toen plotseling zijn cohorten en turmae *aanvallen. De vijand werd in een oogwenk van het slagveld verdreven.'*
(*De Afrikaanse Oorlog*, 17-18)

Net als alle krijgsmachten was het Romeinse leger uiteraard bestemd voor de oorlogvoering. Toch brachten de soldaten tijdens het principaat hun tijd vooral door in de barakken, waar ze werk verrichtten zoals in het vorige hoofdstuk werd beschreven. Veldtochten vormden een zeldzame onderbreking van het normale leven in vredestijd, zeker in de gevestigde provincies. Het garnizoen in Egypte werd gemiddeld slechts eenmaal in de vijfentwintig jaar ingezet bij een grote campagne; alleen in de meeste grensgebieden brak vaker oorlog uit. Zelfs wanneer een eenheid in de strijd verwikkeld was, bestond een veldtocht veel meer uit marcheren en voorbereidingen treffen dan dat er echt gevochten werd. Een belegering kon maandenlang duren, maar een veldslag was zeldzaam en op enkele uitzonderingen na meestal binnen een dag beslist. De meeste Romeinse soldaten zullen maar een fractie van hun diensttijd daadwerkelijk het zwaard hebben opgenomen.

Het Romeinse leger vocht oorlogen uit op kleine en grote schaal en om allerlei redenen. Het leger viel vrijwel altijd zelf aan. Had de vijand de strijd aangebonden, dan kwam het leger zo snel mogelijk met een tegenoffensief. De Romeinen wonnen sommige oorlogen tijdens een treffen in het open veld, maar ook door de hoofdstad van de tegenstander in te nemen of te belegeren en soms door dorpen te overvallen en de oogst en het vee te plunderen. Het Romeinse leger kan vooral worden getypeerd door flexibiliteit, aanpassingsvermogen en vasthoudendheid. In het strijdperk was het sterker dan zijn tijdgenoten doordat het over een betere bevelstructuur, discipline, training en uitrusting beschikte, zodat het leger zelfs nog overwinningen behaalde als het in de minderheid was. Het beroepsleger was technisch superieur en had vooral succes bij belegeringen. Maar ook in die periode waren de legionairs en hulptroepen toegerust voor oorlogvoering op kleinere schaal en versloegen ze vijanden die waren gespecialiseerd in hinderlagen en overvallen. Op het toppunt van zijn functioneren, tijdens het principaat, was het Romeinse leger de meest geavanceerde en efficiëntste krijgsmacht van voor de moderne tijd.

Vorige pagina: Een oorlogsscène op de Zuil van Trajanus.

Volgende pagina: Een monument, verplaatst en gerestaureerd aan het eind van de eerste eeuw na Christus, zo'n 200 jaar nadat het was opgericht, ter herinnering aan de nederlaag van de Cimbren en de Teutonen tegen Marius in 101 voor Christus. Deze strijd zou de laatste blijken te zijn van vele oorlogen gedurende een aantal eeuwen waarin Rome vocht tegen buitenlandse vijanden met als doel haar positie te handhaven.

OP VELDTOCHT

In de derde en tweede eeuw v.C. kregen de Romeinen te maken met tegenstanders die een staand leger hadden dat beter getraind was, meer discipline kende en soms betere aanvoerders had dan de legioenen. De beroemde Griekse aanvoerder Pyrrhus, die door Tarentum was ingehuurd om Rome aan te vallen, versloeg twee legers van de Romeinen en dolf pas de derde keer, na een felle strijd, het onderspit. Ook Hannibal was hen een tijdlang de baas, wat hij te danken had aan zijn goede leger en zijn briljante tactische inzicht. De Romeinen hadden geluk dat de oorlogen met Macedonia en de Seleuciden volgden op de Tweede Punische Oorlog, zodat de legioenen beschikten over zeer bekwame officieren en manschappen. In deze tijd brachten de legioenen zelfverzekerde en ervaren mannen voort, die even goed waren als een beroepssoldaat: ze hadden vaak vrijwel hun hele volwassen leven in het leger gediend en waren gewend aan het systeem met manipels, dat veel flexibeler was dan de hellenistische piekeniersfalanx. In die tijd, en tijdens de hele verdere geschiedenis van het Romeinse Rijk, kreeg het leger ook aanvallen van verschillende stammen te verduren. Deze hadden soms grote legers, met vaak zeer bekwame krijgers, maar als geheel ontbrak het ze vaak aan discipline en was hun optreden onbeholpen. De legioenen uit de midden-republiek waren meestal iets sterker dan deze legers, al was het verschil niet altijd doorslaggevend.

Tegen de tijd dat de Romeinen hun burgermilitie hadden vervangen door een beroepsleger, waren de meeste staten met een regulier leger al verslagen. Vanaf de eerste eeuw v.C. voerden de Romeinen vooral oorlog tegen stammen of koninkrijken die militair minder geavanceerd waren. Het systeem van bevoorrading bij dergelijke krijgsmachten stond meestal nog in de kinderschoenen, zodat ze het niet lang uithielden in de strijd. De meesten hadden geen goede bevelstructuur en bezaten amper strategische en tactische kennis. Dit hield in dat ze meestal geen partij waren voor het Romeinse beroepsleger. De Romeinen waren altijd al agressief geweest in de strijd, en in deze periode werd dat nog sterker. De Romeinse bevelhebbers waren tenslotte vrij zeker van de overwinning, zelfs als ze zwaar in de minderheid of de omstandigheden ongunstig waren. Alleen wanneer moed en zelfverzekerdheid doorsloegen naar onbezonnenheid ging het fout.

Soorten oorlogvoering

Verliezen kwam in het woordenboek van de Romeinen niet voor; hun uitgangspunt was de complete overwinning en daarin betoonden ze zich ongekend hard en meedogenloos. De manier van optreden van het leger was afhankelijk van het doel van de campagne. Voor het gemak kunnen we die oorlogsdoelen onderverdelen in vier basistypen.

1. *De veroveringsoorlog*: een aanval op een socio-politieke groep zoals een stam, koninkrijk, stad, stedenbond of staat. De Romeinen hadden als doel zo'n eenheid te onderwerpen en er een provincie onder direct bestuur of een vazalstaat van te maken. Dit kon op verschillende manieren gebeuren. Had een staat een hoofdstad van groot politiek of religieus belang, dan kon met de verovering van die stad de overgave afgedwongen worden. Soms kon in één of meer open veldslagen het leger van de tegenstander overwonnen worden. Veel stammen hadden echter niet zo'n belangrijk centrum en waren niet bereid tot een openlijke strijd. In dat geval kozen de Romeinen voor een kleinschaliger aanpak en vielen ze aparte nederzettingen aan, hoe klein ze ook waren, en bonden de strijd aan met lokale legers. Uiteindelijk behaalden de Romeinen de overwinning dan pas na een hele reeks gevechten, en niet na een beleg of met één beslissende slag.

De verovering van de Belgen in 57 v.C. is een voorbeeld van de laatste aanpak. Als reactie op een aanval op een Romeinse bondgenoot trok Julius Caesar met zijn legioenen op tegen een coalitieleger van stammen in Noordoost-Gallië. De twee partijen stonden dagenlang opgesteld aan weerszijden van een smal dal, maar geen van beide was bereid zijn sterke positie op te geven en tot de aanval over te gaan. Aan deze patstelling kwam een einde toen de voedselvoorraad van de Belgen opraakte. Hun leger werd uiteengeslagen en achtervolgd door de Romeinen. Caesar trok verder en liet zijn leger het grondgebied van de ene na de

Op dit beeldhouwwerk uit Rome smeken verslagen barbaren om genade bij keizer Marcus Aurelius. Het eigenlijke einde van elke Romeinse oorlog kwam als de vijand zijn nederlaag toegaf en zich overgaf, en elke voorwaarde accepteerde die Rome maar wilde opleggen.

andere stam plunderen. Na enige tijd lukte het de Belgen om hun leger weer te hergroeperen, waarna ze prompt de aanval openden op de Romeinen toen die hun kamp opsloegen bij de rivier de Sambre. Ondanks deze verrassing wonnen de Romeinen de slag, waarna alle strijdende stammen zich snel overgaven. De stamgenoten die het leger niet op tijd wisten te bereiken, werden overwonnen doordat Caesar hun hoofdsteden na elkaar belegerde.

2. *Neerslaan van een opstand*: een oorlog tegen een volk dat al onderdeel van het rijk was. De overwinning was behaald als de opstandelingen zich weer voegden naar het gezag van Rome. Het initiatief lag bij deze vorm uiteraard bij de opstandelingen. Dat verzet zou aanvankelijk niet veel voorstellen, want doorgaans zouden weinig mensen zich bij de rebellen aansluiten tot er wat successen behaald waren en het erop ging lijken dat de opstand kans van slagen had. Toch zou niet ingrijpen door de Romeinen in dit stadium een teken van zwakte lijken en bijdragen aan meer zelfvertrouwen bij de opstandelingen. Vandaar dat de Romeinen een opstand altijd zo snel mogelijk met veel machtsvertoon probeerden neer te slaan. Onmiddellijk werd een troepenmacht bijeengebracht en naar de brandhaard gestuurd. Vaak was deze eenheid in de minderheid, slechtgetraind en ontbrak het aan een goede logistiek, waardoor het nogal eens slecht afliep als de tegenstand sterk was. Toch namen de Romeinen de gok dat de rebellen wel zouden terugdeinzen voor een groot leger dat zeker leek van de overwinning, zodat de opstand zich niet uitbreidde. Mocht deze eerste ingreep zonder resultaat blijven, dan werd een echt leger gemobiliseerd en was er in feite sprake van een veroveringsoorlog.

Een voorbeeld van zo'n aanpak was de reactie van de Romeinen op de opstand van Boudicca in 60 n.C. De Keltische Iceni-stam, die leefde in de buurt van het huidige Engelse Norfolk, kwam in opstand als reactie op de wrede mishandeling van hun koningin en haar dochters. Andere stammen sloten zich bij hen aan en samen liepen ze achtereenvolgens de kolonie in Camulodunum (Colchester) en de steden Verulamium (St. Albans) en Londinium (Londen) onder de voet. De Romeinen stuurden er snel tweehonderd slechtbewapende soldaten op af, die allen vanuit hun eenheid waren gedetacheerd, waar ze als lijfwacht of administratieve kracht voor de plaatselijke rijksbestuurders werkten. Deze troepen werden in Camulodunum weggevaagd. De Romeinen stuurden er vervolgens een *vexillatio* van Legio IX Hispana op af, onder bevelhebber Petilius Cerialis, die moedig de verzetshaard aanviel, maar ook zij werden verslagen en op de legaat en enkele ruiters na afgeslacht. Ten slotte keerde de provincielegaat, Suetonius Paulinus, terug van zijn campagne in Noord-Wales en versloeg de troepen van Boudicca tijdens een veldslag. Gedurende de daaropvolgende herfst en winter ondernamen de Romeinen brute strafexpedities tegen de opstandige stammen.

3. *Strafexpedities*: een aanval op een politieke eenheid, niet bedoeld om ze binnen het rijk te houden. Het enige doel was de angst voor de Romeinse militaire overmacht er bij de vijand goed in te prenten. Als wraakneming voor een aanval op het rijk achtte men zo'n strafexpeditie gerechtvaardigd. (Tijdens de vroege jaren van de republiek kon buit nog weleens het hoofddoel zijn, maar in de rest van deze periode was dat zelden het geval.) Colonnes op strafexpeditie trokken snel langs de nederzettingen en brachten onderweg zoveel mogelijk vernielingen aan. Het doel was de bevolking te laten voelen hoe kwetsbaar ze waren en ze te laten merken dat de Romeinen ongenadig konden straffen wanneer ze dat nodig vonden. Soms liepen dergelijke expedities uit op een open veldslag, meestal wanneer de stammen probeerden de Romeinen op terugtocht te stoppen. Won het Romeinse leger zo'n slag, dan gaf dat hun veel aanzien. Soms trokken de Romeinen juist opzettelijk zo snel mogelijk verder om confrontaties te vermijden. Een strafexpeditie was bedoeld om angst aan te jagen, maar het resultaat was nooit blijvend, zodat ze geregeld herhaald moesten worden. Bovendien wakkerden slachtpartijen, platgebrande dorpen en gestolen vee de haat van de stammen misschien juist wel aan, met nieuwe conflicten als gevolg.

Een voorbeeld hiervan was de strafexpeditie bij het Amanusgebergte op de grens tussen Cilicia en Syrisa, 51 v.C. De proconsul van Cilicia, Marcus Tullius Cicero – beter bekend als redenaar en schrijver – wilde de bandietenstammen in de streek een lesje leren en stelde een leger samen uit twee legioenen die niet op sterkte waren, aangevuld met wat plaatselijke bondgenoten. Hij verdeelde ze in drie colonnes die een verrassingsaanval uitvoerden en een paar van hun dorpen innamen. Vervolgens belegerden ze gedurende zevenenvijftig dagen de kleine vesting Pindenissus tot deze zich overgaf, waarna ook een versterkte nederzetting in de buurt capituleerde. Het doel van de operatie was deze stammen te laten zien dat de Romeinen in staat en bereid waren hun sterkste posities aan te vallen. Ze zullen geen diepe indruk hebben achtergelaten, want niet lang daarna onder-

De Triomfboog van Orange in Zuid-Frankrijk uit de vroege eerste eeuw na Christus herinnerde aan een overwinning op de Gallische stammen. Dit reliëf toont legionairs en auxilia-cavaleristen die tegen Gallische krijgers vechten. Het was Romeins gebruik dat alleen dode vijanden in zulke taferelen voorkwamen.

nam een Syrische gouverneur eenzelfde expeditie in deze regio, maar hij moest het onderspit delven in een gevecht.

4. *Reactie op plundering of invasie*: een veldtocht bedoeld om vijandige troepen die de rijksgrenzen waren binnengevallen te onderscheppen en uit te schakelen. We zagen eerder al dat de Romeinen alle grensoverschrijdingen moesten tegenhouden of afstraffen, wilden ze niet méér provocaties uitlokken. Hun optreden was in grote lijnen gelijk aan dat tegen een opstand binnenin het rijk. Zodra ze hoorden van een inval, werd een strijdmacht van Romeinse soldaten ter plaatse erop afgestuurd. Meestal lukte het niet om plunderingen te voorkomen, maar juist hun succes maakte de invallers kwetsbaar. Met al die buit konden ze zich maar langzaam uit de voeten maken, zodat de Romeinse colonnes ze makkelijk inhaalden en uitschakelden.

In 50 n.C. vielen de Chatten Germania Superior binnen. Groepjes krijgers trokken al plunderend door de Romeinse provincie. De provincielegaat, Publius Pomponius Secundus, stuurde een kleine eenheid hulptroepen op hen af, bestaande uit infanteristen en cavaleristen, die de plunderaars moesten onderscheppen en bezighouden tot hij zijn leger in paraatheid had gebracht. Dit verdeelde hij in twee colonnes, waarvan er een al snel een groep plunderaars tegen het lijf liep, de meesten dronken, en afslachtte. De andere Romeinse eenheid kwam wat beter georganiseerde Germanen tegen en versloeg ze tijdens een veldslag. Vervolgens trok Secundus met zijn leger het grondgebied van de Chatten binnen, maar de Germanen pakten de handschoen niet meer op en capituleerden.

Bij de veroveringsoorlog en de strafexpeditie gaat het uiteraard om offensief optreden. Maar wat opvalt is dat de Romeinen ook bij de andere typen (de reactie op een opstand of een inval) zo snel mogelijk het initiatief heroverden en tot de aanval overgingen. De Romeinen kozen altijd voor kordaat optreden. Dat betekende overigens niet per definitie een grootschalig gevecht. Wanneer een Romeinse bevelhebber er niet helemaal zeker van was dat hij een veldslag kon winnen, koos hij voor overvallen op kleine schaal of voor een belegering. Ook hier valt weer op hoe flexibel de Romeinen waren. Ook al was het leger in het voordeel bij een belegering of een grootschalige oorlog en won het de strijd meestal, zelfs nog in de late oudheid, toch was het leger altijd bereid tot een strijd van meer bescheiden omvang. Het werd dan onderverdeeld in colonnes, die veel sneller waren en beter geschikt voor overvallen, verrassingsaanvallen en hinderlagen. De veronderstelling dat het Romeinse beroepsleger niet zo goed raad wist met een vijand die voor de guerrillaoorlog koos en een openlijke strijd vermeed, berust echt op een misvatting. De Romeinen wisten zich na verloop van tijd altijd weer aan te passen aan de plaatselijke omstandigheden. Vanwege hun goede bevelstructuur, training en bevoorradingssysteem waren ze in het voordeel bij alle typen oorlogvoering.

Troepenmacht en legersterkte

Tijdens de midden-republiek functioneerde het leger optimaal als consulair leger van twee legioenen, met *alae* en plaatselijke hulptroepen samen in totaal twintig- tot dertigduizend man. Ook voor het beroepsleger zal dit de beste grootte zijn geweest; troepenmachten van meer dan veertigduizend man waren zeldzaam. Veel grotere Romeinse legers scoorden dan ook slecht, waarschijnlijk omdat ze voor een bevelhebber moeilijk aan te sturen waren.

De samenstelling van een krijgsmacht kon van plaats tot plaats en van periode tot periode variëren. Kleinere eenheden, vooral de troepen die uitgestuurd werden op strafexpeditie of om plunderaars te achtervolgen, konden uitsluitend uit *auxilia* bestaan, terwijl een *cohors equitate* in wezen een minileger was, met dezelfde verhouding tussen ruiters en voetsoldaten. Meestal waren kleine

Een tafereel op de Zuil van Trajanus met daarop troepen die voorraden inladen op een binnenschip. Gelet op het oude gezegde dat een leger marcheert op zijn maag, behaalde het Romeinse leger veel voordeel ten opzichte van al zijn tegenstanders door zijn goed georganiseerde bevoorradingssysteem. Hierdoor konden goed voorbereide legioenen onder verschillende omstandigheden opereren en tegenstanders verrassen.

krijgsmachten een afsplitsing van een legioen. Deze eenheden, met een betere bevelstructuur omdat ze waren onderverdeeld in 'bouwstenen' van ongeveer vijfduizend manschappen, vormden de kern van de meeste legers. Ten tijde van het principaat trokken er geen grotere legers ten strijde dan strijdmachten van drie of vier legioenen, eventueel aangevuld met *vexillationes* van andere legioenen, en dan alleen nog in een oorlog onder leiding van de keizer zelf. Er lijkt geen vaste regel te zijn geweest voor het aantal *auxilia* dat aan een leger werd toegevoegd. Tacitus heeft het over acht cohorten Batavieren, waaronder blijkbaar enkele *cohortes equitatae*, die meevochten met Legio XIV Gemina tijdens de opstand van Boudicca en andere veldtochten in Britannia. De drie legioenen van Varus hadden echter maar drie *alae* en zes cohorten bij zich toen ze in 9 n.C. verslagen werden. In de garnizoenen van de oostelijke provincies schijnen vooral eenheden boogschutters te voet en te paard gelegerd te zijn geweest. Dergelijke met projectielen bewapende soldaten waren van groot belang in de strijd tegen de Parthische legers, die vrijwel uitsluitend uit cavalerie bestonden, maar ook om nomadenstammen zoals de Alanen te kunnen bestrijden. Wat in het oosten ook veel voorkwam was dat vazalstaten geallieerde troepen leverden, vooral in de eerste eeuw n.C.

Logistiek in het veld

De bevoorrading van zijn leger was een belangrijke zorg voor elke Romeinse legeraanvoerder. Tijdens de republiek werd een systeem ingevoerd om grote hoeveelheden voedsel en materieel vanuit de provincies naar de frontlinie te vervoeren. Op wat kleine verschillen na bleef deze logistiek tijdens het principaat in gebruik.

In het veld had de aanvoerder de keuze uit verschillende methoden. Hij kon de benodigde spullen meenemen, toevoerlijnen instellen naar opslagplaatsen die bij de achterhoede werden aangelegd of op foerage uitgaan in de omgeving. Dit sloot elkaar overigens niet uit, in de praktijk pasten de Romeinen deze manieren vaak tegelijkertijd toe. Mits ze niet in de barre woestijn waren, leverde de omgeving vaak voedsel en andere benodigdheden. Water en brandhout om de voedselrantsoenen te bereiden waren er meestal wel. De omgeving leverde vaak ook wel voer voor het vee en, zeker tijdens de oogsttijd, voldoende graan voor de soldaten en hun dieren. Zo nodig werden kuddes gevorderd voor de vleesconsumptie. Het nadeel van foerageren was dat het in de winter weinig opleverde, of men moest op zoek gaan naar de voorraden van de plaatselijke bewoners en die in beslag nemen. Bovendien kostte het tijd en liepen de soldaten het risico in een hinderlaag te lopen. Desondanks is het nooit helemaal in onbruik geraakt.

De soldaten konden zelf een kleine hoeveelheid voedsel meenemen, maar het merendeel moest op lastdieren en in wagens worden vervoerd. Het leger gebruikte veel muildieren, maar ook andere lastdieren. De wagens werden getrok-

Een leger op campagne had normaal gesproken heel wat rijdend transport. Op deze afbeelding op de Zuil van Trajanus zijn rechts onderaan ossenkarren te zien die voorraden in tonnen meedragen. Links wordt een lichte *ballista* (Romeins torsie-artilleriewapen) opgeladen op een door een muildier getrokken kar.

ken door ossen. In vredestijd hield het leger alleen de dieren die nodig waren om de troepen te mobiliseren, de rest werd gekocht of geconfisqueerd. Er zal dus plaatselijke variatie zijn geweest, al naar gelang wat beschikbaar was. De dieren moesten uiteraard gevoerd worden, zodat het leger nog meer voorraden nodig had. Een eenvoudig rekensommetje leert hoe ver een dier kon reizen tot het zo veel had opgegeten als het zelf kon dragen. Muildieren konden zich het beste aanpassen, waren zo snel als een voetsoldaat in marstempo en konden uit de voeten op dezelfde wegen. Trekossen waren krachtige dieren die men meestal kon laten grazen, maar ze waren heel langzaam en hadden een redelijk goed begaanbare ondergrond nodig. Een groot leger dat niet te zeer afhankelijk wilde zijn van een toevoerlijn, kon niet anders dan een enorme bagagetrein meeslepen, ook al zorgde het zelf voor de meeste benodigdheden door te foerageren. Het was dan onvermijdelijk dat al die dieren de colonne heel lang en traag maakten. Maar ook als er een goede toevoerlijn was, moesten er altijd nog konvooien met pak- of lastdieren pendelen tussen de opslagplaatsen en het leger. Die transporten konden makkelijk worden overvallen, zeker door vijanden die zich zo snel konden verplaatsen als de Parthen en de Perzen. Het kostte vervolgens weer extra mankracht om de konvooien te beveiligen.

Het meest gedetailleerde verslag van de logistiek tijdens een veldtocht lees je in Caesars *Over de Gallische Oorlog*. De Romeinen gebruikten tijdens die strijd alle drie hiervoor genoemde bevoorradingsmethoden. Ze richtten grote opslagplaatsen in, vaak met hulp van bondgenoten ter plaatse. Het leger bracht ook heel veel zelf mee, niet alleen voedsel en materieel, maar ook archieven en krijgsgevangenen. Het was niet ongebruikelijk dat Caesar de voorraden in het kamp liet bewaken en er met de rest van het legioen op uittrok voor een korte expeditie. Ze reisden dan als *expeditus*: lichtbepakt en dus sneller. Zo'n colonne *expedita* kon één of twee weken vlug door moeilijk terrein trekken, mits ze maar op tijd bij de bagagetrein terug waren.

In de winter had elk leger het moeilijk, maar bijna alle tegenstanders van de Romeinen konden dan helemaal niets ondernemen. Met een beetje voorbereiding lukte het de Romeinen nog wel een korte actie uit te voeren, waardoor ze enorm in het voordeel waren.

Het veldkamp

Na elke dagmars was een Romeins leger waarschijnlijk een uur of twee, drie bezig met het opzetten van een kamp naar een vaste structuur, met een greppel en verdedigingswal eromheen. Vanaf de derde eeuw v.C. werd deze routine amper gewijzigd. Sommige moderne commentatoren concluderen hieruit dat het Romeinse leger traag optrok en weinig flexibel was en alleen in staat tot een soort loopgravenoorlog. Deze conclusie is niet gerechtvaardigd, want veel meer dan gewoon een veilig kamp opslaan, zoals tegenwoordig ook gebeurt, was het niet. Bovendien werd het tempo van een colonne op veldtocht niet vertraagd doordat er een kamp moest worden opgeslagen; dat werd voornamelijk bepaald door het uithoudingsvermogen en de snelheid van de lastdieren met de voorraden. Een veldkamp bood bescherming tegen verrassingsaanvallen; er is geen enkele geslaagde aanval op een dagkamp bekend, behalve als het Romeinse leger al eerder in het open veld was verslagen.

De enige gedetailleerde beschrijving van de indeling van een tijdelijk kamp uit deze periode is afkomstig uit een werk, waarschijnlijk uit de tweede eeuw n.C., dat wordt toegeschreven aan Hyginus. Hierin worden de ruimten voor allerlei eenheden in een samengesteld veldleger beschreven. Het bestaat uit een Praetoriaanse garde, een ruiterwacht, complete legioenen, *vexillationes*, hulptroepen, vlooteskaders en diverse bondgenoten. Voor de voorraden is maar weinig ruimte gereserveerd, wat kan verklaren dat het kamp van Hyginus aan de kleine kant lijkt voor het aantal manschappen, zeker in vergelijking met de omvang van bewaard gebleven veldkampen. Archeologen hebben nog maar weinig uitgebreide opgravingen van tijdelijke kampen verricht omdat een leger, dat er maar een paar dagen verbleef, weinig sporen achterliet. Belegeringskampen, onder meer bij Massada, leveren veel meer informatie over de daadwerkelijke indeling van tijdelijke kampen. Deze werden minstens een paar maanden lang bewoond. De soldaten bouwden er hutten met lage muurtjes en gebruikten hun tent als dak. Op basis van de resten van dergelijke muurtjes kunnen we concluderen dat tijdelijke kampen, net als de permanenter vestingen, op wat variaties na, hetzelfde patroon hadden.

Elk *contubernium* van acht soldaten verbleef in een leren tent zoals dit gereconstrueerde exemplaar. Het muildier dat de tent droeg, werd achter de tent aan een touw gelegd.

Vaak werden tijdelijke kampen na elkaar op dezelfde locaties aangelegd. Een reden kan zijn dat de ligging hiervoor geschikt was, maar er blijkt ook uit dat de Romeinen vaste routes gebruikten.

'Ze maken er een woestenij van en noemen het vrede' – zege en verlies

In deze periode eindigen de meeste oorlogen (meestal trouwens) wanneer een van de partijen niet langer wil vechten en het opgeeft. Vrijwel zelden kon een tegenstander compleet worden uitgeschakeld. De strategie van de Romeinen was de vijand zo ver te krijgen dat hij zich onderwierp. Dat kon op verschillende manieren: de strijd aanbinden met het veldleger, de grote steden aanvallen of dorpen overvallen, landerijen platbranden en vee roven. Wanneer de tegenstander een inspirerende leider had, probeerden de Romeinen die om te brengen of gevangen te nemen, waarna zijn onderdanen het verzet meestal opgaven.

Bij strafexpedities was het doel vaak *vastatio*, verwoesting. Dat gebeurde niet op grote schaal, maar bleef meestal beperkt tot het gebied waar de colonne langstrok, met een strook links en rechts ervan. Dat moet gruwelijk zijn geweest voor de desbetreffende nederzettingen, maar wie iets verderop woonde werd niet direct getroffen. De Romeinen wilden hiermee laten zien dat ze in staat waren om plotseling met veel geweld toe te slaan, zodat de schrik er bij de inwoners van de hele regio goed in zat. Het Romeinse leger schuwde wreedheden niet. Land en bezit van de overwonnen vijanden werden verwoest en de inwoners afgeslacht, gekruisigd of tot slaaf gemaakt. Toen de Galliërs zich in 51 v.C. bij Uxellodunum hadden overgegeven, liet Julius Caesar van iedereen die deze stad verdedigd had de handen afhakken, als afschrikwekkend voorbeeld voor de anderen. En tijdens het beleg van Jeruzalem in 70 n.C. kruisigden de legionairs enkele gevangenen in het zicht van de stadsmuren. De Romeinen vonden dergelijke gruweldaden aanvaardbaar, mits ze een praktisch doel dienden en niet zomaar uit wreedheid werden gepleegd.

De Romeinen kozen altijd voor een aanvalsoorlog. Ze namen het initiatief en behielden dat koste wat het kost, waarna ze hun tegenstanders net zo lang onder druk zetten tot deze niet verder wilden vechten. Bij grote tegenslagen tijdens de veldslag, en zelfs wanneer hun positie hopeloos was, weigerden de Romeinen te accepteren dat ze aan de verliezende hand waren. Een Romeinse bevelhebber kon in zo'n situatie commentaar verwachten, maar nog erger dan verliezen was toegeven dat hij (en Rome) hadden gefaald. Bij onderhandelingen of vredesverdragen moest de uitkomst altijd duidelijk maken dat Rome de overwinning had behaald. Doordat Rome niet van een nederlaag wilde weten – een trekje dat het Romeinse Rijk tot in de late oudheid bleef vertonen – kon een leger eigenlijk geen oorlog verliezen. Vandaar dat het door aanhoudende agressie bijna altijd als winnaar uit de bus kwam. Soms betekende dat de onderwerping van een volk tot vazalstaat, soms werden ze opgenomen in het rijk. Het gebeurde veel minder vaak dat de vijand als politieke eenheid ophield te bestaan. Soms hadden de Romeinen vooral een overwinning nodig na een geleden nederlaag, om zo hun eergevoel weer wat op te peppen.

Een tafereel op de Zuil van Trajanus met daarop Romeinse auxilia-soldaten die een Dacische stad in brand steken. De stad is verlaten door de verdedigers die zich terugtrekken terwijl ze achteromkijken hoe hun stad vernietigd wordt. Achter hen bevindt zich een linie van Dacische versterkingen, de borstweringen versierd met een rij afgehakte hoofden die op palen gestoken zijn. Rechts marcheert een colonne legionairs door moeilijk begaanbaar terrein. Eén man is te zien terwijl hij door een rivier waadt, met boven zijn hoofd zijn helm en wapenrusting.

TEN STRIJDE

Met geweld een tegenstander onderwerpen, dat is het uiteindelijke doel van elk leger, en dat doel wordt in zijn zuiverste vorm gerealiseerd door een openlijk treffen tussen twee legers. Schriftelijke bronnen waarin de veldtochten van het Romeinse leger worden beschreven, staan vol verslagen van veldslagen. Zo'n vijandig treffen kwam naar verhouding weinig voor, maar was altijd zeer spectaculair en bepaalde vaak de afloop van een oorlog. Had de tegenstander een groot leger, dan volgde op een verloren slag vaak de capitulatie. Veldslagen zijn belangrijk en er is veel over geschreven; ze zijn dus het bestuderen waard.

Voorbereiding op de aanval

Zoals we al zagen telden Romeinse veldlegers zelden meer dan veertigduizend man; de meeste waren hooguit half zo groot. Hun tegenstanders zullen bij gelegenheid een omvangrijker troepenmacht hebben gehad, al mogen we de cijfers uit oude bronnen op dit punt nooit zomaar vertrouwen. De Romeinen zullen niet over exacte informatie over grootte en samenstelling van de legers van hun tegenstanders hebben beschikt, en de leiders van de vijandige legers zullen zelf ook maar een vaag idee hebben gehad over de grootte van hun troepenmacht. Bovendien is er altijd het risico dat de Romeinen wat overdreven om zelf beter uit de bus te komen.

Oprukken door het open veld met enige tienduizenden soldaten met hun paarden, gevolgd door een stoet last- en trekdieren, bedienden en ondersteunend personeel was geen sinecure. Het beroepsleger hechtte daarom veel waarde aan discipline tijdens de mars en zond geregeld verkenners voor de colonne uit. Josephus beschrijft de volgorde waarin Vespasianus zijn leger in 67 n.C. naar Galilea laat optrekken:

1. Lichtbewapende hulptroepen en boogschutters werden vooruitgestuurd om eventuele hinderlagen te ontdekken en bedekkingen, met name bossen, uit te kammen of er zich geen vijanden verscholen.
2. Een afdeling legionairs [of hulptroepen in streng gelid] en zwaarbewapende cavalerie.
3. Tien soldaten uit elke centurie, met hun eigen bepakking en gereedschappen om een kamp aan te leggen.
4. Enkele stratenmakers die bochten uit de weg moesten halen en obstakels verwijderen [In het handboek van Hyginus is deze taak weggelegd voor een vlooteskader].
5. De bagage van de aanvoerder en zijn hoogste officieren, geëscorteerd door een ruitereenheid.

6. De aanvoerder zelf, zijn lijfwacht en elitetroepen van voetsoldaten en ruiters.
7. De cavalerie van de legioenen.
8. De benodigdheden voor de belegering.
9. De legaten van de legioenen, de prefecten en de tribunen met een lijfwacht van uitgelezen soldaten.
10. Na elkaar de legioenen, voorafgegaan door de adelaar en andere standaarden, de soldaten in rotten van zes.
11. De bondgenoten en hulptroepen.
12. Een achterhoede van lichte en zware infanterie en ruiters.

Vespasianus verwachtte geen veldleger tegen te komen, maar was wel op zijn hoede voor een verrassingsaanval. Bestond er een grotere kans een krijgsmacht van enige omvang tegen te komen, dan marcheerde de Romeinse colonne zo dat ze zich onmiddellijk in slagorde kon opstellen of, wanneer de vijand van alle kanten kon komen, in open carré.
Men probeerde zoveel mogelijk te weten te komen over de locatie, sterkte en bedoelingen van de vijand, heel anders dan bij de milities uit de midden-republiek,

DE SLAG BIJ DE SAMBRE, 57 V.C.

Na het aanvuren van het tiende legioen was Caesar vertrokken naar de rechtervleugel. Daar zag hij dat zijn mensen in het nauw werden gebracht en dat de soldaten van het twaalfde legioen hun veldtekens op één punt bijeen hadden gezet en dicht opeen stonden, waardoor ze elkaar in de weg zaten bij het vechten. Van de vierde cohort waren alle centurio's gesneuveld en was een vaandeldrager gedood, met verlies van het veldteken. Van de andere cohorten waren bijna alle centurio's gewond of gedood, onder wie de oppercenturio Publius Sextius Baculus, een bijzonder dapper man, die door vele zware verwondingen zo gebroken was dat hij niet meer op zijn benen kon staan. De rest begon al minder snel te reageren, zag Caesar, en sommige mensen in de achterste gelederen dachten dat ze in de steek gelaten werden. Ze wilden weggaan uit het gevecht en buiten schot raken. De vijand bleef intussen onophoudelijk aan de voorzijde opkomen vanaf het lagere terrein en aan beide zijkanten druk uitoefenen. De situatie was kritiek, en er was geen reserve die nog ter versterking gestuurd kon worden. Caesar pakte van een soldaat in de achterste gelederen het schild af (hij was zelf namelijk zonder schild gekomen) en ging naar voren tot in de eerste slaglinie. Daar sprak hij alle centurio's aan bij hun naam en riep hij de andere soldaten op om de veldtekens weer voorwaarts te dragen en de gevechtsformaties losser te maken, waardoor men gemakkelijker met het zwaard kon werken.

Door zijn komst kregen de soldaten weer hoop en vatten ze weer moed. Onder de blikken van de generaal wilde ieder graag zijn best doen, zelfs met gevaar voor eigen leven. Hierdoor werd de aanval van de vijand wat vertraagd.

Caesar, *Oorlog in Gallië*, 2.25 (Uitgave Athenaeum–Polak & Van Gennep, Amsterdam 1997, p. 70-71. Vertaald en ingeleid door Vincent Hunink).

die opvallend vaak in een hinderlaag liepen of op een aanvalsmacht stuitten. Romeinse bevelhebbers gingen vaak persoonlijk op verkenning uit en waren aanwezig als er gevangenen werden ondervraagd.

De beste tijd en plaats

Wanneer een Romeins leger een vijandige macht tegenkwam sloeg het meestal een legerkamp op, waarbij een deel van het leger een beschermend kordon vormde rond de soldaten die de verdedigingswerken aanlegden. Van de derde tot

Een van de gebeeldhouwde reliëfs van de *principia* in het fort in Mainz toont twee legionairs in gevechtshouding. De voorste man hurkt neer om maximale bescherming te hebben van zijn rechthoekige *scutum*. Hij houdt zijn *gladius* gereed om zijn tegenstander te kunnen steken. Achter hem houdt een andere legionair zijn *pilum* nog tegen zijn schouder, en hij houdt zijn *scutum* omhoog om de andere man te beschermen. Het is niet duidelijk of deze figuur nu de rol van de tweede in rang voorstelt van een linie tijdens een gevecht, of dat hij in minder letterlijke zin de steun aan de frontlinie voorstelt door de mannen en de cohorten daarachter.

de eerste eeuw v.C. was het gebruikelijk dat het leger vervolgens dagen- of zelfs wekenlang in de buurt van de vijand verbleef, echter zonder het gevecht te openen. Tijdens die periode kwam het vaak voor dat het leger of beide partijen naar het slagveld marcheerden, zich daar in slagorde opstelden en elkaar soms maar een paar honderd meter van elkaar verwijderd een paar uren aaneen bleven aankijken. Daarna keerden ze weer terug naar het kamp. Hoe dicht ze de vijand naderden was een kwestie van lef. Bij elk gevecht kwam het uiteindelijk aan op het moreel van de soldaten, zeker in de oudheid, toen er vooral één op één gevochten werd. Vandaar dat bevelhebbers de veerkracht van hun mannen zoveel mogelijk aanwakkerden voor ze de strijd aanbonden. Cavalerie en lichte infanterie vielen de vijand af en toe aan, en de uitkomst van deze korte schermutselingen gold als graadmeter voor de moed en kracht van beide zijden. Een strijd verliep in deze periode zeer officieel, en dergelijke subtiele manoeuvres bezaten een bijna ritueel karakter. Een goed bevelhebber koos het terrein uit dat zijn leger voordeel gaf ten opzichte van de tegenstander. Vervolgens besliste hij zorgvuldig wanneer hij zijn mannen dat laatste zetje gaf waarmee ze de vijand moesten uitlokken tot de aanval of, als ze de moed niet hadden, zich terug te trekken.

Er waren lange wachttijden voordat Julius Caesar zijn veldslagen begon, zowel tegen externe vijanden als Romeinse tegenstanders. Na een tegenslag stelde hij zijn mannen vaak in een heel sterke formatie op en daagde de tegenstander uit in de wetenschap dat die daar in zo'n nadelige positie niet op in zou gaan. Zo verzekerde hij zijn legers ervan dat de vijand hen nog steeds vreesde.

Geen van de bronnen uit het principaat vermeldt zo'n uitgestelde strijd. Het leger raakte in die tijd vaak slaags als het in opmars was en op de vijand stuitte, of wanneer het een kamp opsloeg. De veranderende militaire situatie kan hiervoor een reden zijn: de meeste veldtochten waren in deze tijd niet langer gericht op vijanden die een bondgenootschap hadden gesloten. Langs de grenzen werd op veel kleinere schaal gevochten dan tijdens de oorlogen uit eerdere perioden. Er waren geen vijanden meer die een strijdmacht op de been konden brengen waar een groot Romeins leger op afgestuurd moest worden. Aan de andere kant was het terrein waar gevochten werd ruiger en waren er weinig goede wegen. De bevoorrading van een leger, en zelfs het lokaliseren van de vijand, was in deze omstandigheden een stuk lastiger. Het Romeinse leger was echter zo overtuigd van zijn superioriteit dat het ook bij minder ideale condities de strijd aanbond.

De slagorde

Tijdens de midden-republiek was er eigenlijk maar één opstelling, die in manipels, waarop amper werd gevarieerd. Slechts enkele zeer creatieve en begaafde bevelhebbers, onder wie Scipio Africanus, die aan het hoofd stonden van een ervaren leger, durfden iets anders te proberen dan de standaardopstelling in drie rijen (*triplex acies*), met de legioenen in het midden, de *alae* aan beide zijden en de ruiters in de vleugels. De Marianische hervormingen brachten hier verandering in, wat resulteerde in een flexibeler legioen met de cohort als basiseenheid in plaats van de manipel.

Bij de meeste grote operaties koos men voor open terrein. Er zijn enkele uitzonderingen op deze regel bekend, waarbij het Romeinse leger een geslaagde strijd leverde in het bos of een moeras als dat de enige mogelijkheid was om de vijand te treffen. Een opstelling op een heuvelrug of helling was voordelig voor een leger, al bracht dat het risico met zich mee dat de vijand weigerde aan te vallen. Elementen in het landschap werden vaak gebruikt om een leger dekking in de rug of de flanken te bieden, zeker als de tegenstander sneller of in de meerderheid was. Tijdens de strijd tegen het grote leger van Boudicca in 60 n.C., die plaatsvond in een smal ravijn, zorgde Suetonius Paulinus ervoor dat het bos en de heuvel hem dekking boden aan de flanken en in de rug. Eind tweede eeuw n.C., in Cappadocia, zocht Arrianus bescherming tegen een helling voor zijn flanken, zodat deze veilig waren voor de snelle Alaanse ruiters. Bood de natuur zulke mogelijkheden niet, dan kon het leger daar altijd nog zelf voor zorgen, zoals bij Chaeronea in 86 v.C., toen Sulla verdedigingswallen en greppels liet maken om de flanken van zijn legioenen te beschermen tegen de overmacht van Mithridates van Pontus.

Hoe een leger zich opstelde hing af van de samenstelling en de tactische mogelijkheden ter plaatse. Evenals in eerdere perioden werd de cavalerie meestal verdeeld over de flanken van de rijen. Soms werd een deel achtergehouden. Alleen wanneer de tegenstander veel meer ruiters had, werd de Romeinse cavalerie beschermd door een grote eenheid infanteristen of werd ze achter een dichte rij infanterie geplaatst. Wanneer de vijand heel snel opereerde kon het hele leger één grote carré vormen. De *auxilia*-voetsoldaten werden soms rondom een kern van legioenen opgesteld, soms ook vormden ze de eerste rij, met ondersteuning van de burgertroepen. Cohorten werden vaak in drie rijen opgesteld, maar er waren allerlei varianten mogelijk. Soms werd zelfs een heel legioen als reserve achtergehouden.

De legerleiding tijdens de strijd

Voorafgaand aan een slag riep de Romeinse generaal een *consilium* bijeen. Dit woord wordt meestal vertaald met 'krijgsraad', al is dat niet helemaal juist. Tijdens het *consilium* werd namelijk niet beraadslaagd, maar de hoogste officieren van het leger kregen bevelen meegedeeld en toegelicht. De raad werd in ieder geval bijgewoond door de legaten en tribunen van de centuriën, en waarschijnlijk waren ook de *auxilia*-prefecten en legioenscenturio's aanwezig. De formatie van het leger en de gekozen tactiek kwamen aan de orde en de officieren kregen de orders meegedeeld die ze moesten geven. Zij lichtten dan op hun beurt hun adjudanten in tijdens een vergelijkbare raad. Het was geen geringe taak om een leger op te stellen en ervoor te zorgen dat alle eenheden op de juiste tijd op de juiste plaats aankwamen en wisten wat er van hen verwacht werd. Van de officieren, inclusief de generaal, werd verwacht dat ze nauwlettend toezicht hielden.

Het *consilium* had nóg een belangrijke functie. Elk deel van de gevechtsformatie kreeg een bevelhebber toegewezen. Doorgaans bezat ieder legioen een legaat die de tien cohorten aanvoerde. Ook *vexillationes* van een legioen hadden een waarnemend bevelhebber, vaak een van de tribunen. *Auxilia-alae* en -cohorten waren onafhankelijk en kenden geen hogere hiërarchie. Soms werden er losse eenheden bij een legioen gevoegd, die vaak tijdelijk werden samengevoegd onder aanvoering van een officier, meestal een van de eigen prefecten. Bij een

Van de commandant van een Romeins leger werd verwacht dat hij erg actief was voor, tijdens en na een slag, maar hij werd niet verondersteld zelf te vechten. Een generaal diende zijn mannen aan te sturen en te inspireren. Andere hoofdofficieren vervulden eenzelfde rol voor het deel van de linie dat onder hun commando viel. In de meeste gevallen controleerde een generaal de veldslag vanaf de rug van zijn paard, zodat hij beter kon zien wat er gebeurde en zich van de ene crisisplek naar de andere kon verplaatsen.

groot leger was het soms wenselijk een hogere officier aan te stellen boven de verschillende eenheden van zo'n vijfduizend man waaruit de legioenen waren opgebouwd. Caesar was gewoon zijn leger te verdelen in drieën – een linker- en rechtervleugel en een middendeel – en over elk deel een van de hogere *legati* als aanvoerder aan te stellen. Vanaf die tijd schijnt dat gebruikelijk te zijn geweest.

Al deze ondergeschikten rapporteerden rechtstreeks of indirect aan de generaal. Er was geen vaste positie die een Romeinse generaal tijdens een gevecht hoorde in te nemen. Bij hoge uitzondering leidde een aanvoerder de troepen aan een van de frontlinies en vocht hij man tegen man mee, net als hellenistische leiders als Alexander de Grote. Zo'n moedige generaal stimuleerde zijn leger uiteraard bijzonder, maar verwikkeld in een zwaardgevecht kon hij moeilijk overzicht houden over het slagveld en was het natuurlijk onmogelijk orders uit te delen en dat was juist hard nodig. De opstelling van het Romeinse leger in drie rijen betekende dat een groot deel van de soldaten aan het begin van de strijd reserve stond. Enkele Romeinse generaals kozen daarom voor de tegenovergestelde aanpak.

Een taak van Romeinse generaals was het beoordelen van het gedrag van zijn mannen. Wie moed toonde werd geprezen en beloond, lafaards werden bestraft. Op dit tafereel op de Zuil van Trajanus presenteren auxilia-soldaten de afgehakte hoofden van Dacische krijgers. Koppensnellen was in de Romeinse provincies afgeschaft, maar bij bepaalde auxilia-eenheden bleef het in zwang.

Zij namen een plaats ver achter het leger in, bij voorkeur op een verhoging, zodat ze goed zichtbaar waren. Vanuit die positie konden ze goed volgen wat er op het slagveld gebeurde, direct inspelen op elke verandering en boodschappers met nieuwe bevelen naar de troepen sturen. Een ander voordeel van die vaste locatie was dat zijn ondergeschikten hem makkelijk verslag konden uitbrengen. Nadeel was dat er weinig stimulans uitging van een generaal op zo'n grote afstand van de soldaten, bovendien kon het lastig zijn om in te schatten hoe de strijd verliep, zodat tijdig ingrijpen niet altijd mogelijk was.

De overgrote meerderheid van de Romeinse generaals koos daarom voor een stijl van leidinggeven die het midden hield tussen deze twee uitersten. Ze verbleven vlak achter de frontlinie, maar mengden zich niet in het strijdgewoel. Vanuit die positie kon een generaal veel beter beoordelen hoe de strijd bij de eenheden om hem heen verliep. Hij kon bijvoorbeeld zien of er soldaten die niet gewond waren de achterste gelederen verlieten, peilde de stemming en oordeelde of beide partijen nog vertrouwen hadden of juist de moed verloren. Zo kon hij bepalen of hij soldaten uit de achterste rijen moest inzetten, om de overwinning kracht bij te zetten, of juist een uitval van de vijand af te wenden. Een boodschapper kon die versterkingen oproepen, maar de bevelhebber kon er ook naartoe rijden en ze voorgaan naar hun positie. Zo nodig kon hij die nieuwe eenheid, of een eenheid die al in de frontlinie streed, aanvoeren tijdens de charge en een poosje meevechten, waarna hij zijn positie als aanvoerder op het slagveld weer innam. Hier in het heetst van de strijd kon hij zijn manschappen ook veel beter aanmoedigen. Bovendien kon hij hun gedrag observeren; tenslotte had hij ook nog eens de bevoegdheid om moed te belonen en lafheid te bestraffen. Het Romeinse leger was gul in het toekennen van onderscheidingen voor betoonde moed, maar dan moest dat wel gezien worden. Het schijnt dan ook dat de Romeinen veel beter vochten als ze dachten dat hun bevelhebber toekeek.

Een generaal was niet gebonden aan een bepaalde plaats, maar kon zich vrij over het hele slagveld begeven. Zo kon hij kritieke punten tijdig signaleren en erop anticiperen. De onderofficieren deden in grote lijnen hetzelfde bij hun eenheden. De manier van leidinggeven in het Romeinse leger was zeer effectief, maar ook gevaarlijk. Een generaal viel behoorlijk op met zijn rode mantel en door de pracht en praal van zijn kostuum. Zo vlak achter de frontlinie liep hij het risico door een projectiel geraakt te worden, of het doelwit te worden van een vijand die roem wilde verwerven door de bevelhebber van de tegenstander uit te schakelen.

Opstelling van de eenheden en tactiek

We bezitten geen gedetailleerde beschrijving van exercities en tactiek in het Romeinse beroepsleger, al is in het *Leerboek van de tactiek* van Arrianus wel het een en ander te lezen over de tactiek bij de cavalerie. Polybius schrijft dat een

Romeins legionair in formatie 1,80 meter frontbreedte en 1,80 meter diepte had. Bij Vegetius (die wel veel later schrijft, maar teruggrijpt op oudere bronnen) is dat anders. Hij noemt 0,90 meter frontbreedte en 2,10 meter diepte. Een diepte van 1,8–2,10 meter was waarschijnlijk nodig, wilde een soldaat zijn *pilum* kunnen werpen zonder de man achter hem te raken, maar een frontbreedte van 1,80 is wel heel ruim. Negentig centimeter zal gebruikelijk zijn geweest, in ieder geval voor de infanterie in strak gelid.

Af en toe vinden we iets in het bronnenmateriaal over de formaties die de Romeinen toepasten. In 48 v.C. stelde Pompeius bij Pharsalus zijn infanterie tien rijen diep op, omdat ze met meer man maar wel minder sterk waren dan die van Caesar. Bij Josephus lezen we dat de Romeinen in rotten van zes marcheerden, en hij heeft het over infanterie en ruiters die in drie rijen worden opgesteld. De conclusie zou kunnen zijn dat er bij exercities met veelvouden van drie werd gewerkt. Bij Arrianus marcheert de infanterie in rotten van vier en vormen ze acht rijen op het slagveld, wat wijst op een veelvoud van vier, wat je ook in de hellenistische handboeken aantreft. Het zou kunnen dat het Romeinse leger in z'n geheel op een ander exercitiesysteem was overgegaan, maar het kan ook per legioen en periode hebben gevarieerd.

De formatie hing veelal af van praktische omstandigheden. Hoe breder een linie, hoe meer obstakels ze tijdens het optrekken tegenkwam. Bovendien viel deze linie snel uit elkaar als ze niet heel langzaam optrok en telkens de formatie herstelde. Met een smallere en diepere formatie kon men sneller optrekken en beter manoeuvreren. Het nadeel daarvan was dat alleen de soldaten in de eerste en tot op zekere hoogte de tweede rij hun wapens konden gebruiken. De rol van de rijen erachter was dan vooral psychologisch. Zo'n diepe opstelling maakte een indrukwekkende en angstaanjagende indruk op de vijand. Bovendien verhinderde de aanwezigheid van de achterste rijen dat de soldaten vóór hen op de vlucht sloegen. Vandaar dat bij goede strijdmachten vaak voor ondiepe formaties werd gekozen van niet meer dan drie of vier rijen diep en bij minder ervaren of dappere soldaten liever voor zes, acht of tien rijen.

Projectielgevechten

De meeste Romeinse soldaten droegen een projectielwapen bij zich, een *pilum* of een lichtere werpspeer. Een kleiner deel was uitgerust met wapens met een groter bereik, zoals boog of slinger. Boogschutters konden in strak gelid opereren, al viel de ruimte vóór hen niet met eigen wapens te verdedigen. Op verschillende plaatsen lezen we over boogschutters die werden weggevaagd door een charge van de vijand. Veel effectiever was het daarom een rij boogschutters op te stellen achter een cohort legionairs of *auxilia*, die over de rijen heen konden schieten. Dit gebeurde onder meer in 66-73 n.C. tijdens de Joodse Opstand. Een enkele

Hoewel geen enkel auxilia-cohort officieel aangewezen lijkt te zijn voor de functie van slingeraar (*funditores*), is wel duidelijk dat sommige soldaten waren uitgerust met dit wapen. Dit tafereel op de Zuil van Trajanus toont twee slingeraars die speciaal een plooi in hun tuniek aangebracht hebben om daar een voorraad munitie in te bewaren. Geslingerde kogels – hetzij simpele kiezels, hetzij gegoten loden munitie – waren moeilijk te zien op hun vlucht en konden een hersenschudding veroorzaken, zelfs als ze niet door de helm of het pantser van de tegenstander heen kwamen.

rij boogschutters werd achter een formatie zware infanterie van drie rijen dik geplaatst. En in Cappadocia, 135 n.C., bevond zich achter de acht rijen legionairs een negende rij schutters te voet en een tiende te paard die over hen heen schoten. Daarnaast was er artillerie in de heuvels. Uiteraard zag een schutter achter een infanterieformatie weinig en moest hij blindelings op doel schieten, in de hoop de vijand tegen te houden door een pijlenregen.

Slingeraars, sommige speerwerpers en soms ook boogschutters, opereerden in gespreide gevechtsorde en bestookten de vijand. Dit gaf hen de ruimte een doel te kiezen en te richten, terwijl ze zelf projectielen beter wisten te ontwijken. Volgens Vegetius oefenden boogschutters op een doel op 180 meter afstand. Het

Hoewel de artillerie voornamelijk gebruikt werd tijdens een beleg, gebruikten de Romeinen soms lichte *ballistae* of schorpioenen in de strijd. Sommige toestellen, zoals de *carroballistae*, werden op karren geplaatst die getrokken werden door muildieren. Deze apparaten vuurden projectielen af met een enorme kracht en waren gemakkelijk in staat schild of pantser te doorboren.

is lastig in te schatten hoeveel het bereik van een boog of slinger op het slagveld zal hebben bedragen, want dat hing grotendeels af van de behendigheid van de schutter. In de periode die dit boek behandelt leverden de tirailleurs geen beslissende bijdrage aan de strijd. In het gunstigste geval konden zij hun tegenhangers bij de vijand uitschakelen en vervolgens de hoofdmacht bestoken met hun projectielen, maar dergelijke gevechten konden lang duren en leverden weinig op. In de oudheid hadden projectielen nu eenmaal niet veel kracht. Speren en pijlen (kogels of stenen uit een slinger uitgezonderd) zag je aankomen en kon je ontwijken. Er worden dan ook weinig gewonden gemeld.

Een formatie in strak gelid kon dergelijke salvo's minder gemakkelijk ontwijken en moest dus vertrouwen op schilden en pantsers. Een schild kon een pijl wel afweren, behalve als die van heel dichtbij werd afgeschoten, maar uit moderne tests is gebleken dat pijlen, afgeschoten van een op het slagveld mogelijke afstand, een lichaamspantser van maliën (maar niet van platen) gemakkelijk konden doorboren. Dodelijke slachtoffers waren uitzonderlijk, maar wonden aan onbeschermde ledematen kwamen vaak voor.

Artillerie werd zelden ingezet op het slagveld, omdat het zo lastig te vervoeren was. De voordelen boven andere projectielwapens waren een groter bereik, meer nauwkeurigheid en een veel krachtiger inslag. Als een Romeins veldleger artillerie inzette, vooral tegen een barbaarse troepenmacht, kon het veel beter een opvallende vijand op de korrel nemen, en bovendien van zo'n afstand dat de tegenstander niet kon terugslaan. Veel slachtoffers werden zo niet gemaakt, maar het leverde wel een spektakel op dat de vijand wellicht de moed in de schoenen deed zinken.

Gevechten van man tot man

Aan het begin van een gevecht stelden de beide legers zich op, soms nog geen vijfhonderd meter bij elkaar vandaan. Na een periode van gespreide gevechten, die nooit doorslaggevend waren, opende een van de partijen de aanval. De Romeinse infanterie wachtte zelden tot ze werd aangevallen, al was dat soms noodzakelijk als de tegenpartij over een grote cavalerie beschikte. Caesar was ervan overtuigd dat het niet goed zou zijn als de infanterie in stilstand een charge moest opvangen. Aanvallende troepen waren zekerder van zichzelf.

Tijdens de uitval probeerden beide zijden de ander zo veel mogelijk te intimideren. Een imposant uiterlijk, bijvoorbeeld een pluim om langer te lijken, glanzend gewreven pantsers en felgekleurde schilden, moest moed uitstralen. Ook de indruk van de groep als geheel was belangrijk. Een grote, diepe formatie was angstaanjagend, maar vooral de manier van optrekken, het bewaren van de slagorde en het geluid dat ze maakten waren van groot belang. Via een eigen strijdkreet liet een eenheid horen hoe zeker ze van zichzelf was. Dit werkte zo goed dat Germaanse stammen geloofden dat ze de winnaar van een slag konden voorspellen door te luisteren naar de *baritus* of strijdkreet van hun tegenstander. De vijanden van Rome zetten hun kreten vaak nog kracht bij met trommels, trompetten of in sommige gevallen met groepen krijsende vrouwen achter het strijdperk. Zo'n kabaal was beangstigend, maar zorgde ook voor verwarring, zodat de slagorde nog sneller uit elkaar viel dan gewoonlijk tijdens het strijdgewoel.

Het militieleger trok altijd met veel kabaal ten strijde. De legionairs gilden en sloegen met hun wapens op hun schilden. Het beroepsleger koos voor een andere aanpak en probeerde door heel langzaam en onder absoluut stilzwijgen op te trekken de formatie zo lang mogelijk intact te houden. Achter de linies liepen *optiones* die moesten voorkomen dat soldaten treuzelden of praatten. Pas als de vijand heel dicht genaderd was, op slechts tien tot vijftien meter afstand, wierpen de legionairs van een cohort hun *pila* en pas dan bliezen ze hun trompetten (*cornu*) en vielen ze op een draf aan. Zo'n tactiek was alleen mogelijk als het leger er de discipline voor kon opbrengen. Het vergde veel zelfbeheersing om in een rustig tempo op te trekken terwijl een gillende meute op je afstormde. Het was dan lastig om niet je instinct te volgen en te gaan rennen om het onvermijdelijke treffen niet langer uit te stellen of een wapen af te vuren, zelfs al was de vijand nog buiten bereik. De Romeinen waren onovertroffen in deze tactiek, en het zal voor hun tegenstanders dan ook zeer intimiderend zijn geweest zo'n doodstil leger op zich af te zien komen.

De Romeinse eenheden deelden om het moreel te ondermijnen dus al twee klappen uit voordat de strijd echt begon; één concrete met een salvo *pila*, één psychologische door de vijand langzaam en zwijgend te naderen en dan brullend aan te vallen. Soms was dat al genoeg om de wil van de tegenstander te knakken, zodat die het meteen of na een korte schermutseling opgaf. Het kwam minder vaak voor dat de Romeinen zelf in paniek raakten en vluchtten voor een afschrikwekkende tegenstander. Gebeurde geen van beide, dan raakten de partijen slaags in een gevecht van man tot man.

Deze strijdmethode komt al eeuwen niet meer voor bij een oorlog; het is voor ons dan ook moeilijk voor te stellen hoe dat precies in zijn werk ging. In films

DE SLAG BIJ THAPSUS, 46 V.C.

'Caesar twijfelde. Hij weerstond hun gretigheid en enthousiasme, riep dat hij vechten door middel van een roekeloze aanval niet goedkeurde, en hield de linie steeds maar terug. Tot plotseling op de rechterflank een tubicen, zonder opdracht van Caesar maar aangemoedigd door de soldaten, zijn instrument liet klinken. Dit werd overgenomen door alle cohorten, de linie bewoog zich richting de vijand, hoewel de centurio's zichzelf voor de linie plaatsten en tevergeefs probeerden de soldaten met geweld in bedwang te houden en te voorkomen dat ze zouden gaan vechten zonder orders van een generaal.
Toen Caesar bemerkte dat het onmogelijk was de opgewonden geesten van de soldaten in bedwang te houden, gaf hij het wachtwoord 'Veel geluk' (*Felicitas*) en gaf zijn paard de sporen in de richting van de voorste rijen van de vijand.'

De Afrikaanse Oorlog, 82-83

Verslag van een van Caesars officiers over het begin van de Slag bij Thapsus, 46 voor Christus zie je vaak een massa soldaten in felle tweegevechten verwikkeld tot een van hen het leven laat. Ondertussen dringen de twee legers elkaars formatie binnen en weet je al snel niet meer wie wie is. Dit klopt niet met de beschrijvingen uit oude bronnen. Het kan ook nooit zo lang hebben geduurd als de twee tot drie uur die een strijd in die periode gemiddeld duurde, niet als er niet veel meer slachtoffers waren dan de bronnen vermelden. De strijd lijkt eerder een soort steekspel te zijn geweest, met telkens korte gevechten waarna de partijen uit elkaar gingen en op korte afstand elkaar bestookten met projectielen en beledigden tot een van hen weer met frisse moed toesloeg. Het doel van de strijd was een tegenstander neer te halen, zijn plaats in te nemen en zo de vijandige formatie open te breken.

Een metope van Adamklissi met daarop een legionair die zijn *pilum* gebruikt als speer, en hem naar beneden steekt om een barbaarse soldaat te doden. Het was gebruikelijk bij legers van stammen dat zij begeleid werden door hun echtgenotes en kinderen. Zij reden in wagens mee.

Wanneer de vijand merkte dat de tegenstanders zijn gelederen binnengedrongen waren, werden ze zenuwachtig, tot ze uiteindelijk op de vlucht sloegen. Uiteraard was dit heel gevaarlijk, en degene die zich tussen de vijanden bevond liep een grote kans gedood te worden door de soldaten op de tweede rij. Tijdens de gevechten zelf sneuvelden er niet zo veel, maar wanneer een eenheid uit elkaar viel en de manschappen de vijand de rug toekeerden tijdens hun vlucht, leed de overwonnen partij grote verliezen.

Eén-op-ééngevechten waren heel gevaarlijk, bovendien kon een eenheid op ieder moment uiteenvallen. Iedere soldaat was zich ervan bewust dat dat het moment was waarop hij kon sneuvelen, een lot dat iedereen trof die niet doorhad wat er gebeurde en die zich niet op tijd uit de voeten maakte. De soldaten in de achterste gelederen, zeker bij een diepe formatie, konden amper zien wat er gebeurde en moesten afgaan op hun gehoor en opletten of de eenheid naar voren bewoog of niet. Hoe langer er gevochten werd, hoe onrustiger de achterste gelederen werden, waardoor de eenheid kon gaan wankelen. De soldaten begonnen terug te deinzen, en als dat er te veel werden konden de *optiones* ze niet meer tegenhouden. Meestal begon de aftocht dan ook in de achterste gelederen. Wie een dergelijke strijd won, hing zowel af van doorzettingsvermogen als agressie. Een eenheid moest over doorzettingsvermogen beschikken om zolang als nodig was in de gevechtslinie te blijven, maar alleen maar langer volhouden garandeerde nog geen overwinning. De mannen in het strijdgewoel hadden vechtlust nodig om door te stoten, ook al raakten ze lichamelijk en geestelijk uitgeput. Door de discipline, strenge straffen en de grote nadruk op solidariteit binnen de eenheid bracht het Romeinse leger soldaten met veel uithoudingsvermogen voort. Daarnaast ging er van goede aanvoerders en beloningen voor bewezen moed een sterke stimulans uit. Op grotere schaal waren het de reserves die de doorslag gaven. Door de opstelling met meerdere gelederen waren er telkens nieuwe soldaten beschikbaar om de voorste gelederen aan te vullen, waardoor die weer meer slagkracht kreeg.

De Romeinen waren in veel opzichten sterker en wonnen meer oorlogen dan ze verloren. Toch was de uitkomst bij een gevecht van man tot man per definitie onzeker. De Romeinse bevelhebbers moesten hun reserves dan ook met beleid inzetten. Deden ze dat te vroeg, dan haalde dat weinig uit, terwijl de reserves al snel even moe werden als hun voorgangers. Kwamen ze te laat, dan begaf de hele voorste linie het en verspreidde de paniek zich over het hele leger. Het leger dat de overwinning behaalde, leed vaak relatief weinig verliezen, tot vijf procent. Bij de verslagen vijand lag dat percentage vele malen hoger. De Romeinen joegen het vluchtende leger altijd meedogenloos op, onder aanvoering van de cavalerie, om zoveel mogelijk vijanden te doden. Die voelden de nederlaag dan goed en zagen zich gedwongen te capituleren of in ieder geval een eventuele volgende confrontatie te vermijden.

BELEGERINGEN

Belegeringen waren onderdeel van de campagnes van de Romeinen. Soms vielen ze een fort of versterking van het vijandige leger aan, maar meestal waren versterkte dorpen of steden het doelwit. De inname van een politiek centrum was sowieso al belangrijk, maar als het ook nog eens om een goed door de natuur of bouwwerken beschermde vesting ging, betekende dat helemaal een gevoelige slag voor de tegenstander. Als de vijand niet bereid was tot een beslissende veldslag, kon het leger proberen door het ene na het andere vestingwerk in te nemen het gezag van hun leiders te ondermijnen. Hierdoor brokkelde hun steun af, of ze werden gedwongen tóch een slag te leveren. Het kwam ook voor dat het leger na een gewonnen veldslag optrok naar de hoofdstad of andere grote steden en die innam. Door de druk zo op te voeren dwong ze capitulatie af.

Het beleg vormde een belangrijk onderdeel van de oorlogvoering. Het doel kon zijn om de overwinning te behalen of die kracht bij te zetten of de vijand te dwingen de eigen strategie op te geven en te vechten zoals Rome dat wilde. Net als bij veldslagen kwamen belegeringen in alle soorten en maten voor. Welvarende volken bezaten vaak een politiek centrum van betekenis en grote versterkte steden, terwijl een meer verspreid levende tegenstander vele kleinere vestingen kon bezitten. Tijdens zijn strafexpeditie tegen enkele krijgshaftige stammen in 51 v.C. belegerde Cicero eens zevenenvijftig dagen lang het ommuurde dorp Pindenissus bij het Amanusgebergte in oostelijk Cilicia (Zuid-Turkije). Het beleg van een grotere stad duurde vaak nog langer, en succes was niet verzekerd. Voor een geslaagde belegering moest het Romeinse leger maandenlang in dezelfde streek verblijven, wat altijd tot problemen met de bevoorrading leidde. Het voedsel voor mens en dier uit de streek zelf was snel op, als de belegerde bevolking dat niet op voorhand had meegenomen of vernietigd. Er kon ook gebrek aan andere benodigdheden ontstaan. Zo vertelt Josephus dat de Romeinse belegeraars van Jeruzalem in 70 n.C. alle bomen in de wijde omgeving hadden gekapt om als timmer- en brandhout te dienen. Een belegeringsleger moest zorgen voor een veilige toevoerlijn, zeker als de vijand een veldleger bezat.

Versterkingen

De Romeinse legerbases van de eerste en tweede eeuw n.C. hadden vrij bescheiden versterkingen. Niet omdat ze daar de technische kennis niet voor hadden, maar omdat het vooral barakken waren en geen vestingwerken en de Romeinen hun vijanden zo veel mogelijk in het open veld troffen. De enkele keer dat een fort of vesting werd aangevallen boden de verdedigingswallen, torens en greppels vol-

De vesting bij Massada die in 73 n.C. werd belegerd.

doende bescherming tegen een vijand met weinig verstand van belegeren, mits er voldoende manschappen aanwezig waren om het fort te verdedigen. Bij diverse opgravingen van legerbases, vooral in Groot-Brittannië, werd een strook verbrand materiaal aangetroffen tussen de verschillende bewoningslagen. Volgens sommige wetenschappers betekent dit dat het leger een basis met opzet liet afbranden als ze er wegtrokken, anderen zien er sporen van een aanval van de vijand in.

In het oostelijk Middellandse Zeegebied bestonden al vestingen naar hellenistische stijl, die in gebruik bleven tot ver in de Romeinse tijd. Vazallen als koning Herodes de Grote van Judea lieten omvangrijke verdedigingslinies aanleggen rond belangrijke steden, zoals Jeruzalem, waarbij ze gebruikmaakten van het bergachtige gebied. Herodes bouwde bovendien luxueuze toevluchtsoorden, bijvoorbeeld Herodium Machaerus en vooral Massada, die door hun natuurlijke ligging als onneembaar golden. De grotere bouwwerken waren stevige constructies uit grote gehakte steenblokken.

De hellenistische invloed was ook zichtbaar bij enkele dorpen die op heuveltoppen werden gebouwd (*oppida*) in trans-Alpijns Gallië, zoals Entremont, waar sporen zijn gevonden van een geslaagde Romeinse belegering, eind tweede eeuw v.C. De grotere vestingen in Noord-Europa werden echter gebouwd naar eigen model. Caesar beschrijft hoe stevig de *murus Gallicus* is, een soort stenen muur die werd verstevigd met een houten raamwerk. De vestingwerken die de Daciërs bouwden vertonen allerlei invloeden; Grieks, Gallisch en Romeins. Muren die voornamelijk naar hellenistisch ontwerp zijn gebouwd bestonden uit twee parallelle stenen muren met een vulling van puin en verstevigd met houten dwarsbalken. Britse muren van lokale makelij waren zeldzaam; de meeste vestingen hadden aarden of houten wallen. De op verschillende terrassen in de heuvels gebouwde forten in Zuidwest-Engeland van de Durotriges, een Keltische stam, waren het imposantst. Ze hadden greppels en muren die bijzonder geschikt waren voor slingeraars, vooral bij de poorten, waar wallen en greppels een doolhof vormden waar een aanvaller snel de weg kwijtraakte, terwijl hij al die tijd een makkelijk doelwit vormde voor projectielen.

Aanvalsmethoden

Wie een vesting van de vijand wilde innemen, had verschillende methoden ter beschikking.

1. *Uithongeren.* Een vesting insluiten door middel van een blokkade zodat er geen mensen of voorraden meer in of uit kunnen. Het doel was het beleg zo lang vol te houden tot belangrijke voorraden als water opraakten en de belegerden geen andere keuze hadden dan sterven of overgeven. De situatie kon zo nijpend worden dat ze tot vreselijke taferelen leidde. Bijvoorbeeld tijdens het beleg van het Gallische Alesia in 52 v.C. De aanvoerder van de Gallische opstandelingen, Vercingetorix, stuurde alle burgers de stad uit zodat zijn krijgers de voedselreserves niet hoefden te delen. Maar Caesar weigerde de mensen door te laten, zodat ze omkwamen van de honger, in het zicht van beide legers. Als een garnizoen niet meer te eten had kwam kannibalisme voor, zoals bij het Spaanse Numantia in 134 v.C. Het kostte wel tijd om een garnizoen zo tot overgave te bewegen, zeker wanneer de belegerden zich hadden voorbereid of als de vesting aan een haven lag en over zee bevoorraad kon worden. Sommige steden hielden een blokkade jarenlang vol. In Massada

waren opslagplaatsen en cisternes uitgehakt in de rotsen zodat het schaarse regenwater werd opgevangen en het garnizoen het er eindeloos kon uithouden. Voor een hermetische blokkade was dan ook een grote troepenmacht nodig.

2. *Infiltreren.* Een verrassingsaanval werkte in sommige gevallen. Een aantal mannen probeerde een stad heimelijk binnen te gaan, de sleutelposities in te nemen, vooral de toegangspoort, om vervolgens de rest van het leger binnen te laten. Deze methode was riskant, want als de verkenners gesnapt werden kostte dat hun leven. In 359 n.C., in Mesopotamië, loodste een gevangengenomen burger eens een groep van zeventig Perzen via een verborgen toegang de stad Amida binnen. De Perzen bezetten een toren en begeleidden van daaruit een aanval op de stad. Toen die mislukte moesten ze dat met hun leven bekopen. Zo'n aanval had de meeste kans van slagen wanneer de belegeraars informatie bezaten over verdedigers en verdedigingswerken, of hulp van binnenuit kregen. Maar veel zekerheid bood dit niet; bij verrassingsaanvallen kwam dan ook altijd veel geluk om de hoek kijken. Een voorbeeld is het beleg van Capsa in Numidia, waar een Ligurische *auxilia*-soldaat tijdens een zoektocht naar slakken stuitte op een pad tussen de rotsen achter de stad en via deze weg een groep legionairs de stad in wist te smokkelen. Deed de mogelijkheid van een verrassingsaanval zich voor, dan grepen de Romeinen die, maar het was geen methode die ze vaak toepasten.

3. *Bestormen.* Het leger probeerde de stad in te nemen via de muur: eroverheen, er dwars doorheen of eronderdoor. Deze methode kostte de meeste slachtoffers omdat de belegerde stad in het voordeel was. Het was sowieso de vraag of het lukte door de verdedigingswerken te breken en ook dan liepen ze het risico dat de belegerde troepen zich verzetten en ze teruggedrongen werden. Een straatgevecht kwam zelden voor in de oudheid, maar het ging er even fel aan toe als tegenwoordig. Een mislukte bestorming betekende enorm gezichtsverlies, en een nieuwe poging liet dan ook meestal dagen of weken op zich wachten. In grote steden als Jeruzalem, dat uit verschillende ommuurde wijken bestond, moesten de aanvallers een voor een de verdedigingswerken innemen. Een rechtstreekse aanval op een stad was moeilijk en er was veel voor nodig; niet alleen geschikte werktuigen en tactiek, maar ook veel moed en brutaliteit. Deze derde methode werd door het beroepsleger het vaakst toegepast.

Artillerie

Af en toe zette het Romeinse leger lichte artillerie in op het slagveld. Sommige stukken geschut werden vervoerd op een kar, getrokken door een muildier, de zogenoemde *carroballistae*. Het merendeel werd echter ingezet bij de verdediging en aanval van verdedigingswerken.

Re-enactors demonstreren een reconstructie van een tweearmig apparaat of *ballista*. Zo'n apparaat kon zware pijlen afvuren, maar werd meestal gebruikt om met stenen kogels te schieten. *Ballistae* konden nog veel groter zijn dan deze, maar ze hielden hetzelfde basisontwerp.

De Romeinen kenden twee typen torsie-artillerie: met één of twee armen. De versie met één arm, die tot in de middeleeuwen vrijwel ongewijzigd in gebruik bleef, kwam vóór de vierde eeuw v.C. zelden voor. Het wapen bevatte een werparm waarmee projectielen konden worden weggeschoten of -geslingerd. De Romeinen noemden het de *onager*, naar de wilde ezel die net zo fel schopte. Bij Ammianus lezen we over een gruwelijk voorval met een *onager*, waarbij per ongeluk een van de eigen mannen werd gedood. Het apparaat werd in z'n geheel op het doel gericht, en het was vrij trefzeker. Tijdens deze hele

Een reconstructie van een lichte *ballista* van het type dat gewoonlijk gebruikt werd als een tegen mensen gericht wapen. Het projectiel dat werd afgevuurd door zo'n apparaat, kon met grote nauwkeurigheid en grotere kracht verder komen dan de pijl van elke boogschutter.

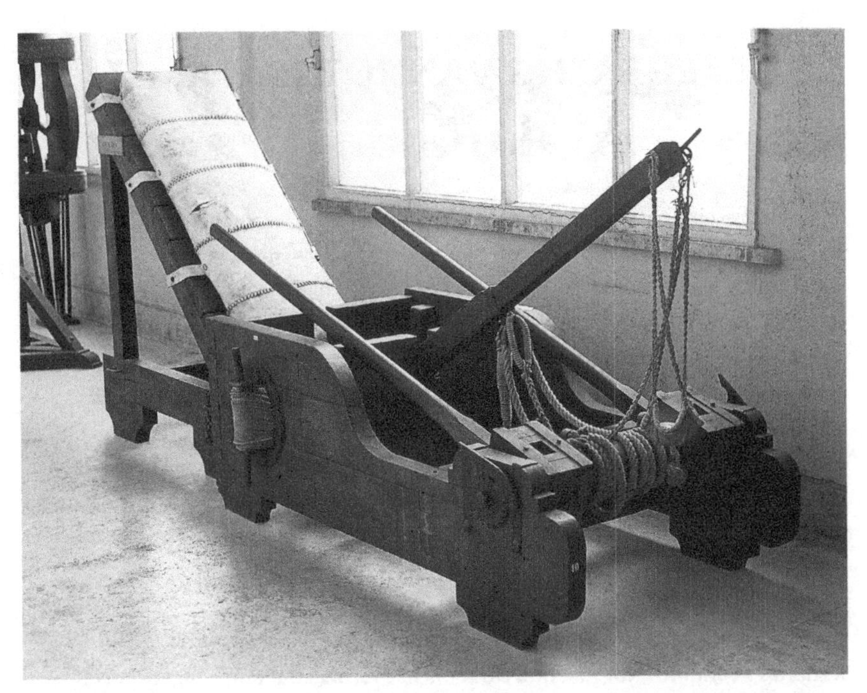

Een reconstructie van een eenarmig apparaat laat de totaal andere vorm zien van zulke wapens. Deze heette de *onager*, of 'wilde ezel', naar zijn felle schoppen. Katapulten van in wezen hetzelfde ontwerp bleven in gebruik gedurende de gehele middeleeuwen.

periode werd echter veelvuldiger gebruikgemaakt van de geavanceerder *ballista* met twee armen. Die lijkt een beetje op een kruisboog, maar de werking is anders, want de kracht komt niet van de spanning op de armen, maar net als bij de *onager* van gedraaid touw van dierenpezen waarmee ze worden strakgetrokken. De *ballistae* was er in allerlei maten, sommige in draagbaar formaat, andere enorm groot. Je kon er zware pijlen of stenen met veel kracht en trefzekerheid mee afvuren. De lichtste typen werden vaak 'schorpioenen' genoemd (*scorpiones*).

Hoe krachtig ook, zelfs het zwaarste torsiegeschut kon geen bres in een goed gebouwde verdedigingsmuur of -wal slaan. Wel konden er dunnere kantelen of noodbouwsels mee worden vernietigd die op of rond de permanente structuren waren aangebracht, als extra ophoging of versteviging. Het waren dan ook vooral antipersonenwapens. De aanvallers probeerden er de verdedigers mee van de muren te verjagen en te voorkomen dat ze hun eigen projectielen afschoten, zodat ze ongestoord hun stormrammen en belegeringstorens konden opstellen. Deze projectielen hadden zoveel kracht en snelheid dat een schild of pantser geen zin had. Een treffer met een *ballista* veroorzaakte gruwelijke verwondingen. Josephus schrijft over een man die onthoofd wordt, waarbij het hoofd meters

DE BELEGERING VAN JOTAPATA, 67 N.C.

'In de directe omgeving van Josephus werd een man op de muur door een steen getroffen; zijn hoofd werd van zijn lichaam geslagen en zijn schedel kwam ruim vijfhonderd meter verder neer. Een zwangere vrouw werd, toen zij bij zonsopgang haar huis verliet, vol in de onderbuik getroffen; het ongeboren kind werd over een afstand van negentig meter weggeslingerd. Zoveel kracht had de ballista. Nog angstaanjagender dan de machines was het lawaai dat ze produceerden, nog erger dan de projectielen was het krakende geluid van de inslag.'

Flavius Josephus, *De Joodse Oorlog*, III, 245-246 (Ambo klassiek, vertaald, ingeleid en van aantekeningen voor zien door F.J.A.M. Meijer en M.A. Wes, tweede druk, Baarn 1992)

verderop neerkomt. Nog afschuwelijker is het verhaal dat erop volgt over een steen die een zwangere vrouw uiteenrijt en haar baby wegslingert. In 70 n.C., bij de belegering van Jeruzalem, werden wachten ingesteld die uitkeken naar projectielen. Als waarschuwing riepen ze dan dat er een 'baby' aankwam. De Romeinen, die waarschijnlijk stenen uit de buurt hakten die een lichte kleur hadden, kregen door dat hun projectielen hierdoor erg opvielen en verfden ze voortaan in een donkere kleur. Zo zagen de rebellen ze niet zo makkelijk aankomen en troffen ze beter doel.

Volgens Vegetius moest elke centurie in een legioen zijn uitgerust met een verrijdbare schorpioen (of een *carroballista*), en elke cohort met een grotere *ballista*. Of er een vast aantal voorgeschreven was of niet, een legioen op veldtocht zal wel hebben meegenomen wat ze nodig achtte. Artilleristen waren waarschijnlijk afkomstig uit de diverse cohorten; er bestond vermoedelijk geen aparte eenheid. De hoeveelheid geschut en de mate van bekwaamheid bij de manschappen zal bij elk legioen weer anders zijn geweest. Tijdens de Joodse Opstand waren die van Legio X Fretensis volgens Josephus het beste. Of ook bij de *auxilia* artillerie werd gebruikt is niet bekend, maar helemaal onmogelijk is het niet.

Omsingelen

In 52 v.C. achtervolgde Caesar het leger van Vercingetorix door heel centraal-Gallië, voordat hij het eindelijk in een hoek wist te drijven bij de hooggelegen vestingstad Alesia. De voorafgaande maanden was hij erin geslaagd de zwaar versterkte stad

Avaricum na een belegering in te nemen, terwijl een verrassingsaanval op Gergovia was mislukt. De Galliërs hadden een groot leger, dus een directe aanval op het legerkamp en de stad Alesia was riskant. Vandaar dat Caesar een belegeringswal liet bouwen van tien Romeinse mijl lang (een zogenoemde circumvallatielinie), met acht legerkampen en drieëntwintig forten. Langs de hele linie, die bestond uit een aarden wal met palissades, werd om de honderdtwintig meter een toren gebouwd met een plateau vanwaar kon worden geobserveerd en projectielen konden worden afgevuurd. De muur zelf was ongeveer twaalf Romeinse voet hoog (bijna vier meter), met uitstekende scherpe palen voor het geval iemand probeerde erover te klimmen, en werd beschermd door twee greppels, de binnenste gevuld met water. Voor de greppels werden rijen staken aangebracht en een reeks valkuilen in een schaakbordpatroon. Dit waren afgedekte kuilen waarin een scherpe spies omhoog stak, vanwege hun vorm 'lelies' genoemd. Caesar was ervan op de hoogte dat Vercingetorix boodschappers had uitgestuurd naar alle Gallische stammen om versterking op te roepen. Vandaar dat hij toen zijn circumvallatielinie klaar was een volgende verdedigingslijn liet aanleggen, maar nu naar buiten gericht (vandaar 'contravallatielinie' genoemd), met een omtrek van veertien Romeinse mijl. Terwijl Caesar zo Vercingetorix omsingeld hield in Alesia, werd zijn eigen leger in feite omsloten door het veel grotere Gallische leger dat de leider van de opstandelingen te hulp was gekomen. Er braken felle gevechten uit waarbij de Romeinen moesten zien te voorkomen dat het garnizoen uit Alesia uitbrak en het leger dat hen te hulp kwam binnendrong. Soms leken de verdedigingswerken te bezwijken, maar Caesars leger bood agressief weerstand door telkens waar nodig in de bres te springen en geregeld buiten de verdedigingslinie tegenaanvallen uit te voeren, gericht op de flanken van de vijand. Uiteindelijk lukte het de stad uit te hongeren en moest Vercingetorix zich overgeven.

Ook bij andere gelegenheden maakte Caesar gebruik van omvangrijke verdedigingswerken, met name in 48 v.C. in Dyrrachium tijdens de burgeroorlog. Daar probeerde zijn leger de veel talrijker troepen van Pompeius te omsingelen, die op hun beurt een eigen verdedigingslinie aanlegden om dit tegen te gaan. In dit geval moest Caesar het opgeven en zich terugtrekken. Circumvallatielinies werden ook gebruikt in situaties die meer weg hadden van een echte omsingeling en niet onderdeel waren van een complexe strategie van een veldleger zoals hierboven beschreven. In 134 v.C. omsingelde Scipio Aemilianus de Keltiberische stad Numantia (Spanje) met een muur en forten, waarvan archeologen sporen hebben gevonden. Interessant is zijn beweegreden: hij voerde liever een blokkade uit dan met zijn grotere troepenmacht de strijd tegen de Numantiërs aan te binden.

Een circumvallatielinie kon ook ingezet worden bij een directe aanval. In 70 n.C. kregen de Romeinen eerst wat tegenslagen te verwerken toen ze de tweede van de drie muren rond Jeruzalem probeerden in te nemen. De enorme storm-

Een blik op de reconstructie van Caesars circumvallatielinies bij Alesia. Waar mogelijk was ten minste een van de greppels gevuld met water. Lichte *ballistae* of schorpioenen werden in de torens geplaatst met als doel alle aanvallers neer te schieten.

wallen rond de burcht Antonia, waar ze zeventien dagen druk mee waren geweest, waren in brand gestoken en ondermijnd. Titus beval toen een stapelmuur rond de stad te bouwen. Zijn mannen klaarden deze enorme klus in drie dagen, vooral doordat de eenheden tegen elkaar opboksten om als eerste hun stuk klaar te hebben. Daarna pakten de Romeinen de voorbereidingen voor de bestorming van de burcht Antonia weer op. In de weken die volgden namen ze de rest van de stad stukje bij beetje in. De circumvallatielinie bewees haar praktische nut door een uitbraak te voorkomen, maar bovendien liet ze duidelijk zien wat de Romeinen van plan waren. De belegerden hadden hun toevlucht gezocht binnen hun muren; de Romeinen bouwden er nog een muur omheen zodat ze zeker zouden omkomen. Nog duidelijker wordt dit bij Massada, waar de Romeinse belegeringswerken het volledigst bewaard zijn gebleven. In 73 n.C. begon Legio X Fretensis met een volledige omsingeling van de rotsvesting. Ze bouwden een muur, versterkt met vijf forten en enkele torens. Op plaatsen waar de opstandelingen onmogelijk via het dal konden ontsnappen, bouwden ze de muur op de kam van de tegenoverliggende berg. De muur herinnerde hen er zo telkens aan dat ze in de val zaten en geen kant op konden. Hun positie was hopeloos, terwijl de muur elke dag een stukje hoger werd. Dat moet heel demotiverend zijn geweest. Bij Machaerus en wellicht ook bij Narbata, waar eveneens sporen van Romeinse belegeringswerken uit de tijd van de Joodse Opstand zijn aangetroffen, werd de druk te groot en gaven de opstandelingen zich over voordat de Romeinen hun beslissende aanval deden.

Bestormen

Omdat artillerie vrijwel nooit genoeg kracht had om een bres in een sterke muur te slaan, was er grover geschut nodig. Soms kon een muur worden ondermijnd met een houweel of een koevoet, maar dan moesten de soldaten wel bij de voet zien te komen en er ongestoord kunnen werken. Vooral in deze omstandigheden, veel meer nog dan tijdens de veldslag, zetten de Romeinen hun beroemde schildpadformatie of *testudo* in. Ze stelden zich in carré op en vormden een dak van overlappende schilden, zodat de legionairs beschermd waren tegen een projectielenregen. Tijdens een beleg in de burgeroorlog van 69 n.C. raakten de belegerden eens zo gefrustreerd toen hun pijlen en stenen niets uithaalden tegen de *testudo,* dat ze ten einde raad een van hun grote katapulten over de muur gooiden. De schildpad werd uiteen geslagen en er vielen veel slachtoffers, maar ze haalden wel een groot deel van de verdedigingsmuur neer, met een bres naar de stad als gevolg.

Een eenvoudig wapen, maar nog altijd de doeltreffendste manier om een gat in een muur te slaan, was de stormram. Afgezien van bij heel eenvoudige forten was de poort meestal geen optie. Hout kon dan wel branden, maar deze zwakke plek werd meestal afdoende bewaakt en verstevigd. Het leger beschikte over grote stormrammen die waren bevestigd op een wagen of een verrijdbare toren, en bestonden uit een lange mast, omwikkeld met dikke touwen om splijten tegen te gaan en een ijzeren punt, meestal in de vorm van een strijdlustige ramskop. Voor het verplaatsen van de ram was vaak een aarden helling, versterkt met hout en puin nodig, om greppels of grachten van de verdedigingswerken over te kunnen steken en de muur te bereiken.

Uiteraard probeerden de belegerden de belagers zoveel mogelijk te hinderen. Ze deden bijvoorbeeld uitvallen om de belegeringswerkzaamheden te verstoren of te vernietigen of te verbranden wat er al van gereed was. De stormrammen en wagens van de Romeinen waren overtrokken met huiden of ijzeren platen om ze tegen vuur te beschermen. Wanneer de stormram de muur had bereikt was het nog maar een kwestie van tijd tot er een bres in de muur werd geslagen, zodat de belegerden weer alles op alles zetten om te proberen er de brand in te steken. Bij het beleg van Jotapata in Galilea, 67 n.C., slaagden de opstandelingen erin een groot rotsblok te laten vallen en de kop van een Romeinse stormram af te breken. Wat ook kon helpen was zakken stro vanaf de omgang te laten zakken en daarmee de inslag van de ram op te vangen. Een belegering was vaak vooral een spel wie van beide partijen het slimst was en het het langst volhield.

Een tafereel op de Zuil van Trajanus met daarop een groep legionairs die de beroemde *testudo* of schildpadformatie aanneemt. Met hun schilden als een overlappend dak boven hun hoofd, waren de soldaten goed beschermd tegen de meeste projectielen. Deze formatie werd vaak gebruikt om een muur te benaderen en die te ondermijnen met koevoeten.

Ondermijnen vormde een alternatief voor het slaan van bressen in een muur. Er werd een tunnel onder gegraven die werd gevuld met licht ontvlambaar materiaal. Vervolgens werden de stutten die de tunnel steunden weggeslagen. Daardoor stortten de tunnel en (een deel van) de muur in. De verdedigers wapenden zich hiertegen door het graven van eigen tunnels, waarbij ze afgingen op klopsignalen om de locatie van de tunnel van de vijand te bepalen. Zo probeerden ze de verdedigingswallen en andere werken van de tegenstander te ondermijnen, of ze groeven een doorgang naar de tunnel van de anderen en vielen ze daar aan. Archeologen hebben in het Romeinse garnizoen in Dura Europus, dat in de derde eeuw n.C. door de Perzen werd belegerd, een Perzische tunnel ontdekt waar een Romeinse op uitkwam. Ze troffen er de lichamen van soldaten van beide partijen in aan, die de dood hadden gevonden tijdens een onderaards gevecht of toen de tunnel instortte en een stuk muur en een toren op hen neerkwamen. Ondermijnen was zowel voor belegeraars als belegerden erg gevaarlijk. In Jeruzalem wisten de

Een tafereel op de Zuil van Trajanus met daarop legionairs en auxilia-soldaten die proberen de Dacische hoofdstad Sarmizegethusa te bestormen. Uiterst rechts klimt een auxilia-soldaat op een ladder en slaat naar de vijand, terwijl hij een afgehakt hoofd in zijn linkerhand houdt. Let ook op de persoon links die een ladder draagt.

opstandelingen bij de burcht Antonia de stormwallen van de Romeinen te vernielen, maar ze constateerden enkele uren daarna tot hun schrik dat de burcht hierdoor instortte, zodat een passage naar de tempel bloot kwam te liggen.

Naast rammen en ondermijnen was er maar één echt alternatief: over de muur klimmen. De eenvoudigste manier was met stormladders. Dat vergde

Re-enactors van de Ermine Street Guard vormen een *testudo* tijdens een voorstelling in het amfitheater in Caerleon. De historicus Livy beweerde dat de *testudo* allereerst ontwikkeld was als spectaculair amusement vertoond op festivals in Rome.

wel een goed inschattingsvermogen, want de ladders moesten natuurlijk wel lang genoeg zijn om de omgang te bereiken. Wie een ladder opklom was zeer kwetsbaar, niet alleen voor allerlei projectielen, maar de ladder kon ook worden omgegooid of vernield. Bovendien duurde het een poos voordat de volgende man de ladder opgeklommen was, zodat de eersten makkelijk uitgeschakeld konden worden. Terugtrekken ging om deze reden ook niet en als het misging kostte het de leiders altijd het leven. Een effectiever methode was belegeringstorens naar de muur te rijden en vandaar een valbrug op de omgang neer te laten, waarna een grotere ploeg de vijand kon bestormen. Maar ook dan werden de mannen boven opgewacht en kon een fel gevecht ontstaan.

Innemen

Welke methode de aanvallers ook kozen, het bestormen van een stad was en bleef een moeilijke en hachelijke zaak. Allerlei technieken konden worden ingezet bij het slaan van een bres of het bestormen van een muur en misschien ook om de tegenstanders op afstand te houden, maar uiteindelijk moesten de aanvallers zelf met getrokken zwaard de stad binnengaan. Er vielen altijd veel slachtoffers, vooral onder de moedige mannen die vooropliepen, en de kans dat het mislukte was groot. Wanneer de muur geslecht was en de troepen de stad in gingen, raakten ze gemakkelijk de weg kwijt in de wirwar van straten en steegjes waaruit de meeste steden in de oudheid bestonden. In 67 n.C., tijdens de bestorming van Gamala op de Golanhoogvlakte, lukte het de Romeinen amper vooruit te komen in de steegjes die net breed genoeg waren voor een ezel met draagmanden. De legionairs klommen daarom op de daken van de huizen en kropen van dak naar dak, tot het gewicht van de mannen te groot werd en de daken instortten. Zo liep de aanval spaak, de verdedigers verzamelden zich en verdreven de Romeinen uit de stad. Ook in 70 n.C., bij de belegering van Jeruzalem, hadden de Romeinen het zwaar. Het duurde weken voordat ze de tempel konden innemen, nadat ze de buitenste muur hadden geslecht en er voet aan de grond hadden gekregen. De belegering van een grotere vesting met vasthoudende verdedigers was altijd tijdrovend en afmattend en de opeenvolging van aanvallen vormde een aanslag op het moreel van de soldaten.

Wanneer het dan toch lukte een vesting in te nemen, konden de belegerden, zowel de inwoners als de verdedigers, rekenen op een vreselijke afstraffing en plundering. Polybius beweerde dat de Romeinen opzettelijk zoveel mogelijk ravage aanrichtten door mens en dier af te slachten en uiteen te rijten als afschrikwekkend voorbeeld voor anderen die zich tegen de Romeinse overheersing verzetten. Volgens een gewoonte die een wet was geworden, konden de verdedigers op clementie rekenen wanneer ze zich overgaven voordat een Romeinse stormram hun muur raakte, maar daarna niet meer. In een eerste roes werden de mannen gedood. De vrouwen werden verkracht, maar in leven gelaten. Als de gemoederen daarna wat bedaarden werd het verlangen naar buit bevredigd en werden mensen gevangengenomen om als slaven te worden verkocht; wie te oud was om iets op te leveren op de slavenmarkt werd afgeslacht. Er werd op grote schaal geplunderd. In theorie werd de buit verzameld en eerlijk onder de soldaten verdeeld, maar dat zal wel niet altijd zo netjes zijn verlopen. Bij Josephus lezen we dat de goudprijs in 70 n.C. in het hele oosten van het rijk kelderde omdat alle soldaten die naar huis terugkeerden hun buit te gelde maakten. Er werden veel wreedheden begaan. Tussen de verkoolde lagen van de huizen van Jeruzalemse edelen werd een afgehakte arm aangetroffen. In Maiden Castle in Dorset vertonen de schedels van de belegerden, ook van hen die ernstig gewond waren, sporen van herhaalde houwen. Bij opgravingen in het Spaanse Valentia werden nog gruwelijker vondsten gedaan, waarschijnlijk daterend uit de periode van de inname van de stad tijdens de burgeroorlog van 78 v.C. De skeletten die daar werden gevonden vertonen niet alleen tekenen van verwondingen die tijdens de gevechten waren opgelopen, maar ook die van martelingen. Eén slachtoffer werd

De filosoof-keizer Marcus Aurelius herdacht zijn Danubische campagnes in een zuil die meer gestileerd en in vele opzichten barbaarser was dan de Zuil van Trajanus. In dit tafereel zien we Romeinse troepen die een inheemse nederzetting platbranden. Uiterst rechts staat een auxilia-infanterist op het punt een knielende Germaanse gevangene te onthoofden. De prijs van een strijd tegen Rome was altijd hoog.

helemaal wreed gepijnigd: zijn armen waren op zijn rug vastgebonden en er was een *pilum* in zijn anus gestoken. Tijdens een burgeroorlog kan het slechtste in mensen bovenkomen, maar we moeten niet vergeten dat het er in de oudheid vaak zeer hard en onaangenaam aan toe ging.

Superieur in belegeringen

In de propaganda van oude culturen, al sinds de Egyptenaren en Assyriërs, spelen belegeringen een grote rol en worden ze vaak genoemd bij de prestaties van 'grote koningen'. Een vesting innemen was altijd zeer lastig en de belegerde partij meestal in het voordeel. Als een van de weinigen onder de krijgsmachten van de oudheid was het Romeinse leger hierbij een tijdlang in het voordeel. De combinatie van technisch vernuft, vasthoudendheid en agressie die het leger typeerde, en de bereidheid om veel slachtoffers te accepteren, maakte dat de Romeinen niet voor een beleg terugdeinsden. Vaak slaagden ze ook, zelfs bij zo'n ogenschijnlijk onneembare vesting als Massada. Doordat het leger zo bekwaam was in belegeringen, waren de Romeinen al hun tegenstanders te sterk af.

V

Het leger in de late oudheid

'Vaak zag men (...) een barbaar die van vermoeidheid niet meer op zijn benen kon staan, op zijn linkerknie bukken en de vijand blijven bestrijden – een ultiem bewijs van zijn toewijding.'

Ammianus Marcellinus, 16.47-49

In de derde en vierde eeuw n.C. kreeg het Romeinse Rijk steeds meer te maken met burgeroorlogen en vijandige invallen. Perioden van vrede en stabiliteit werden meer uitzondering dan regel. Het leger bleef een efficiënte militaire macht, maar meer en meer verspilde het zijn krachten aan onderlinge schermutselingen. Het Romeinse Rijk stortte niet zomaar in, tenslotte was het enorm groot en waren de bedreigingen zwak en ongecoördineerd, maar het leger moest zich wel aan de veranderende omstandigheden aanpassen. Het verdedigen van bolwerken werd belangrijker, terwijl er minder veldslagen werden uitgevochten dan in eerdere perioden. De nadruk kwam te liggen op snelheid en verrassingsaanvallen, idealiter op een vijand die daarop volstrekt onvoorbereid was.

In sommige opzichten leek het laat-Romeinse leger op zijn voorloper tijdens het principaat. De namen van eenheden en rangen verschilden sterk, maar de functies kwamen grotendeels overeen met hoe ze eerder waren. Alleen was iedereen in feite nu beroepssoldaat en werd de traditie dat de hogere posities waren weggelegd voor senatoren die een militaire en civiele loopbaan combineerden afgeschaft. De keizer ontleende zijn macht voortaan rechtstreeks aan zijn troepen en kon zomaar door de legerleiding worden afgezet.

Uiteindelijk vervaagde het verschil tussen legioenen en *auxilia* en werd het onderscheid tussen eenheden van het mobiele veldleger (de *comitatenses*) en de aan de grenzen gelegerde troepen (*limitanei*) veel belangrijker. De legioenen werden steeds kleiner, tot ze nog maar uit een man of duizend bestonden, minder dan een kwart van hun vroegere sterkte. In teksten uit deze periode gaat het vaak over cavalerie-eenheden, maar toch lijken de legers geen groter aandeel ruiters te hebben gekend. De grote veldlegers waren vooral druk met burgeroorlogen, waarbij het grootste leger meestal de overwinning behaalde, of trokken op tegen de Perzen. Voor de overige campagnes werden vaak relatief kleine troepenmachten ingezet. Deze tendens zette zich voort tot in de vijfde eeuw en vormde het model voor de manier van oorlogvoeren in middeleeuws Europa.

Vorige pagina. Dit derde-eeuwse reliëf uit Gallië stelt een formatie van soldaten voor in een uniform dat veel lijkt op dat onder het principaat. Elke man draagt een imperiale helm, een maliënkolder en een rechthoekig *scutum*.

VERANDERINGEN IN HET LAAT-ROMEINSE LEGER

Problemen en veranderingen

Augustus kwam aan de macht via bloedvergieten en een burgeroorlog, maar zijn bewind bracht het Romeinse Rijk wel de vrede en stabiliteit die de late republiek niet had gekend. De laatste keizer in zijn dynastie was Nero, en na diens zelfmoord in 68 n.C. werd het rijk ruim een jaar verscheurd door een burgeroorlog, tot de rust weerkeerde met Vespasianus, de vierde keizer in iets meer dan een jaar. Van 69 tot 192 n.C. kende Rome een tijdperk met bestendige vrede, welvaart en politieke stabiliteit. Pogingen tot staatsgrepen waren schaars en kregen weinig steun, en de meeste keizers stierven een natuurlijke dood. In 192 werd Commodus, de waanzinnige zoon van filosoof/keizer Marcus Aurelius, gewurgd door een complot aan het hof waarbij de bevelhebber van de Praetoriaanse garde betrokken was. Zijn opvolger Pertinax hield het krap drie maanden vol tot hij werd vermoord door de pretorianen, naar verluidt omdat hij hen niet het volledige

Een van de weinige afbeeldingen van een land dat triomfeert over de Romeinen. Dit Perzische reliëf toont de Sassanidische koning Sharpur I met een gevangengenomen Romein die voor hem knielt. Sharpur versloeg en doodde keizer Gordianus in 244 en Valerianus in 260 na Christus.

donativum had betaald, de geldsom die hij hen had aangeboden om hem aan de macht te helpen. De garde bood de troon vervolgens aan de hoogste bieder aan vanaf de muren van hun Romeinse barakken. De koper kon niet lang van zijn macht genieten, want al snel ontstond een dans om de macht door de gouverneurs van de grootste rijksprovincies, Britannia, Pannonia Superior en Syria, alle gesteund door hun provinciegarnizoenen. Pas in 197 wist Septimius Severus zijn rivalen te verslaan en de onbetwiste keizer te worden.

Severus stierf in 211 in York, waar hij de laatste jaren van zijn leven streed tegen de stammen in Caledonia, het huidige Schotland. Hij verdeelde zijn macht over zijn twee zoons, maar al na een paar maanden had de oudste zoon Caracalla zijn jongere broer Geta vermoord. In 217 stond Caracalla op het punt oorlog te voeren in het oosten toen hij door een lid van zijn ruitergarde werd doodgestoken. De pretoriaanse prefect Macrinus greep de macht, maar werd binnen het jaar door een rivaal verslagen. De derde eeuw werd gekenmerkt door een reeks burgeroorlogen die de chaotische laatste decennia van de republiek naar de kroon staken en uiteindelijk overtroffen. Machtsgrepen waren aan de orde van de dag, maar aan de macht blijven was een stuk lastiger. Veel keizers hielden het maar een paar maanden vol, en een bewind dat langer duurde dan tien jaar betekende een zeldzame periode van stabiliteit. De meeste keizers kwamen door geweld aan hun eind, vaak werden ze vermoord; sommigen sneuvelden in de strijd tegen Romeinse rivalen of externe vijanden. In 251 sneuvelden keizer Decius en zijn zoon en erfgenaam toen hun leger werd verslagen door de Goten. De Perzische Sassaniden wisten een aantal Romeinse expedities te verslaan en namen in 260 keizer Valerianus gevangen en executeerden hem. De chaos in het rijk moedigde barbaren aan de grensprovincies binnen te vallen.

Toch wist het rijk tijdens deze periode van wanorde stand te houden en hoefde het naar verhouding weinig grondgebied prijs te geven, zoals de provincie Dacia en grote delen van Mesopotamia. Wel begonnen de eerste

De tetrarchie was ingesteld door Diocletianus aan het eind van de derde eeuw na Christus. Daardoor was het rijk verdeeld in een oostelijk en een westelijk deel, elk bestuurd door een 'senior-augustus', bijgestaan door een 'junior-caesar'. De ideale relatie tussen deze vier mannen werd gesymboliseerd door deze beeldengroep.

politieke scheuren zich af te tekenen. Zo bestond er in de tweede helft van de derde eeuw gedurende meer dan tien jaar een onafhankelijk Gallisch keizerrijk, met Trier als hoofdstad, en wist koningin Zenobia van Palmyra veel oostelijke provincies samen te voegen tot een koninkrijk voor haar zoon.

In het verleden was het wel voorgekomen dat een keizer uit vrije wil de macht deelde, of moest accepteren dat een ander heerste over een deel van het rijk. Tegen het eind van de derde eeuw werd een gedeeld bewind officieel aanvaard. Diocletianus (284-305) ging nog een stap verder. Hij voerde de tetrarchie in en verdeelde het rijk in een oostelijk en westelijk deel. In elk rijksdeel regeerde een senior-augustus, bijgestaan door een junior-caesar. Het systeem in zuivere vorm hield niet lang stand na het aftreden van Diocletianus, maar bleef in gewijzigde vorm ruim een eeuw in gebruik. Tijdens het bewind van sterke keizers, zoals Diocletianus en Constantijn de Grote, kende het rijk stabiliteit. De vierde eeuw was een tijdperk met goed bestuur, geen burgeroorlogen en geslaagd optreden tegen vijanden van het rijk, maar wel alleen in vergelijking met de derde eeuw. Er kwamen nog steeds machtsgrepen voor; sterker nog, de instelling van de tetrarchie lokte zulke pogingen juist uit, doordat de keizerlijke macht nu in fasen bereikt kon worden.

De verdeling van de macht over verschillende keizers werkte door in de onderliggende bestuurslagen. Er kwamen meer, maar kleinere provincies zodat aan het einde van de vierde eeuw alle provincies die in het principaat waren gevormd nu in vier of meer regio's waren opgedeeld. In deze provincies waren de civiele en militaire macht van elkaar gescheiden en een equivalent van de oude provinciegouverneur was er niet. De militaire activiteiten vonden op veel kleinere schaal plaats dan voorheen, zodat zelfs de keizer zich soms met kleine plaatselijke veldtochten bemoeide.

Tegen deze achtergrond van decentralisatie van de macht, veelvuldige burgeroorlogen en ernstige grensincidenten kreeg het leger van de late oudheid vorm. Het leger veranderde mee met de maatschappij en de regering, zodat veel onderdelen in de vierde eeuw hemelsbreed verschilden van die in het vroegere leger. Niet alles veranderde echter, waarschijnlijk lijken de verschillen groter dan de vele nieuwe rangen en eenheden aanvankelijk doen vermoeden. Bovendien was er op andere gebieden eerder sprake van een accentverschil dan van een fundamentele wijziging. Zo zullen veel dagelijkse activiteiten en militaire rituelen in deze periode niet wezenlijk anders zijn geweest dan voor de soldaten uit het principaat. Ook in de vierde eeuw domineerden de aanvalsoorlog en strafexpedities de strategie van het leger, net als in de eerste eeuw n.C. Er waren enkele tactische vernieuwingen, maar het leger bleef sowieso de externe vijand de baas, en ook al waren er minder veldslagen dan vroeger, ze wonnen nog steeds vaker dan dat

Een ijzeren helm uit Nederland, overtrokken met zilver en versierd met halfedelstenen. Zo'n kostbaar uitrustingsstuk werd hoogstwaarschijnlijk alleen door officieren gedragen. De helm bood goede bescherming, maar hinderde het gehoor wel.

ze verloren. Ook bij de belegeringsoorlog werden in de basis dezelfde methoden toegepast, al waren de Romeinen nu vaker de belegerde partij dan de belagers.

Kortom, veel bleef hetzelfde. In dit hoofdstuk komen de grootste veranderingen aan de orde tussen het laat-Romeinse leger en het leger dat het meest gedocumenteerd is, namelijk dat uit het vroege Keizerrijk.

Bevelhebbers: de opkomst van de ruiterofficier

Politiek en militair leiderschap waren altijd nauw met elkaar verbonden; zeker al sinds de vroege republiek vormde dit het hart van het Romeinse systeem. De legerleiding werd gevormd door senatoren die achtereenvolgens civiele en politieke functies hadden bekleed; een wijze keizer liet zich dan ook graag afschilderen als het belangrijkste lid van de senaat. Dit ging in de late oudheid helemaal op de schop, toen senatoren geleidelijk hun militaire rol kwijtraakten. In de tweede eeuw begonnen keizers, met name Marcus Aurelius, met het aanstellen van officieren uit de ruiterklasse als bevelhebbers van de legioenen en vervolgens van hele legers. Doorgaans werd iemand eerst opgenomen in de senatorenklasse voordat hij zo'n hoge post kreeg, maar in de derde eeuw werd die gewoonte grotendeels afgeschaft. Een ruiterprefect werd in plaats van de senatoriale *legatus* bevelhebber over een legioen en na verloop van tijd werden ruiterofficieren aangesteld als legeraanvoerder en provinciegouverneur. Dit waren doorgaans beroepsofficieren, die veel langer in het leger hadden gediend dan een senator die de traditionele bestuurlijke loopbaan had doorlopen. Ze beschikten waarschijnlijk over meer ervaring dan hun voorgangers uit de senatorenstand, maar of ze ook capabeler waren is lastiger te bepalen. De keizers zullen aanvankelijk hebben gedacht dat deze ruiterofficieren niet zo'n grote bedreiging voor hun positie betekenden, omdat ze minder politieke connecties bezaten dan de senatoren. Maar wanneer een keizer het grootste deel van zijn regeringsperiode met het leger op veldtocht was, maakte dat natuurlijk minder uit. Een officier die medestanders onder de andere hogere bevelhebbers wist te vinden, kon een keizer makkelijk vermoorden en zelf de macht grijpen. Zo stelden ruiterofficieren uit de Donauprovincies gedurende de tweede helft van de derde eeuw keizers uit hun midden aan, die ze even gemakkelijk weer van de troon stootten.

Tijdens de derde en vierde eeuw werd het traditionele rangenstelsel in het leger compleet veranderd. Bevelhebbers over de eenheden hadden allerlei titels die niet altijd dezelfde inhoud lijken te hebben gehad. De rang van *praepositus* werd eerst gegeven aan een officier die tijdelijk het bevel over een andere eenheid kreeg, maar werd al snel een permanente titel. In de bronnen komen veel prefecten en tribunen voor. Vaak zijn dat bevelhebbers van een eenheid, maar de drie genoemde titels schijnen uiteenlopende verantwoordelijkheden te hebben gehad. Sommige tribunen en prefecten werden ook wel *praepositi* genoemd. Onder de lagere rangen bevonden zich de *primicerius* en (vreemd genoeg) de juniorsenator. Binnen een eenheid waren er soms *ducenarii*, hoofdmannen over tweehonderd man volgens Vegetius, en daaronder de *centenarii*, die waarschijnlijk het bevel over honderd man voerden, of een onderafdeling zo groot als een centurie, dus wellicht het equivalent van de vroegere centurio's. We weten nog minder over de vele andere lagere rangen in het late leger waarvan we de titels kennen.

Veldlegers en grenstroepen

In de vierde eeuw werden de provincies uit het principaat onderverdeeld in meer kleinere eenheden onder lokaal militair bestuur, maar er werd nóg een fundamentele wijziging doorgevoerd in de legereenheden. Voortaan waren er twee soorten, de *comitatenses* van het veldleger en de *limitanei* die een vaste legerplaats kregen, meestal aan de rijksgrenzen. De *comitatenses* stonden ter beschikking van een van de keizers of zijn hoogste onderofficieren. De *limitanei* stonden onder bevel van de *dux*, de aanvoerder van hun regio. Hoe dit systeem is ontstaan is nu niet meer goed te achterhalen, maar sommige elementen zien we

Deze afbeelding van een standaarddrager uit het eind van de vierde eeuw na Christus toont een man wiens verschijning in veel opzichten afwijkt van soldaten in het vroegere Romeinse leger. Zijn schild is groot en bijna rond, terwijl hij zijn zwaard rechts draagt.

al bij voorlopers ervan. Een voorbeeld daarvan is de strijdmacht die Septimius Severus aan het eind van de tweede eeuw samenvoegde uit een ruiter- en infanteriegarde en Legio II Parthica – samen zo groot als een sterk provincieleger – en die hij net buiten Rome stationeerde. Een andere voorloper is het Milanese leger van Galienus, met een extra sterke cavalerie-eenheid, uit het midden van de derde eeuw. Tijdens de regeringsperioden van Diocletianus en Constantijn de Grote schijnen de grootste veranderingen te zijn aangebracht, maar veel meer weten we niet. De *Notitia Dignitatum,* een lijst met administratieve en militaire functies die dateert uit het einde van de vierde eeuw, is de beste informatiebron. In die tijd was het systeem volledig ontwikkeld, dus pogingen om op basis daarvan eerdere vormen te reconstrueren, berusten grotendeels op gissingen. Uit de *Notitia* blijkt dat het Oost-Romeinse rijk vijf veldlegers had, twee voor het keizerlijk hof, en het West-Romeinse rijk zeven, waarvan twee connecties hadden met het keizerlijk hof.

Volgens sommigen waren de *comitatenses* een soort mobiele reservelegers, die snel van brandhaard naar brandhaard marcheerden. De meeste waren inderdaad in de provincies gelegerd, in tegenstelling tot het leger tijdens het principaat, dat vooral langs de rijksgrenzen werd ingezet. Wanneer een vijand de grens overstak, duurde het tijdens het oude stelsel lang voordat een eenheid verderop aan de grens de indringers kon komen verdrijven. Dat betekende vervolgens dat het stuk dat zij oorspronkelijk verdedigden kwetsbaar was, zodat er dáár weer problemen konden ontstaan. Er zit wel wat in deze interpretatie, maar de mobiliteit van de *comitatenses* moet ook weer niet overdreven worden. Tenslotte was geen enkel leger in staat om zich sneller te verplaatsen dan een infanterist kon marcheren, of misschien nog wel langzamer wanneer de bagagetrein het tempo bepaalde. Een veldleger verplaatste zich gewoon niet sneller dan een gewoon leger, al had het wel het voordeel dat het niet aan een bepaalde regio gebonden was. Met name tijdens het principaat verrichtte het leger zo veel administratieve taken dat het problemen gaf als het werd opgeroepen om elders te gaan vechten. Vandaar dat de gewoonte was ontstaan om *vexillationes* te sturen in plaats van een hele eenheid. Een veldleger kon verplaatst worden zonder dat dat administratieve problemen gaf, maar of deze troepen als strategische reserve voor het hele rijk fungeerden is twijfelachtig. Zeker is wel dat de keizer zo over een krachtig leger beschikte om zich tegen een machtsgreep te verzetten. Tijdens het late Keizerrijk vormden burgeroorlogen een grote dreiging, en de structuur van het leger was duidelijk ingericht om daar het hoofd aan te bieden.

In het verleden werden de *limitanei* vaak afgeschilderd als een soort plaatselijke militie-eenheden van mannen die half soldaat, half boer waren en in bepaalde opzichten dichter bij de legionairs van de midden-republiek stonden dan bij de beroepssoldaten uit het principaat. Die opvatting is beslist niet juist. De *limitanei* waren reguliere eenheden getrainde soldaten die alleen een andere status hadden dan de *comitatenses*. De *limitanei* patrouilleerden en verrichtten de dagelijkse garnizoensdiensten, meestal langs de grenzen, maar ook wel op andere locaties waar strubbelingen waren. Over het algemeen schijnen ze goed gefunctioneerd te hebben. Ze waren niet met genoeg manschappen om zelfstandig een grote aanval of invasie tegen te houden, maar kleinere gevechten konden ze gemakkelijk aan. In een enkel geval werden eenheden *limitanei* toegevoegd aan een veldleger, met goede resultaten. Soms werd zo'n samenvoeging permanent, dan sprak men van *legiones pseudocomitatenses*.

Eenheden binnen het laat-Romeinse leger

De *Notitia Dignitatum* noemt verschillende eenheden, zoals legioenen, *auxilia*-*alae* en cohorten, maar ook minder bekende typen. De cavalerie bij de veldlegers werd nu ingedeeld in eenheden die *vexillationes* werden genoemd. Enkele eenheden kregen de aanvulling *comites* (kameraden), blijkbaar een eretitel. De

DE VELDLEGERS VOLGENS DE *NOTITIA* DIGNITATUM

Het Oosten

Keizer
en zeven *scholae*

Meester der soldaten van Praesentalis I
5 vexillatio palatina
7 vexillatio comitatenses
6 legio palatina
18 auxilia palatina
Totaal: 36 eenheden

Meester der soldaten van Praesentalis II
6 vexillatio palatina
6 vexillatio comitatenses
6 legio palatina
17 auxilia palatina
1 pseudocomitatenses
Totaal: 36 eenheden

Meester der soldaten van Orientis
10 vexillatio comitatenses
2 auxilia palatina
9 legio comitatenses
10 pseudocomitatenses
Totaal: 31 eenheden

Meester der soldaten van Thracum
3 vexillatio palatina
4 vexillatio comitatenses
21 legio comitatenses
Totaal: 28 eenheden

Meester der soldaten van Illyricum
2 vexillatio comitatenses
1 legio palatina
6 auxilia palatina
8 legio comitatenses
9 pseudocomitatenses
Totaal: 26 eenheden

Het Westen

Keizer

Meester der infanterie

Leger in Italië:
5 vexillatio palatina
1 vexillatio comitatenses
8 legio palatina
22 auxilia palatina
5 legio comitatenses
2 pseudocomitatenses
Totaal: 43 eenheden

Meester der cavalerie
Leger in Gallië:
4 vexillatio palatina
8 vexillatio comitatenses
1 legio palatina
15 auxilia palatina
9 legio comitatenses
21 pseudocomitatenses
Totaal: 58 eenheden

Comes van Illyricum
13 auxilia palatina
5 legio comitatenses
4 pseudocomitatenses
Totaal: 22 eenheden

Comes van Afrika
19 vexillatio comitatenses
3 legio palatina
1 auxilia palatina
8 legio comitatenses
Totaal: 31 eenheden

Comes van Tingitania
2 vexillatio comitatenses
2 auxilia palatina
1 pseudocomitatenses
Totaal: 5 eenheden

Comes van Britannia
4 vexillatio comitatenses
1 comitatenses
Totaal: 5 eenheden

Comes van Spanje
11 auxilia palatina
5 legio comitatenses
Totaal: 16 eenheden

Verklaring

scholae:	ruiterregimenten van de keizerlijke garde
vexillatio palatina:	elite-ruiterregimenten van het veldleger
vexillatio comitatenses:	ruiterregimenten van het veldleger
legio palatina:	elite-legioenen van het veldleger
auxilia palatina:	elite-auxilia-regimenten van het veldleger
legio comitatenses:	legioenen van het veldleger
pseudocomitatenses:	voorheen grenstroepen, nu opgenomen in het veldleger

regimenten of *scholae* van de keizerlijke garde leverden extra ruiters, die soms dienden bij de veldlegers, al maakten ze er niet officieel deel van uit. De infanterie bestond uit legioenen of *auxilia palatina.* Die laatste schijnen door Constantijn de Grote in het leven te zijn geroepen. Sommigen zien hierin een duidelijke breuk met het verleden en een reactie op de te grote afhankelijkheid van de Germaanse rekruten van buiten het rijk. Ze vertonen echter veel gelijkenis met de *auxilia*-cohorten uit het principaat. In deze periode is er niet veel verschil meer tussen de infanterie van de legioenen en de hulptroepen, noch wat uitrusting, noch wat tactiek betreft.

De beste *vexillationes* en legioenen werden *palatina* genoemd in plaats van *comitatenses*, en ze hadden een hogere positie. Daarnaast waren er eenheden met dezelfde naam die de toevoeging *seniores* en *iuniores* kregen; een onderscheid dat meer op gewoonte berustte dan een praktisch verschil aanduidde. Vrij veel cavalerie- en infanterie-eenheden binnen de *comitatenses* werden samengevoegd, zodat een soort brigade ontstond. Of deze eenheden een permanente bevelhebber hadden is niet bekend, maar ze werden naar het schijnt zelden weer gescheiden. Alle soorten eenheden komen in de bronnen voor met de vage aanduiding *numeri*, een term die doorgaans ook werd gebruikt voor de buitenlandse eenheden of *foederati.* Deze werden oorspronkelijk gerekruteerd uit één stam of volk en waren vaak gespecialiseerd in een bepaalde vechttechniek. Na verloop van tijd werden ze aangevuld met manschappen van allerlei achtergronden en gingen ze op in het reguliere leger.

Bij de *limitanei* kwamen nog veel meer soorten eenheden voor: oude bekenden als de *auxilia*-cohorten en *-alae* en legioenen, vaak onderverdeeld in detachementen, maar ook cavalerie-*vexillationes* en *-cunei* en eenheden met minder specifieke aanduidingen dan *numeri.* Van een brigadestructuur waarbij eenheden aan elkaar verbonden waren was geen sprake, al bestonden sommige legioenen uit meer cohorten. Zowel de *comitatenses* als *limitanei* hadden waar nodig marine-eskaders. Voor de eerste maal in de geschiedenis van Rome hadden de legers ook speciale artillerie-eenheden, al ligt het voor de hand dat veel gewone eenheden ook katapulten gebruikten, vooral bij het verdedigen van vestingen of steden.

De meeste infanterie-eenheden, zowel legioenen, *auxilia palatina* als *limitanei*, vochten in strak gelid. Een enkele opmerking die Vegetius maakt wordt nogal eens uit haar verband gerukt, zodat het idee bestaat dat ze vrijwel geen lichaamspantsers droegen, maar dat is niet juist. De meeste infanteristen droegen een helm, kuras van maliën of platen en een lang ovaal schild. Het langere zwaard, de *spatha*, was bij alle eenheden in de plaats gekomen van de *gladius.* Soms werd ook een variant op de *pilum* gebruikt, de *spiculum*, maar diverse vormen van werp- of steeksperen waren veel gebruikelijker. Naast een speer kon

Deze re-enactors uit Cohors V Gallorum – een van de weinige groepen die probeerden om het Romeinse leger in de derde eeuw na Christus nieuw leven in te blazen – zien er heel anders uit dan het klassieke beeld van de legionair in *lorica segmentata* en met imperiaal-Gallische helm. In plaats daarvan dragen deze mannen laarzen, een broek, een tuniek met lange mouwen, schubpantser – en in één geval een kap. Zij dragen ook allebei hun zwaard links, hanteren een speer en hebben ovale schilden. Maar hoewel de stijl van hun uitrusting – en in sommige opzichten ook hun manier van vechten – veranderd was, was de Romeinse infanterist nog altijd beter beschermd en meer gedisciplineerd dan de grote meerderheid van zijn tegenstanders.

Een re-enactor van een groep gevormd door de English Heritage stelt een boogschutter te paard voor in het laat-Romeinse leger. Tegen de zesde eeuw waren veel Romeinse cavaleristen vakkundige boogschutters, zelfs als ze op andere momenten graag man tegen man vochten.

iemand ook nog enkele korte werpspiesen of een paar verzwaarde werppijlen bij zich dragen. Die laatste, *plumbatae* of *mattiobarbuli* genoemd, hadden een bereik van dertig tot vijfenzestig meter; in de praktijk zal het eerder de kortste afstand zijn geweest. Bij Vegetius lezen we dat legionairs eind derde eeuw soms vijf van deze pijlen aan de achterkant van hun schild bevestigden. De *Notitia Dignitatum* noemt enkele speciale eenheden boogschutters (*saggitarii*), zowel ruiters als voetsoldaten, maar daarnaast zullen ook bij andere eenheden sommige manschappen met pijl en boog zijn uitgerust.

Sommige cavalerie-eenheden droegen een nog zwaardere lichaamsbescherming dan de infanteristen. Bij de *cataphracti* en *clibanarii* waren zowel paard als ruiter zwaar gepantserd. Wat het onderscheid tussen de beide termen was, valt nu niet meer te achterhalen. Het woord *clibanius* is afgeleid van een soort ijzeren bakoven, wat misschien niet alleen iets zegt over het uiterlijk van een soldaat in zo'n pantser, maar ook over het draagcomfort op een hete dag. Er waren veel meer eenheden katafrakten en *clibanarii* in de oostelijke legers dan in het westen, om de grote aantallen zwaar bepantserde Perzische cavaleristen het hoofd te kunnen bieden. Deze speciale eenheden maakten grotendeels deel uit van de veldlegers. De meeste overige Romeinse cavalerie-eenheden, of ze nu *scutarii, promoti* of *stablesiani* werden genoemd, waren vooral (maar niet uitsluitend) getraind om snelle verrassingsacties uit te voeren, vergelijkbaar met de meeste *alae* tijdens het principaat. Boogschutters te paard en enkele andere eenheden zoals de *Mauri* en de *Dalmatae* behoorden vooral tot de lichte cavalerie. Er bestaat een hardnekkig fabeltje dat de cavalerie in het laat-Romeinse leger een prominentere rol ging spelen, waarbij vaak een verband wordt gelegd met de grotere mobiliteit van de veldlegers. Deze veronderstelling berust grotendeels op een verkeerde gevolgtrekking met betrekking tot het belang en het aanzien dat de cavalerie, vooral de *alae*, tijdens het principaat genoot. Het Romeinse leger heeft echter altijd vastgehouden aan het ideaal van een evenwicht tussen ruiters en voetsoldaten.

Grootte van eenheden

Uit bronnen is moeilijk op te maken hoe groot de verschillende eenheden waren, en gegevens over de indeling ervan zijn helemaal schaars. Over het algemeen kunnen we concluderen dat de eenheden relatief klein waren, zeker niet meer zo groot als de legioenen van vijfduizend man uit de perioden ervoor. Wanneer de legioenen kleiner werden is moeilijk te zeggen. Volgens Vegetius waren er tijdens het bewind van Diocletianus in ieder geval nog enkele legioenen van zesduizend man groot. Ook naar het waarom kunnen we alleen maar raden. Het kan eenvoudig te maken hebben gehad met de groeiende behoefte eenheden in detachementen te verdelen, die vervolgens een permanente status kregen. De meeste moderne wetenschappers houden voor een legioen in een veldleger een aantal van duizend tot twaalfhonderd man aan in de vierde eeuw. De *auxilia palatina* waren wellicht even groot, of ergens tussen de vijf- en zeshonderd. In theorie waren cavalerie-*vexillationes* zeshonderd man sterk, en de *scholae*, in ieder geval in de zesde eeuw, bestonden uit vijfhonderd man. Dit betreft allemaal schattingen van 'papieren sterkte'; het schaarse bronnenmateriaal lijkt erop te wijzen dat een eenheid in werkelijkheid een bezetting van ongeveer tweederde had. Over de grootte van de *limitanei*-eenheden is nog minder bekend, dus of hun legioenen even groot waren als bij het veldleger weten we niet.

De meeste hedendaagse reconstructies gaan uit van de veronderstelling dat er een standaard gold voor de grootte van de diverse eenheden en dat die ook werd toegepast. Of dat echt zo was valt niet te zeggen.

Forten en vestingen

Tijdens de late oudheid besteedden de Romeinen meer aandacht aan de bouw van hun verdedigingswerken. Bestaande militaire bases werden versterkt en er moesten vele nieuwe forten worden gebouwd. De muren werden hoger en dikker, sommige met een plateau voor artilleriegeschut. De torens, soms vierkant of waaiervormig maar meestal rond, sprongen een stuk naar voren ten opzichte van de muur, zodat het geschut de vijand langszij kon bestrijken. Poorten waren meestal smaller, maar beter beschermd; de greppels juist breder, maar nu zonder taps toe te lopen zoals eerder, met een vlakke bodem. Dezelfde uitgangspunten zag je ook bij de courtines die vanaf de derde eeuw rond veel steden in de provincies werden aangelegd. In sommige gevallen lijkt de dreiging niet echt groot te zijn geweest en waren de verdedigingswerken misschien een indicatie van onzekere tijden. Het kan ook wedijver zijn geweest tussen steden die niet voor elkaar onder wilden doen.

De verdedigingswerken rond legerbases werden imposanter, terwijl de kampen zelf juist kleiner werden. Veel legioensbases, zoals in Caerleon en Chester, werden in de derde eeuw grotendeels verlaten en bases van een vergelijkbare grootte werden niet meer gebouwd. De traditionele rechthoekige speelkaartvorm

Het fort Qasr Bsheir in Jordanië werd gebouwd tijdens de regering van Diocletianus. In veel opzichten typeert het de legerforten in het eind van de derde en de vierde eeuw na Christus, die weliswaar kleiner waren, maar beter versterkt dan de bases van het principaat. Hoektorens zijn uitgebouwd voorbij de muren, in tegenstelling tot eerdere versterkingen, en daardoor konden de verdedigers elke aanvaller met enfilerend vuur bestoken.

maakte plaats voor een vierkant fort. Vestingen die nog in gebruik bleven werden kleiner gemaakt. Allemaal aanwijzingen dat legereenheden in deze tijd veel minder groot waren.

De vestingwerken moesten sterker worden gebouwd omdat ze in de late oudheid een veel grotere rol gingen spelen bij de oorlogvoering. Een militaire basis liep nu een reëel risico aangevallen te worden en het leger trad niet langer vol zelfvertrouwen elke vijand in het open veld tegemoet. Bovendien lukte het niet altijd meer de vijand buiten de rijksgrenzen onder de duim te houden en zo een inval te voorkomen, zoals dat vroeger wel gebeurde; elke grensoverschrijding voorkomen was nu eenmaal niet mogelijk. Vegetius raadde de Romeinen dan ook aan om zich in het geval van een invasie terug te trekken in hun bolwerken, nadat ze voedselvoorraden hadden ingeslagen. Barbaarse volken hadden niet veel kennis van belegeringen en waren vrijwel nooit in staat een vesting te bestormen en in te nemen. Ze konden proberen een stad uit te hongeren en zo tot overgave te dwingen, maar dat hield in dat ze er met een grote troepenmacht misschien wel maandenlang hun kamp moesten opslaan. Meestal was dat niet mogelijk, of een Romeinse troepenmacht schoot te hulp om de stad te ontzetten. En wanneer de vijand geen voedsel of puf meer had en het beleg ophief, liep hij het risico dat de Romeinen in de tegenaanval gingen. De Romeinen wisten zo een aanval te doorstaan en de schade zoveel mogelijk te beperken. In het gunstigste geval stuurde de keizer vervolgens voldoende troepen naar het thuisland van de belegeraars om er een strafexpeditie uit te voeren.

SOLDATEN EN OORLOGVOERING IN DE LATE OUDHEID

In de vierde eeuw bedroeg de diensttijd inmiddels twintig jaar, met uitzondering van enkele minder prestigieuze eenheden bij de *limitanei*, waar de manschappen vierentwintig jaar moesten dienen. Sommigen namen vrijwillig dienst, maar de dienstplicht was in deze periode veel gebruikelijker dan voorheen. Tijdens het principaat was het soldaten verboden te trouwen, al liet het leger het oogluikend toe als een soldaat een gezin stichtte. Vaak werden de zoons die in het kamp waren geboren gerekruteerd. Nadat Severus het verbod had opgeheven, werd een wet ingevoerd dat alle zoons van soldaten die tijdens of na hun diensttijd werden geboren het leger in moesten. Tevens werd een militaire loopbaan erfelijk. Ook riep het rijk een jaarlijks vastgesteld aantal rekruten op. De quota werden bepaald op basis van landbezit, en vooral het platteland moest verhoudingsgewijs veel dienstplichtigen leveren. Bepaalde groepen waren van dienstplicht ontheven, vooral rijksambtenaren. Mannen met ongeschikt geachte beroepen en op een hoge uitzondering na alle slaven mochten niet in het leger. De keizer sloeg wel eens een jaar over, dus het is moeilijk te zeggen hoe vaak er een rekrutering werd gehouden. Het was niet gebruikelijk dat een gouverneur toestond dat de dienstplicht werd afgekocht, wat uiteraard corruptie in de hand zal hebben gewerkt. Het kwam voor dat een beambte de volledige afkoopsom inde en met een deel ervan een aantal vrijwilligers betaalde om zo zijn quotum rekruten te leveren. Vaak waren dat niet de beste soldaten. Ondanks pogingen om dergelijke praktijken tegen te gaan, blijkt uit Romeinse wetgeving dat het ontduiken van dienstplicht een aanhoudend probleem was. Zelfverminking om niet in dienst te hoeven – vooral duimen afhakken – kwam altijd al incidenteel voor en zal gebruikelijker zijn geworden toen de dienstplicht meer algemeen werd. Constantijn de Grote voerde een wet in die zoons van soldaten die zichzelf verminkten verplichtte tot een taakstraf. Later werden de straffen strenger; Valentianus veroordeelde ze in 386 zelfs tot de brandstapel. Tegen het einde van de eeuw werd voor een andere aanpak gekozen; volgens Thedosius (in 381) kon iemand die verminkt was best zijn dienstplicht vervullen, waarbij twee verminkte rekruten telden voor één soldaat.

Een ander probleem waar het Romeinse leger voortdurend mee te kampen had was desertie, waarschijnlijk vanwege de lange diensttijd en de zware omstandigheden. In het bronnenmateriaal van de latere perioden wordt er vaak naar verwezen, maar of het vaker voorkwam dan voorheen valt moeilijk te zeggen.

'Barbarisering' door rekruten van buiten?

Grote aantallen rekruten waren afkomstig van de barbaarse stammen die met toestemming van het rijk binnen de grenzen woonden. Vaak bevatte de overeenkomst die hen een stuk land verleende een clausule dat ze op gezette tijden een bepaald aantal soldaten moesten leveren. Deze werden *laeti* of *gentiles* genoemd, maar ze dienden niet in aparte eenheden en kregen dezelfde behandeling als de andere rekruten. Ook mannen van buiten het rijk namen dienst in het Romeinse leger. Vaak moesten krijgsgevangenen het leger in, maar dan werden ze wel een eind van hun thuisland vandaan gestationeerd. Het kwam ook voor dat een overwonnen vijand krijgers leverde als onderdeel van het vredesverdrag. Bovendien kwamen sommige mannen naar Rome om vrijwillig dienst te nemen.

Het rekruteren van barbaren gebeurde regelmatig, en was ook niet echt iets nieuws. Tijdens het principaat hadden er altijd al mannen van buiten de rijksprovincies in de *auxilia* gediend. Het is niet mogelijk een betrouwbare inschatting te maken van het aandeel gerekruteerde barbaren tijdens de late oudheid. In het verleden zag men hierin een aanwijzing dat er een groot tekort aan rekruten was, en soms ook dat de dienstplichtige mannen uit de provincie vaak ongeschikt waren voor het leger. Daardoor zou het Romeinse leger langzaam maar zeker zijn 'gebarbariseerd'. Steeds meer officieren en manschappen waren afkomstig van de onbeschaafde wereld, met name van de Germaanse stammen. Deze manschappen hadden geen culturele of politieke binding met Rome en voelden geen loyaliteit. De problemen werden nog groter toen steeds meer *foederati* werden ingezet, eenheden van barbaren onder bevel van hun eigen stamhoofden in plaats van Romeinse officieren. Volgens deze theorie raakte het Romeinse leger in verval tot het uit weinig meer bestond dan een troep huurlingen onder leiding van barbaarse bendeleden. Dit verval zou dan een van de belangrijkste factoren zijn geweest voor de ondergang van het West-Romeinse rijk.

Al vroeg, in 69 n.C., omschreef Tacitus een leger in een van de provincies langs de Rijn, dat zowel bestond uit legionairs als *auxilia*-soldaten, als lompe barbaren die hun ogen uitkeken toen ze de pracht van Rome zagen. Dergelijke retorische overdrijving heeft misschien enkele latere bronnen beïnvloed, waarin kritiek wordt geleverd op de verspreiding van barbaren in het leger. In de belangrijkste bronnen uit deze periode lezen we helemaal niet dat dit zo'n probleem was. De barbaarse rekruten waren over het algemeen even loyaal en bekwaam als andere soldaten, zelfs als ze tegen hun eigen stamgenoten moesten vechten. Het kwam wel eens voor dat een barbaar een verrader bleek, maar dat kwam ook onder de Romeinen zelf voor. Tegen het einde van de vierde eeuw waren er veel hogere officieren van barbaarse afkomst, maar de meesten lijken helemaal te zijn geassimileerd aan de Romeinse militaire aristocratie. De theorie dat 'barbarisering' van het leger heeft bijgedragen aan de ondergang van het Romeinse Rijk wordt tegenwoordig dan ook ernstig in twijfel getrokken.

Soldaten en burgers

In de vierde eeuw was de soldij vergeleken met eerder zeer bescheiden. Het moest worden aangevuld met allerlei betalingen in natura, zoals kleding, rantsoenen en voer voor de dieren, plus een incidentele donatie van het rijk. Kleding en uitrusting werden voor het merendeel door de staat verstrekt, óf gevorderd van de provincies óf geproduceerd in de werkplaatsen van het rijk, zoals genoemd in de *Notitia Dignitatum*. De *comitatenses* hadden over het algemeen geen vaste legerbases; de manschappen werden meestal ingekwartierd bij burgers in de provinciesteden. Deze gewoonte was als altijd bijzonder impopulair. Burgers klaagden regelmatig over soldaten die meer vorderden dan hen toekwam of geweld gebruikten.

De *limitanei* verbleven doorgaans in forten. Bij sommige vroegere bouwwerken, zoals Housesteads en Great Chesters langs de Muur van Hadrianus, zijn sporen aangetroffen van uitgebreide veranderingen aan de barakgebouwen, uit eind derde eeuw. In plaats van een aaneengesloten rij van uit twee kamers bestaande *contubernia* werd een rij vrijstaande hutten gebouwd met een smalle gang ertussen. In Housesteads variëren ze in grootte van 8 à 10 meter lang bij 3,6 à 5,15 meter breed. Er waren veel minder van deze hutten dan *contubernum*-kamers in de vroegere barakblokken. In de meeste hutten was een vuurplaats. Volgens een onderzoek boden deze hutten huisvesting aan één of twee soldaten met hun gezinnen en vormen ze een aanwijzing dat de legereenheden in het late rijk steeds kleiner werden. Direct bewijs voor deze stelling is er niet, bovendien zijn er vergelijkbare barakken met vrijstaande hutten aangetroffen die dateren van het begin van de derde eeuw, dus vóór de invoering van kleinere eenheden; deze opvatting is daarom zeer twijfelachtig. Hoogstwaarschijnlijk was de nieuwe indeling eenvoudiger te bouwen en te onderhouden dan het renoveren van de barakblokken.

De nieuwe godsdienst: het christendom en het Romeinse leger

De staat schakelde het leger geregeld in bij de vervolging van de vroege kerk. Daarbij moeten we wel bedenken dat de christenvervolging in de eerste en tweede eeuw niet centraal geregeld was en slechts een incidenteel karakter had. De Romeinse keizers zagen de nieuwe godsdienst over het algemeen niet als een grote dreiging; de meeste vervolgingen waren dan ook het gevolg van oplaaiende vijandschap en achterdocht in lokale gemeenschappen. In 251 veranderde dit toen Decius een edict afkondigde dat de cultus in het hele rijk verbood. Ook door andere keizers werden christenvervolgingen verordend, vooral door Diocletianus, maar tegen die tijd was het christendom al zo wijd verbreid dat het niet meer uitgeroeid kon worden.

De eerste christenen stonden ambivalent tegenover militaire dienst. In het bijbelboek Handelingen staat het verhaal van Petrus en de bekering van Cornelius, een centurio van een Cohors Italica. Er zijn enkele vermeldingen in bronnen van christenen die als soldaat dienstdeden, in de derde eeuw zelfs ook bij de Praetoriaanse garde. Aan de andere kant weigerde Maximilianus in 295 n.C als soldaat te dienen omdat zijn geloof hem verbood iemand kwaad te doen, waarvoor hij ten slotte werd terechtgesteld.

Een medaillon ter ere van Constantius' herovering van Britannia op een usurpator in 297 na Christus. Constantius zou later uitgebreid op campagne gaan in Noord-Britannia. Hij stierf in York en werd opgevolgd door zijn zoon, Constantijn de Grote.

In 312 n.C. versloeg Constantijn de Grote het leger van zijn rivaal Maxentius tijdens de Slag bij de Milvische brug, buiten Rome. Hij had een visioen van het kruis gehad en liet zijn soldaten daarom de Griekse letters Chi-Rho, het symbool van Christus, op hun schild aanbrengen. Het jaar daarop kondigden Constantijn en de keizer van het Oosten, Licinus, godsdienstvrijheid voor de christenen af in het hele rijk. Constantijn bevorderde de nieuwe religie gedurende zijn hele bewind, maar niet alleen deze godsdienst. Pas aan het einde van zijn leven liet hij zich dopen. De acceptatie van het christendom binnen het Romeinse leger had weinig invloed; de rituelen van de nieuwe religie kwamen slechts in de plaats van bestaande ceremoniën. Halverwege de vijfde eeuw was er in elke eenheid van het oostelijke leger een geestelijke, die mogelijk al veel eerder hun werk in het leger deden, zowel in het oosten als het westen. In ieder geval zorgde het nieuwe geloof amper voor veranderingen aan de Romeinse methode van oorlogvoering.

Oorlogvoering in de late oudheid

De problemen waarmee het laat-Romeinse leger te kampen kreeg, waren aan elke grens anders. In het oosten vormden de Perzische Sassaniden, die begin derde eeuw n.C. de plaats van de Parthen hadden ingenomen, een omvangrijke en machtige buurstaat. Bij enkele gelegenheden wisten de Sassaniden diep in het Oost-Romeinse rijk door te dringen, zelfs tot aan Antiochië toe. Het kwam vaker voor dat de Romeinen Perzië binnenvielen. Ze volgden op hun expedities dezelfde route langs de Eufraat als eerdere keizers, onder wie Trajanus, Lucius Verus en Septimius Severus. Geen van beide partijen wist ooit een tijdelijke overwinning om te zetten in een permanente bezetting. De militaire inspanningen van de Perzen en Romeinen waren vooral gericht op het beschermen van de rijksgrenzen. Het kwam vrijwel nooit tot een open veldslag, maar het bleef bij verrassingsaanvallen. Hiervoor werd vaak een beroep gedaan op bondgenoten bij de nomadenstammen ter plaatse. Bij deze oorlogvoering werden bolwerken heel belangrijk, omdat deze de uitvalsbases vormden voor troepen die de aanvallen of tegenaanvallen uitvoerden; wie deze vestingsteden in handen had, was de baas in de hele regio. Het belegeren van een vesting was kostbaar en tijdrovend, en als het mislukte was dat een smet op het blazoen van de aanvoerder. Soms lukte een aanval, maar meestal kwam een veldleger de belegerde stad te hulp. Veel van de slagen die in deze tijd werden geleverd, speelden zich in dergelijke omstandigheden af.

In andere grensgebieden gaven de stammen evenveel problemen als tijdens het principaat. Er zijn geen goede redenen voor de veronderstelling dat de coalities die af en toe tussen verschillende stammen gesloten werden, een grotere bedreiging vormden dan voorheen het geval was. In ieder geval pasten de stammen geen andere strategieën of tactieken toe. De *limitanei* bevonden zich in de grensgebieden om daar de kleinschalige aanvallen op te vangen. Zij waren niet in staat om grotere invasies van enkele honderden krijgers of meer af te wenden. In dat geval moesten ze hun toevlucht zoeken tot een fort of vestingstad en wachten tot ze bevrijd werden of de vijand achtervolgen wanneer die het beleg opgaf. Evenals in het Oosten kwamen ook in deze grensgebieden zelden veldslagen voor. De Romeinen probeerden altijd snel en onverwacht toe te slaan. Zo mogelijk overvielen ze de barbaarse invallers, of lokten ze in een hinderlaag, zodat succes hopelijk verzekerd was en er zo min mogelijk eigen mensen sneuvelden.

De Boog van Constantijn vierde openlijk dat hij zijn Romeinse rivalen verslagen had. Het was waarschijnlijk het eerste monument waarop dode en verslagen Romeinen te zien waren. In dit tafereel vallen Constantijns soldaten, waaronder misschien ook *auxilia palatina*, een versterking aan. Let op de grote ovale schilden, speren en werpspiesen.

De Boog van Galerius (eind derde eeuw na Christus) in Thessaloniki, Griekenland, gedenkt zijn succesvolle oorlog tegen de Sassanidische Perzen en bevat een aantal reliëfs die soldaten afbeelden. De meesten dragen geschubde pantsers en spangenhelmen, en hebben ovale schilden.

Dat de Romeinen toegaven dat ze veel indringers er niet van konden weerhouden door te dringen tot de provincies was een breuk met het verleden, maar over het algemeen veranderde er weinig aan de oorlogvoering langs de grenzen. Als de Romeinen zwak leken, werden ze aangevallen. Vandaar dat ze voor de verdediging van de rijksgrens vooral veel machtsvertoon inzetten, met de bedoeling invasies te beletten. Dat deden ze door een mix van diplomatie, het overdrijven van het aantal slachtoffers bij de tegenstander, ook al vielen die tijdens de aftocht, en bloedige strafexpedities naar de thuislanden om de schrik voor de Romeinse militaire macht er goed in te prenten. Tot het begin van de vijfde eeuw lukte dit doorgaans goed. Daarna verzwakte het leger door burgeroorlogen, en ook al was dat maar tijdelijk, toch nam hierdoor de kans op nederlagen aan de grenzen toe. En met elke nederlaag, hoe onbeduidend ook, kalfde het ontzag voor de Romeinse legermacht af als er niet snel vergelding volgde.

Veldslagen tegen buitenlandse machten kwamen dus weinig voor, maar omdat ze meestal de doorslag in een conflict gaven, vonden ze wel regelmatig plaats tijdens een burgeroorlog. De kleinere eenheden in de late oudheid waren vooral geschikt voor schermutselingen aan de grenzen, maar functioneerden ook goed als deel van een leger tijdens een omvangrijke strijd. Net als voorheen werd het leger in meer rijen opgesteld, zodat meer dan de helft reserve stond. De Romeinse generaals kozen hun traditionele positie net achter de frontlinie, vanwaar ze de troepen aanmoedigden en tijdig de reserve-eenheden konden inzetten. Ook wat de tactiek van de eenheden betrof, veranderde er niet heel veel, al lijkt de infanterie in strak gelid iets minder agressief te hebben geopereerd. Ammianus heeft het wel over legionairs die op de vijand afstormen, ook al raken ze daarbij uit het gelid, om zo snel mogelijk de Perzische boogschutters te bereiken en uit te schakelen, maar bij de meeste gevechten werd een defensieve tactiek toegepast, zoals voorheen. In strak gelid bestookten de Romeinse infanteristen de vijand met hun werpspiesen en -pijlen en soms een zwaardere werpspeer, terwijl boogschutters vanachter de linie hun pijlen afschoten. We lezen ook dat ze de *baritus* lieten horen, de strijdkreet die ze van de Germanen hadden overgenomen. Die kreet begon met een donker gebrom, waarbij de soldaten hun schild voor hun mond hielden zodat het weergalmde, en werd dan steeds harder en scheller. Heel anders dan voorheen, toen ze langzaam in stilzwijgen optrokken met hun *pila* in de aanslag, om vervolgens brullend aan te vallen. In bepaalde opzichten leken deze eenheden dan ook meer op de oude milities.

Het leger en het einde van het West-Romeinse rijk

Aan het slot van de vijfde eeuw kwam er een einde aan het westelijke rijk. In het oosten regeerden de keizers nog zo'n duizend jaar door. Het Oost-Romeinse of Byzantijnse rijk behield veel culturele en militaire instellingen van Rome, waaronder ook het leger. Nederlagen droegen in belangrijke mate bij tot de ondergang van het westelijke rijk, maar het is een misvatting om de val helemaal te wijten aan het tekortschieten van het leger. Het laat-Romeinse leger was altijd nog een veel efficiëntere krijgsmacht dan veel legers uit die tijd. Maar door een zwakkere centrale overheid, problemen op sociaal en economisch gebied en vooral de niet-aflatende burgeroorlogen was het niet langer mogelijk voor de staat om zo'n effectief en sterk leger in stand te houden. Een goed uitgerust, georganiseerd en gedisciplineerd beroepsleger is erg kostbaar en bovendien gevaarlijk. Tenslotte was geen enkele keizer er ooit helemaal zeker van dat het leger niet de kant van een rivaal koos. De Byzantijnse keizers bleken in staat een leger te onderhouden dat redelijk goed functioneerde, terwijl het toch loyaal bleef, zodat het rijk daar nog gedurende lange tijd politieke stabiliteit genoot. Dit leverde vervolgens de welvaart op om dat leger te bekostigen. De laatste keizers van het Westen lukte het niet dit evenwicht te bewaren, door allerlei factoren die ze veelal niet in de hand hadden. Het rijk, dat eeuwenlang het leger in stand had gehouden, sleurde het nu mee in zijn val.

Verklarende woordenlijst

ala:

(a) Tijdens de Midden-Republiek werd elk legioen van Romeinse burgers ondersteund door een *ala* van bondgenoten. Het had ongeveer even veel infanteristen, maar vaak wel drie keer zoveel cavaleristen.

(b) Een *ala* bij het beroepsleger was een eenheid *auxilia*-cavalerie van ruwweg dezelfde grootte als een infanterie-cohort.

aquila: De adelaar van zilver, later van goud of verguld, werd na de marianische hervormingen de belangrijkste standaard. Marius werd in 107 voor Christus tot consul verkozen.

aquilifer: De standaarddrager die de adelaarstandaard van het legioen droeg.

beneficarius: Ervaren soldaat die voor de provinciegouverneur werkte. Ze werden persoonlijk of in groepen gedetacheerd.

caliga (meervoud *caligae*): De hoge soldaten-'sandaal' met noppen. Rond de tweede eeuw na Christus kwamen er dichte laarzen voor in de plaats.

canabae: Nederzettingen van burgers die al snel rond vrijwel alle permanente of semipermanente Romeinse legerbases ontstonden.

capite censi: De 'getelden' (ook *proletarii* genoemd); burgers die niet voldoende bezaten om voor militaire dienst in aanmerking te komen en daarom alleen als aantal in de volkstelling werden meegenomen. Marius rekruteerde openlijk vrijwilligers uit deze klasse.

centurie (*centuria*): Administratieve basiseenheid in het leger van de Republiek en het vroege Keizerrijk. De omvang varieerde van dertig tot honderdzestig man, al naar gelang tijd en eenheid, maar telde op papier gemiddeld tachtig man.

centurio: Officier die het bevel voert over een centurie.

cohort (*cohors*): Een eenheid van vierhonderd tot achthonderd man, de tactische basiseenheid van het beroepsleger.

cohors equitata: Een 'gemengd' cohort dat bestond uit infanterie en cavalerie van de *auxilia*. De ruiters van deze eenheden kregen minder betaald dan die bij de *alae*.

comes: Hogere officier bij een van de veldlegers van het laat-Romeinse Rijk.

comitatenses: Eenheden van de veldlegers uit de vierde en vijfde eeuw na Christus, die rechtstreeks ter beschikking stonden van de keizer of zijn bevelhebbers.

contubernium: Een groep van acht mannen die een tent en de maaltijden deelden.

cornicularius: Ambtenaar in de staf van een officier van een eenheid of van een provinciegouverneur.

corvus: De 'raaf', een soort loopplank op Romeinse schepen waarmee de vijand geënterd kon worden. Met veel succes toegepast tijdens de Eerste Punische Oorlog.

cuneus: Titel voor sommige cavalerie-eenheden in het leger van de late oudheid.

decurio: Cavalerie-officier met in de regel tien man onder zich. Tijdens het Principaat voerde hij het bevel over een *turma*, ongeveer dertig man.

dictator: Tijdens ernstige militaire crises benoemde men in de Republiek een dictator, een alleenheerser die een halfjaar in functie bleef. Deze benoemingen kwamen zelden voor. In de eerste eeuw voor Christus deden onder andere Sulla en Caesar een greep naar de macht en noemden zich zo.

dilectus: De rekrutering van nieuwe soldaten vanaf de Republiek. Hoe dit in z'n werk ging vanaf de eerste eeuw voor Christus is niet duidelijk.

duplicarius: Een soldaat die dubbel soldij kreeg, waarschijnlijk een junior-officier.

dux: Hogere officier in het laat-Romeinse leger die aan het hoofd van een regio met een garnizoen *limitanei* stond.

equites: Deze ruiters of 'ridders' waren bemiddelde burgers die zelf hun cavalerie-uitrusting voor het militieleger konden bekostigen. Het werd vervolgens de aanduiding voor de maatschappelijke stand direct onder de senatorenstand.

foederati: Aanvankelijk een ongeregelde eenheid hulptroepen, in de late oudheid de term voor bondgenoten met een bevelhebber uit eigen stam of volk.

funditores: Slingeraars komen regelmatig voor in teksten over het leger, en bij opgravingen op Romeinse militaire locaties worden geregeld loden of stenen kogels gevonden. Of er een aparte eenheid van slingeraars bestond is niet bekend.

gladius: Het Latijnse woord voor 'zwaard' wordt door hedendaagse wetenschappers gebruikt voor het korte steekwapen dat de Romeinse legionairs eeuwenlang als handwapen gebruikten.

hastati: De voorste rij zwaarbewapende infanterie in het manipellegioen, dat bestond uit de jongste mannen.

hopliet: Een Griekse zwaarbewapende infanterist, gewapend met een speer, een rond schild (of hoplon) van 90 centimeter doorsnee en uitgerust met bronzen helm, lichaamspantser en scheenbeschermers. Deze mannen vochten in een dichte carré, de falanx.

imago: Een standaard met een buste of afbeelding van de keizer of een lid van zijn familie. Deze *imagines* werden bij de andere standaarden bewaard, zodat de soldaten niet vergaten wie ze loyaliteit verschuldigd waren.

immunis: Een soldaat die was vrijgesteld van corveetaken, meestal vanwege een bijzondere vaardigheid of ambacht.

legatus: Letterlijk een 'vertegenwoordiger'. *Legati* waren de hoogste ondergeschikten van een Romeinse generaal. Dit waren vrijwel uitsluitend senatoren. Tijdens het Principaat waren de volgende twee keizerlijke legaten het belangrijkst:
(a) de *legatus Augusti proparetore*, de bevelhebber van een rijksprovincie (behalve Egypte) met een legioensgarnizoen.
(b) de *legatus legionis*, bevelhebber van een legioen.

legioen (*legio*): In het leger van de Republiek en het vroege Keizerrijk telde een legioen vier- tot zesduizend man en vormde het de belangrijkste onderafdeling binnen een leger. In de vierde eeuw na Christus waren de legioenen gekrompen tot duizend à twaalfhonderd man.

librarius: Junior-klerk bij het hoofdkwartier van een eenheid.

limitanei: In de late oudheid waren de *limitanei* eenheden die in een bepaalde plaats werden gelegerd, meestal in de grensgebieden.

Magister Equitum (meester der paarden): De assistent van een dictator tijdens de Republiek. Volgens de traditie was de dictator de bevelhebber van de infanterie, zijn adjudant voerde de cavalerie aan.

Magister Militum: Een van de vele titels van de hoogste officieren van de veldlegers in het laat-Romeinse tijdperk. Andere zijn *Magister Peditum* en *Magister Equitum*.

manipel (*manipulus*): In het leger van de Republiek vormden twee centuriën samen een tactische eenheid, de manipel. Die varieerde in grootte tussen de zestig en honderdzestig man en stond onder leiding van de centurio van de rechtercenturie.

numerus: Naam voor bepaalde eenheden auxiliasoldaten tijdens het Principaat. Later werden ook cavalerie-eenheden zo genoemd.

optio: De assistent van een centurio, tweede in bevel over een centurie.

paenula: Een mantel die soldaten vaak droegen. Ze hadden een houtje-touwtje sluiting, capuchon en werden als een poncho gedragen.

palatina: Elite-eenheden bij de veldlegers in de late oudheid.

paludamentum: Een ceremoniële mantel die centurio's en andere officieren vaak droegen. Hij werd meestal over de linkerarm gedrapeerd.

pilum: Een zware werpspies en het belangrijkste wapen van de Romeinse legionair vanaf het militieleger tot ten minste het einde van het Principaat.

prefect (*praefectus*):
(a) Een van de drie hogere officieren aan het hoofd van een *ala* tijdens de Republiek, in feite de pendant van een tribuun van het legioen.
(b) Gouverneur van een provincie onder leiding van een *eques*, zoals Judea tot 66 na Christus en Egypte.
(c) Bevelhebber van een auxilia-*ala* of -cohort tijdens het Principaat.
(d) Bevelhebber van een regiment in de late oudheid.

praepositus: Bevelhebber over een eenheid van het laat-Romeinse leger; naar het schijnt qua positie vrijwel gelijk aan een tribuun of prefect.

primi ordines: Centurio's van de eerste cohort binnen een legioen. Zij bekleedden de hoogste posities in de centuriën, en genoten de bijbehorende status.

primus pilus: De bevelhebber van de eerste centurie van het eerste cohort, de hoogste centurie binnen het legioen.

principes: De tweede rij met zware infanterie in het manipellegioen, dat bestond uit mannen in de bloei van hun leven.

probatio: De eerste fase voor nieuwe rekruten in het leger, die bestond uit een medische keuring en een antecedentenonderzoek.

pugio: De korte dolk die legionairs vaak droegen.

quaestor: De taken van de *quaestor* lagen vooral op financieel terrein, maar als tweede in bevel onder de provinciegouverneur ten tijde van de Republiek moesten ze soms ook ten strijde trekken.

quinquereem: De 'vijfroeier', een galeischip dat in de Punische Oorlogen werd ingezet. De naam verwijst naar de rijen met roeiers, die mogelijk op twee, maar waarschijnlijker op drie banken zaten.

sacramentum: De eed van trouw die soldaten aflegden als ze in dienst traden. Tijdens het Principaat werd deze afgelegd aan de keizer.

sagum: Een soldatenmantel, meestal bevestigd op de rechterschouder met een speld.

schola: Cavalerieregimenten van de keizerlijke garde van het laat-Romeinse leger.

sesquiplicarius: Een soldaat die anderhalf keer de normale soldij ontving, en waarschijnlijk een bijzondere post bekleedde of als junior-officier optrad.

signum: De standaard van de centurie. Doorgaans bevestigd aan een stok die versierd was met een aantal plaquettes en andere decoraties. Sommige hadden een decoratieve speerpunt of een hand met een lauwerkrans.

signifer: De junior-officier die de standaard met het veldteken van een centurie droeg. In het leger van het Keizerrijk verrichtte hij ook nog administratieve taken voor de eenheid, vooral met betrekking tot de betalingen van en inhoudingen op de soldij.

singulares: De elite-lijfwacht van een hoge Romeinse officier, zoals de legioens- of provincielegaat. Deze bestond doorgaans uit gedetacheerde auxilia-militairen. De *singulares Augusti* waren een elite-ruiterwacht, afkomstig uit het hele Rijk, en waren onderdeel van de Praetoriaanse garde.

spatha: De naam waarmee doorgaans het langere zwaard wordt aangeduid dat de Romeinse cavaleristen droegen, en in de late oudheid ook de meeste infanteristen.

tesserarius: Een van de junior-officieren binnen een centurie. De naam is afgeleid van de *tessera*, een tablet waarop het wachtwoord van de dag werd geschreven.

trecenarius: Junior-officier in het laat-Romeinse leger.

tribuun (*tribunus*):
(a) Hoge stafofficier binnen een legioen.
(b) Bevelhebber van een cohors milliaria of *ala* bij de auxilia tijdens het Principaat en van diverse regimenten van het laat-Romeinse leger.

triarii: De derde (achterste) infanterierij met de oudste en meest ervaren soldaten.

trireem: De 'drieroeier', het oorlogsschip dat de meeste vloten van de vijfde tot vierde eeuw voor Christus gebruikten. De Romeinen bleven ze bij gelegenheid inzetten. Een galei had drie banken met roeiers.

vexillatio:
(a) Een detachement van een eenheid, uitgezonden met een bepaalde taak.
(b) De naam van sommige cavalerie-eenheden in het laat-Romeinse leger.

vicus: Na een bepaalde tijd kreeg een tijdelijke nederzetting bij een Romeinse vesting de status van *vicus*. Ze voorzagen in veel behoeften van de legerbasis.

vigiles: Cohorten die door Augustus waren aangesteld als paramilitaire eenheden. Ze traden op als brandweer en nachtwacht van Rome.

DANK-BETUIGING

Vele generaties onderzoekers hebben grote inspanningen verricht om tot een reconstructie van het Romeinse leger te komen. Veel ontdekkingen zijn buiten de academische poorten echter nauwelijks bekend. Het doel van dit boek is een deel van dit beschikbare materiaal onder de aandacht van een breder publiek te brengen. De inhoud is grotendeels samengesteld uit het werk van anderen. Deze onderzoekers ben ik daarvoor veel dank verschuldigd. Ondanks de stevige omvang van dit boek, vertegenwoordigt de inhoud slechts een klein deel van de nog altijd groeiende hoeveelheid literatuur over dit onderwerp. Geprobeerd is een aantal van elkaar afwijkende zienswijzen over het dagelijkse leven in het Romeinse leger weer te geven, maar het was onmogelijk dit tot in detail te doen. Ik hoop dat de balans die ik daarin gevonden heb een indruk geeft hoe het leger zich in de loop der tijd ontwikkeld heeft, en het beeld dat het een onveranderlijk monolithisch instituut was bijstelt. Voor verhalende geschiedenis over de periode die in dit boek behandeld wordt, moet de lezer op zoek naar andere bronnen. Bij de keus wat wel en wat niet op te nemen in deze uitgave, heb ik me voor een groot deel laten leiden door hetgeen ik zelf belangrijk vind. Niet iedereen zal het dan ook op alle fronten eens zijn met mijn keuzes en de verklaringen die ik geef.

Ik bedank Ian Hughes hartelijk voor het snelle lezen van de eerste versie van de tekst en voor zijn nuttige commentaren en suggesties. Een groot deel van dit boek is gelezen door Ian Haynes van het Birkbeck College, onderdeel van de Universiteit van Londen – op een moment dat hij een verlofjaar had om aan zijn eigen onderzoek te werken. Zijn opmerkingen hebben mij enorm geholpen, ze gaven veel vraagstukken een archeologisch perspectief. Lawrence Kappie en Duncan Campbell wil ik bedanken omdat ze gedetailleerde suggesties en opmerkingen hebben gegeven voordat de eerste versie van dit boek naar de uitgever ging. Hun bijdragen hebben de inhoud wezenlijk verbeterd, al moet gezegd worden dat zij het niet op alle punten eens zijn met de opvattingen die in het boek naar voren komen. De tekst is ook gebaseerd op gesprekken die gevoerd zijn op congressen en in studiegroepen, die als onderwerp het Romeinse leger hadden. Het voert te ver om hier al mijn gesprekspartners individueel te bedanken, daarom hierbij mijn dank aan iedereen die mij geholpen heeft deze uitgave te realiseren.

Goed om te weten is ook dat de Nederlandstalige editie een ander formaat en een beperkt kleurgebruik heeft, zodat diverse foto's, kaarten en tekeningen zijn vervallen die wel in de Britse editie stonden.

Adrian Goldsworthy

PERSONEN-REGISTER

Het personenregister heeft betrekking op de genummerde tekst, niet op het kleurenkatern

Literatuurverwijzing / Fotoverantwoording

De teksten en citaten van bijna alle Griekse en Romeinse auteurs zijn vertaald uit het Engels. De auteur heeft gebruik gemaakt van de vertaling in de Loeb Classical Library serie, uitgegeven door Harvard University Press. Veel teksten zijn ook beschikbaar in andere vertalingen, bijvoorbeeld de Penguin Classics series.

Bronnen voor documenten betreffende het Romeinse leger zijn ontleend aan:

Bowman, A.K. en B. Thomas, The Vindolanda Writing-Tablets (Tabulae Vindolandenses ii). Londen, 1994.

Collingwood, R.G. en R.P. Wright (geactualiseerd door R.S.O. Tomlin), The Roman Inscriptions of Britain. Vol. 1 1995.

Dessau, H. Inscriptiones Latinae Selectae. Berlijn, 1892-1916.

Dessau, H. Corpus Inscriptionum Latinarum. Berlijn, 1862 - .

Fink, R.O., Roman Military Records on Papyrus. Cleveland, 1971.

Een bijzonder behulpzame collectie van vertaalde bronnen is beschikbaar in B. Campbell, The Roman Army 31 BC-AD 337 – A Sourcebook. Londen, 1994.

(Plus Engelse lijst van blz 217 & 218 van het originele boek)

/

De illustraties in dit boek zijn afkomstig uit de Engelse uitgave van uitgeverij Thames & Hudson. De rechten op dit materiaal zijn wereldwijd door Thames & Hudson geregeld. Voor de herkomst van het fotomateriaal verwijzen we de lezer naar de Engelstalige uitgave.